LA DERNIÈRE PROPHÉTIE

# LA GUERRE DES
# CLANS

## Cycle II – Livre IV

## Nuit étoilée

D1256689

# L'auteur

Pour écrire *La guerre des Clans*, **Erin Hunter** puise son inspiration dans son amour des chats et du monde sauvage. Erin est une fidèle protectrice de la nature. Elle aime par-dessus tout expliquer le comportement animal grâce aux mythologies, à l'astrologie, et aux pierres levées.

## Du même auteur, chez Pocket Jeunesse :

Vous aimez les livres de la collection

# LA GUERRE DES
# CLANS

Retrouvez vos personnages préférés sur :
www.laguerredesclans.fr

Erin Hunter

## LA DERNIÈRE PROPHÉTIE

# LA GUERRE DES CLANS

Cycle II – Livre IV
## Nuit étoilée

*Traduit de l'anglais par Aude Carlier*

POCKET JEUNESSE
PKJ·

Titre original :
*Starlight*

Loi n° 49 956 du 16 juillet 1949 sur les publications
destinées à la jeunesse : mars 2014.

© 2006, Working Partners Ltd.
Publié pour la première fois en 2006
par Harper Collins *Publishers*.
Tous droits réservés.
© 2010, 2014, éditions Pocket Jeunesse,
département d'Univers Poche,
pour la traduction française et la présente édition.
La série « La guerre des Clans » a été créée
par Working Partners Ltd, Londres.

ISBN 978-2-266-24824-2

*Remerciements tout particuliers à Cherith Baldry.*

# CLANS

## CLAN DU TONNERRE

**CHEF**  **ÉTOILE DE FEU** – mâle au beau pelage roux.

**LIEUTENANT**  **PLUME GRISE** – chat gris plutôt massif à poil long.

**GUÉRISSEUSE**  **MUSEAU CENDRÉ** – chatte gris foncé.
**APPRENTIE : NUAGE DE FEUILLE.**

**GUERRIERS**  (mâles et femelles sans petits)

**POIL DE SOURIS** – petite chatte brun foncé.
**APPRENTI : NUAGE D'ARAIGNÉE.**

**PELAGE DE POUSSIÈRE** – mâle au pelage
moucheté brun foncé.
**APPRENTIE : NUAGE D'ÉCUREUIL.**

**TEMPÊTE DE SABLE** – chatte roux pâle.

**FLOCON DE NEIGE** – chat blanc à poil long,
fils de Princesse, neveu d'Étoile de Feu.

**POIL DE FOUGÈRE** – mâle brun doré.
**APPRENTIE : NUAGE AILÉ.**

**CŒUR D'ÉPINES** – matou tacheté au poil brun
doré.

**CŒUR BLANC** – chatte blanche au pelage constellé
de taches rousses.

**GRIFFE DE RONCE** – chat au pelage sombre et
tacheté, aux yeux ambrés.

**PELAGE DE GRANIT** – chat aux yeux bleu foncé et
à la fourrure gris pâle constellée de taches plus
foncées.

**PERLE DE PLUIE** – chat gris foncé aux yeux bleus.

**PELAGE DE SUIE** – chat gris clair aux yeux
ambrés.

**POIL DE CHÂTAIGNE** – chatte blanc et écaille aux
yeux ambrés.

**APPRENTIS** (âgés d'au moins six lunes, initiés pour devenir des guerriers)

**NUAGE D'ÉCUREUIL** – chatte roux foncé aux yeux verts.

**NUAGE DE FEUILLE** – chatte brun pâle tigrée, aux yeux ambrés et aux pattes blanches.

**NUAGE D'ARAIGNÉE** – chat noir haut sur pattes, au ventre brun et aux yeux ambrés.

**NUAGE AILÉ** – chatte blanche aux yeux verts.

**REINE** (femelle pleine ou en train d'allaiter)

**FLEUR DE BRUYÈRE** – chatte aux yeux verts et à la fourrure gris perle constellée de taches plus foncées.

**ANCIENS** (guerriers et reines âgés)

**BOUTON-D'OR** – chatte roux pâle.

**LONGUE PLUME** – chat crème rayé de brun.

## CLAN DE L'OMBRE

**CHEF** **ÉTOILE DE JAIS** – grand mâle blanc aux larges pattes noires.

**LIEUTENANT** **FEUILLE ROUSSE** – femelle roux sombre.

**GUÉRISSEUR** **PETIT ORAGE** – chat tigré très menu.

**GUERRIERS** **BOIS DE CHÊNE** – matou brun de petite taille.
**APPRENTI : NUAGE DE FUMÉE.**

**PELAGE D'OR** – chatte écaille aux yeux verts.

**CŒUR DE CÈDRE** – mâle gris foncé.

**PELAGE FAUVE** – chat roux.
**APPRENTI : NUAGE PIQUANT.**

**REINE** **FLEUR DE PAVOT** – chatte tachetée brun clair, haute sur pattes.

**ANCIENS** **RHUME DES FOINS** – mâle gris et blanc de petite taille.

**FLÈCHE GRISE** – matou gris efflanqué.

## CLAN DU VENT

| | |
|---|---|
| CHEF | **ÉTOILE FILANTE** – mâle noir et blanc à la queue très longue. |
| LIEUTENANT | **GRIFFE DE PIERRE** – mâle brun foncé au pelage pommelé. |
| GUÉRISSEUR | **ÉCORCE DE CHÊNE** – chat brun à la queue très courte. |
| GUERRIERS | **MOUSTACHE** – mâle brun tacheté. |
| | **PLUME NOIRE** – matou gris foncé au poil moucheté. **APPRENTI ; NUAGE DE BELETTE.** |
| | **OREILLE BALAFRÉE** – chat moucheté. **APPRENTI : NUAGE DE HIBOU.** |
| | **PLUME DE JAIS** – mâle gris foncé, presque noir aux yeux bleus. |
| | **BELLE DE NUIT** – chatte noire |
| | **PATTE CENDRÉE** – chatte au pelage gris |
| REINES | **AILE ROUSSE** – petite chatte blanche. |
| | **PATTE CENDRÉE** – chatte au pelage gris. |
| ANCIENS | **BELLE-DE-JOUR** – femelle écaille. |
| | **PLUME DE GENÊTS** – matou brun clair. |

## CLAN DE LA RIVIÈRE

| | |
|---|---|
| CHEF | **ÉTOILE DU LÉOPARD** – chatte au poil doré tacheté de noir. |
| LIEUTENANT | **PATTE DE BRUME** – chatte gris-bleu foncé aux yeux bleus. |
| GUÉRISSEUSE | **PAPILLON** – jolie chatte au pelage doré et aux yeux ambrés. |
| GUERRIERS | **GRIFFE NOIRE** – mâle au pelage charbonneux. **APPRENTI : NUAGE DE CAMPAGNOL.** |

**GROS VENTRE** – mâle moucheté très trapu.

**APPRENTI : NUAGE DE PIERRE.**

**PLUME DE FAUCON** – chat massif au pelage brun tacheté, au ventre blanc et au regard bleu glacé.

**PLUME D'HIRONDELLE** – chatte brun sombre au pelage tigré.

REINES

**PELAGE DE MOUSSE** – chatte écaille de tortue.

**FLEUR DE L'AUBE** – chatte gris perle.

## DIVERS

**PACHA** – mâle musculeux gris et blanc qui vit dans une grange près du territoire des chevaux.

**CHIPIE** – femelle au long pelage crème vivant avec Pacha et Câline.

**CÂLINE** – petite chatte au pelage gris et blanc vivant avec Pacha et Chipie.

Nid de
Bipèdes

Clairière

Sentier de Bipèdes

Sentier de Bipèdes

Camp de l'Ombre

Demi-pont

Petit Chemin
du Tonnerre

Territoire des Bipèdes
à la saison
des feuilles vertes

Demi-pont

Île

Ruisseau

Camp de la Rivière

Camping du Lièvre

Chalet du
Sanctuaire

Bois de Sadler

Route de Petitpin

Base
nautique
de
Petitpin

Île
de
Petitpin

L'alba

Route de Blanche-Église

Entrepôt
abandonné

Route de la Carrière

Source
cristalline

Carrière

Bois de
la Motte-aux-lièvres

Motte-aux-
Lièvres

Lac du
Sanctuaire

Haras
de la
Motte-aux-Lièvres

Route de la Motte-aux-Lièvres

Bosquet
du Chevalier

Bois à feuilles
caduques

Pinède

Marécages

Lac

Sentiers

Nord

## PROLOGUE

LE CLAIR DE LUNE inondait les collines, projetant des ombres noires autour d'une épaisse roncière. Les buissons dissimulaient une combe rocailleuse, aux parois abruptes qui dominaient un bassin aussi rond que l'astre de la nuit. À mi-hauteur, un filet d'eau étincelant, comme de la poussière d'étoile, jaillissait entre deux pierres moussues et se jetait dans le bassin.

Les branches frémirent. Un groupe de chats apparut au sommet et commença à descendre vers l'eau. Leur pelage brillait d'une douce lumière pâle et chacun de leurs pas laissait sur la mousse une empreinte scintillante.

Une chatte à la robe écaille atteignit le plan d'eau en premier. Elle balaya l'endroit de ses yeux luisants.

« Oui, murmura-t-elle. C'est bien ici.

— Tu as raison, Petite Feuille. Nos quatre élus n'ont pas trahi l'espoir que nous avions placé en eux. Nous les avons bien choisis. »

Une guerrière au pelage gris-bleu lui avait répondu, depuis un surplomb sur le versant opposé. D'un bond, elle vint se placer face à la chatte écaille, de l'autre côté du bassin.

« Mais les Clans ne sont pas encore au bout de leurs peines.

— C'est vrai, Étoile Bleue. Leur courage et leur foi seront testés jusqu'à leur limite. J'ai confiance. Ils sont arrivés jusque-là. Ils n'abandonneront pas. »

D'autres guerriers-étoiles les rejoignirent et bientôt leurs silhouettes souples et brillantes remplirent l'espace.

« Nous avons, nous aussi, souffert pendant notre périple, déclara un matou.

— Quel déchirement de quitter les sentiers que nous arpentions depuis si longtemps ! ajouta un autre.

— Il nous faut à présent apprendre à connaître de nouveaux cieux », reprit Petite Feuille d'un ton assuré.

Elle s'assit sur un rocher près de la source clapotante, la queue enroulée autour des pattes. « Nous devons guider nos Clans jusqu'ici, où nous pourrons communiquer avec les chefs et les guérisseurs. Alors, oui, les cinq Clans seront vraiment chez eux », ajouta-t-elle.

Des murmures enthousiastes, pleins d'espoir, s'élevèrent de l'assemblée.

« Ils pourront pêcher dans le lac, lança un matou.

— Et le gibier abonde dans les collines et sur les rives, poursuivit un autre. Tous les Clans seront nourris, même à la saison des feuilles mortes. »

La guerrière au pelage gris-bleu semblait toujours perplexe.

« Le gibier ne fait pas tout, dans la vie », miaula-t-elle.

Un mâle brun-roux se fraya un passage à coups d'épaule jusqu'au premier rang.

« Ce ne sont pas des chatons ! s'emporta-t-il. Ils sont capables d'éviter les Bipèdes et leurs chiens. Les renards et les blaireaux, aussi.

— Les problèmes ne viennent pas toujours des Bipèdes, rétorqua Étoile Bleue en le toisant durement. Ni des prédateurs, Cœur de Chêne. Tu le sais aussi bien que moi. Les difficultés naissent souvent au sein des Clans eux-mêmes. »

Certains échangèrent des regards gênés, mais Cœur de Chêne hocha la tête.

« Évidemment, dit-il. Et il en sera toujours ainsi. Tel est le fardeau des guerriers.

— Problèmes internes apporter dangers plus grands. »

Une voix, profonde, rauque, s'élevait dans la combe.

Étoile Bleue fit volte-face, les poils hérissés sur l'échine, et dévisagea le nouveau venu apparu au sommet de la pente. Il était trop grand et trop massif pour être un chat. À voir son imposante silhouette noire, on aurait pu croire qu'un énorme morceau de charbon venait de faire irruption dans l'enceinte des ronciers. Les chats rassemblés ne distinguaient que ses membres épais et puissants, et ses petits yeux brillants.

Aussitôt, Étoile Bleue se détendit.

« Sois le bienvenu, cher ami, dit-elle. Le Clan des Étoiles te remercie. Nous te devons beaucoup.

— Peu moi ai accompli, se défendit l'intéressé. Ces chats avoir affronté leur destin avec courage.

— Les Clans ont voyagé loin, et enduré des

souffrances que nous ne pouvions soulager, confirma Petite Feuille. Ils ont persévéré, même lorsque nous avons perdu leur trace dans les montagnes, alors qu'ils marchaient sous les cieux d'une autre Tribu. Ils doivent maintenant réapprendre à être quatre Clans. » Son expression se fit solennelle. « La douleur sera grande, en particulier pour ceux qui ont cheminé ensemble jusqu'à toi, Minuit. Il ne leur sera pas facile d'oublier leur amitié.

— Pour cela, ils devront délimiter leurs territoires au plus vite, répondit Cœur de Chêne d'une voix grave. Ce qui ne se fera pas sans heurts.

— Chaque guerrier loyal voudra le meilleur pour son Clan, miaula Étoile Bleue.

— Espérons qu'ils se battront pour leur Clan, et non pour eux-mêmes, rétorqua Cœur de Chêne.

— Là est le danger », murmura une voix inquiète. Un matou au pelage noir et brillant contemplait l'eau argentée comme s'il voyait une menace remonter vers la surface tel un poisson gigantesque. « Je vois un guerrier, assoiffé d'un pouvoir qu'il ne mérite pas…

— Qu'il ne mérite pas ? » Un mâle maigrelet à la mâchoire tordue bondit sur ses pattes de l'autre côté du bassin, la fourrure hérissée. « Étoile Noire, comment peux-tu affirmer une chose pareille ? »

Le matou noir leva la tête, sa fourrure ondulant sous le clair de lune.

« Très bien, Étoile Balafrée. Qu'il ne mérite pas *encore*, corrigea-t-il. Celui-là a besoin d'apprendre les vertus de la patience. Le pouvoir n'est pas une proie que l'on doit saisir à tout prix avant qu'elle ne s'échappe. »

Le mâle à la mâchoire tordue se rassit, mais la colère ne quitta pas son regard.

« Tu voudrais que tous nos guerriers soient aussi timorés que des souris ? » marmonna-t-il.

Étoile Noire plissa les yeux. Sa queue s'agitait nerveusement. Avant qu'il puisse répondre, un autre félin s'avança : une guerrière à la large tête, et à la fourrure grise et épaisse. Une lueur intense animait son regard. Elle vint se placer près de Petite Feuille et scruta la surface de l'eau. Un instant plus tard, du milieu du bassin, des ondulations commencèrent à se déployer en cercles, provoquant de petites vaguelettes qui venaient lécher la rive.

La chatte grise releva la tête.

« J'ai vu ce qui doit advenir, gronda-t-elle. Des temps difficiles nous attendent. »

Un frisson d'inquiétude parcourut l'assemblée de chats tel le vent qui balaie les roseaux.

« C'est-à-dire ? demanda Étoile Bleue, alors que le silence s'installait. Explique-toi, Croc Jaune. »

L'autre hésita.

« Je ne suis pas certaine de comprendre ma vision, déclara-t-elle enfin. Et ce que je vais vous dire ne va pas vous plaire. » Elle ferma les yeux. Lorsqu'elle reprit la parole, sa voix se fit plus ténue, ce qui obligea chacun à tendre l'oreille. « *Avant que la paix vienne, le sang fera couler le sang, et les eaux du lac deviendront pourpres.* »

Étoile Bleue se crispa. Elle scruta à son tour le bassin. Une tache rouge se déployait à la surface, comme pour refléter la lumière écarlate d'un soleil couchant. Pourtant, au-dessus de la combe, la lune brillait toujours derrière de fins nuages.

Des hoquets d'horreur s'élevèrent. Tremblante, Petite Feuille fit quelques pas et scruta désespérément la surface comme pour y chercher un démenti aux sombres paroles de Croc Jaune.

« Essaies-tu de découvrir ce qu'il arrivera à Étoile de Feu ? lui demanda gentiment Étoile Bleue. N'insiste pas trop, Petite Feuille. Toi entre tous, tu devrais savoir que nous sommes parfois impuissants. »

La guérisseuse releva la tête, le regard déterminé.

« Je ferais *n'importe quoi* pour aider Étoile de Feu, feula-t-elle. Je le protégerai avec tout le pouvoir du Clan des Étoiles.

— Cela ne suffira peut-être pas. »

Autour d'elles, les guerriers du Clan des Étoiles commençaient à escalader les versants pour filer dans les ronces. Peu à peu, le scintillement de leur fourrure disparut complètement. Seul le reflet de la lune sur l'eau trouait maintenant les ténèbres qui régnaient sur la combe.

Un animal pourtant s'était attardé dans les ombres. Il regarda les félins partir jusqu'au dernier. Lorsqu'il se mit en route à son tour, un rayon argenté frappa ses épaules puissantes.

« *Minuit, ta place pas être ici*, se reprocha-t-il. *Plus rien à faire*. » Il marqua une pause, avant de reprendre : « *Encore une fois, peut-être, moi revoir chats des Clans. Sombre être l'avenir*. »

Lorsque le blaireau se tourna pour s'engager dans les buissons, le clair de lune fit briller la rayure blanche qui zébrait sa tête. Puis il disparut, et la combe fut absolument déserte.

## CHAPITRE 1

Du sommet de la colline, Griffe de Ronce contemplait la surface argentée du lac en contrebas. Les Clans avaient enfin découvert leur nouveau territoire, tout comme Minuit l'avait prédit. Leurs ancêtres les y attendaient, et ils étaient enfin à l'abri des monstres des Bipèdes.

Tout autour de lui, des guerriers des quatre Clans échangeaient des murmures inquiets, les yeux fixés sur la vallée noire et inconnue.

« Il fait trop sombre pour savoir ce qui nous attend en bas », déclara Cœur Blanc, une chatte au pelage blanc et roux du Clan du Tonnerre.

Elle devait se tourner de côté pour que son œil unique lui permette d'embrasser le paysage dans son ensemble. Son compagnon, Flocon de Neige, battit de la queue.

« Que risquons-nous ? Pense à tout ce que nous avons traversé pour arriver jusqu'ici. Nous pouvons combattre n'importe quel quadrupède.

— Et les Bipèdes ? demanda Feuille Rousse, le lieutenant du Clan de l'Ombre.

— Après cet éprouvant voyage, nous sommes tous fatigués et affaiblis, ajouta Griffe Noire, du

Clan de la Rivière. Des renards et des blaireaux pourraient nous pister facilement si nous restons groupés, et à découvert. »

Griffe de Ronce sentit poindre la peur. Il redressa la tête. Le Clan des Étoiles ne les aurait pas conduits jusqu'ici sans être certain que les Clans pourraient y survivre.

« Qu'est-ce qu'on attend ? lança une autre voix. On va rester plantés là toute la nuit ? »

Réprimant un ronron amusé, Griffe de Ronce se tourna vers sa camarade de Clan. Nuage d'Écureuil se tenait derrière lui. L'apprentie au pelage roux grattait l'herbe dense et moelleuse, ses yeux verts luisant d'impatience.

« Tu te rends compte, Griffe de Ronce ! s'extasia-t-elle. On a enfin trouvé notre nouveau chez-nous ! »

Elle prit appui sur ses pattes arrière, prête à s'élancer dans la descente. Étoile de Feu vint se planter devant elle.

« Attends », dit-il. Dans un geste tendre, le chef du Clan du Tonnerre posa le bout de sa queue sur l'épaule de sa fille. « Nous irons ensemble, à l'affût du moindre danger. C'est peut-être l'endroit que le Clan des Étoiles nous destinait, mais il ne faut pas pour autant oublier d'être prudents. »

Hochant la tête avec respect, Nuage d'Écureuil recula d'un pas. Mais son regard brillait avec la même intensité. Pour elle, le terme de leur voyage ne pouvait être effrayant.

Étoile de Feu alla rejoindre Étoile de Jais et Étoile du Léopard, les chefs des Clans de l'Ombre et de la Rivière.

« Je propose que nous envoyions une patrouille de reconnaissance, miaula-t-il. Deux ou trois chats suffiront, pour découvrir ce qu'il y a en bas.

— Bonne idée... Mais nous ne pouvons pas rester là, à attendre leur retour, objecta Étoile du Léopard. Nous sommes bien trop exposés. »

D'un grognement, Étoile de Jais lui donna raison avant d'ajouter :

« Les plus faibles d'entre nous feraient des proies bien trop faciles.

— Nous devons pourtant nous reposer. » Griffe de Pierre, du Clan du Vent, venait de rejoindre la discussion. Son chef, Étoile Filante, gisait au sol un peu plus loin, veillé par le guérisseur Écorce de Chêne. « Étoile Filante ne pourra pas aller beaucoup plus loin.

— Dans ce cas, que la patrouille parte tout de suite, suggéra Étoile de Feu, et les autres suivront à petite allure, jusqu'à ce que nous trouvions un abri. Oui, Griffe de Pierre, ajouta-t-il en voyant que le lieutenant du Clan du Vent s'apprêtait à protester, nous sommes tous épuisés, mais nous dormirons plus facilement ailleurs qu'ici, à flanc de colline. »

Étoile de Jais appela Feuille Rousse, tandis qu'Étoile du Léopard convoquait d'un mouvement de la queue son lieutenant, Patte de Brume.

« Je veux que tu ailles jusqu'au lac, et que tu reviennes aussitôt, ordonna Étoile du Léopard. Recueille un maximum d'informations, mais fais vite, et reste à couvert. »

Les deux guerriers agitèrent les oreilles, avant de s'éloigner à toute allure. Un instant plus tard, ils avaient disparu dans les ombres.

Étoile de Feu les regarda partir avant de pousser un cri de ralliement. Griffe de Pierre retourna auprès de son chef et, à petits coups de museau, il le força à se relever. Les Clans mélangés se massèrent derrière leurs chefs, prêts à les suivre jusqu'au lac.

« Qu'est-ce que t'as ? demanda Nuage d'Écureuil en remarquant que Griffe de Ronce ne bougeait pas. Pourquoi tu restes planté là comme un lapin pétrifié ?

— J'aimerais... » Laissant sa phrase en suspens, le guerrier balaya la colline du regard et repéra Pelage d'Or, sa sœur. D'un signe de tête, il l'invita à les rejoindre. « J'aimerais qu'on descende tous en même temps, expliqua-t-il lorsque la guerrière écaille arriva. Nous quatre, qui avons accompli le premier voyage. »

Sur les six félins qui avaient quitté la forêt bien des lunes plus tôt, il ne restait plus qu'eux. Au cours de ce voyage, ils s'étaient liés d'une amitié sincère, précieuse, plus forte que le roc et plus profonde que les eaux infinies qui déferlaient sur les falaises de la tanière de Minuit.

Griffe de Ronce voulait cheminer une dernière fois au côté de ses amis, avant que leur devoir envers leurs Clans respectifs ne les sépare.

Pelage d'Or acquiesça. Comme son frère, elle comprenait qu'ils seraient bientôt de nouveau des rivaux ; que leur prochaine rencontre pourrait avoir lieu sur un champ de bataille. La douleur de la séparation lui transperçait le cœur. Il pressa son museau contre celui de sa sœur, sentant son souffle chaud sur ses moustaches.

« Où est Plume de Jais ? » demanda-t-elle.

Griffe de Ronce aperçut le jeune guerrier du Clan du Vent à quelques longueurs de queue de là. Inquiet, il marchait à côté d'Étoile Filante. À bout de forces, le vieux chef semblait à peine capable de mettre une patte devant l'autre, et sa longue queue traînait au sol. Pour marcher, il devait s'appuyer contre Moustache, son fidèle guerrier au pelage brun et tacheté. Le guérisseur du Clan, Écorce de Chêne, les suivait de près, l'air préoccupé.

« Hé, Plume de Jais ! » lança Nuage d'Écureuil.

Le petit matou gris sombre les rejoignit en quelques bonds.

« Qu'est-ce que tu veux ? »

Griffe de Ronce ignora son ton agressif. Plume de Jais avait un sale caractère, mais en cas de danger, il se battait jusqu'à son dernier souffle pour défendre ses amis.

« Je voudrais qu'on descende jusqu'au lac côte à côte, expliqua-t-il. Et qu'on termine ce voyage comme on l'a commencé : ensemble.

— C'est inutile, murmura Plume de Jais, la tête basse. Nous ne serons plus jamais au complet. Pelage d'Orage est resté dans les montagnes, et Jolie Plume est morte. »

Le guerrier tacheté fit glisser le bout de sa queue sur l'épaule de son ami. Il partageait son chagrin : la jolie guerrière du Clan de la Rivière s'était sacrifiée pour les sauver tous de Long Croc, le terrible fauve des montagnes ; puis Pelage d'Orage avait décidé de rester parmi la Tribu de l'Eau Vive par amour pour Source, la chasse-proie. Griffe de Ronce regrettait amèrement son ami du Clan de la Rivière,

27

mais il savait que sa peine n'était rien comparée à ce que ressentait Plume de Jais depuis la mort de Jolie Plume.

« Jolie Plume nous accompagne, Plume de Jais », déclara Nuage d'Écureuil. Ses yeux étincelaient tant sa foi était grande. « Si tu ne l'as pas compris, c'est que tu es la dernière des cervelles de souris. Et nous reverrons bientôt Pelage d'Orage, j'en suis certaine. Les montagnes ne sont pas si loin. »

Plume de Jais poussa un long soupir.

« D'accord, miaula-t-il. Allons-y. »

La plupart des félins les avaient devancés. Tout comme ils le faisaient depuis le début de ce long et périlleux voyage en terre inconnue, ils se déplaçaient prudemment, sans s'éloigner les uns des autres. Griffe de Ronce aperçut Papillon, un peu plus loin. La guérisseuse du Clan de la Rivière escortait un groupe d'apprentis issus des quatre Clans. Plus bas sur le flanc de la colline, les ajoncs laissaient place à l'herbe verte. Fleur de Pavot, une reine du Clan de l'Ombre, aidait tant bien que mal ses petits à descendre la pente abrupte. Flocon de Neige et Cœur Blanc, du Clan du Tonnerre, se hâtèrent d'aller l'aider, prenant chacun un chaton dans la gueule. Plus bas, Cœur de Cèdre, un guerrier gris du Clan de l'Ombre, inspectait le bord d'un épais fourré, son regard allant et venant comme s'il guettait un quelconque prédateur.

S'il n'avait pas bien connu ces félins, jamais Griffe de Ronce n'aurait deviné qu'ils n'appartenaient pas au même Clan. Ils cheminaient ensemble, s'entraidaient sans hésiter. La mine sombre, il s'interrogea sur le temps qu'il leur faudrait pour se diviser à nouveau, et sur la douleur que susciterait cette séparation.

Il entendit l'appel impatient de Nuage d'Écureuil – « Dépêche, Griffe de Ronce, sinon on te laisse là ! » –, et se lança dans la descente, marquant une halte ici et là pour humer l'air nocturne. Si l'odeur des chats était la plus forte, il détectait également la présence de souris, de campagnols et de lapins. Il ne se rappelait même plus à quand remontait son dernier repas ; les chefs leur donneraient bientôt la permission de chasser, sans doute ?

Il imaginait déjà le goût délicieux du gibier dans sa gueule lorsque le feulement de Pelage d'Or le tira de sa rêverie. Sa sœur le précédait de quelques longueurs de queue.

« Regardez ça ! » cracha la guerrière du Clan de l'Ombre.

Le matou tacheté dressa les oreilles en voyant une clôture de Bipèdes. Le fin maillage brillait comme une toile d'araignée dans la pâle lumière de l'aurore. Quelques chats s'étaient arrêtés pour le regarder avec appréhension.

« Je savais qu'on finirait par tomber sur des Bipèdes ! » gémit-elle.

Griffe de Ronce flaira l'air une nouvelle fois. Il reconnaissait l'odeur des Bipèdes, mais elle était diffuse et ancienne. Un autre fumet, moins familier, lui parvint. Il dut se creuser la tête pour l'identifier.

« Des chevaux, annonça Plume de Jais, confirmant ainsi sa déduction. Il y en a deux, là-bas. »

Le guerrier du Clan du Tonnerre suivit le regard de son ami et aperçut par-delà la clôture de hautes silhouettes sombres qui paissaient sous un bouquet d'arbres.

« C'est quoi, des chevaux ? miaula Nuage Ailé, inquiète, en scrutant ces curieux animaux.

— Rien de dangereux, la rassura Oreille Balafrée. On en voyait de temps en temps sur notre territoire : ils couraient en portant des Bipèdes sur leur dos. »

Nuage Ailé cligna des yeux comme si elle avait du mal à y croire.

« Nous en avons rencontré quand nous sommes partis voir Minuit, ajouta Griffe de Ronce. Ils n'ont pas réagi lorsque nous avons traversé leur champ. Mais nous devons nous méfier des Bipèdes qui s'occupent d'eux.

— Je ne vois pas le moindre nid de Bipèdes, fit remarquer Pelage d'Or. Peut-être que ces chevaux-là subviennent eux-mêmes à leurs besoins.

— Espérons, répondit son frère. Seuls, les chevaux sont inoffensifs.

— À condition de rester loin de leurs gros pieds ! » lança Nuage d'Écureuil.

Les chats suivirent la clôture jusqu'aux fourrés où les autres félins s'étaient rassemblés. Griffe de Ronce aperçut aussitôt Museau Cendré, la guérisseuse du Clan du Tonnerre, et son apprentie, Nuage de Feuille, la sœur de Nuage d'Écureuil.

« Qu'est-ce qui se passe ? demanda la rouquine. Pourquoi s'arrête-t-on ?

— La patrouille vient de revenir », expliqua Museau Cendré.

Les chefs des quatre Clans et le lieutenant du Clan du Vent, Griffe de Pierre, s'étaient réunis près d'une souche. Patte de Brume et Feuille Rousse faisaient leur rapport. Trop contents de pouvoir se reposer un instant, les autres membres des Clans s'étaient allongés dans l'herbe courte et moelleuse.

Suivi de ses amis, Griffe de Ronce se fraya un passage parmi eux pour pouvoir entendre la conversation.

« Le sol est très marécageux près du lac, expliquait Patte de Brume. Inutile d'aller plus loin avant le lever du soleil. Certains risqueraient de s'embourber.

— Le Clan de l'Ombre a l'habitude de marcher sur un sol humide, lui rappela Étoile de Jais. Mais nous resterons avec vous, si vous le souhaitez. »

Vu le ton qu'il prenait, il semblait leur accorder une immense faveur.

Griffe de Ronce espérait que les chefs décideraient d'attendre l'aurore pour poursuivre. Les collines, toutes proches, les abritaient du vent, et les arbres leur fournissaient une cachette plus efficace encore. Une forte odeur de proie leur parvenait depuis les ombres et il avait tellement hâte de chasser que ses pattes le démangeaient.

« À mon avis, nous devrions rester là, miaula Étoile de Feu. Nous avons tous besoin de repos, et les abords du lac n'ont pas l'air accueillant. »

Dans un murmure, Étoile du Léopard lui donna raison. Avant qu'Étoile de Feu ait fini de parler, Étoile Filante se coucha sur le sol, haletant, comme s'il était incapable de faire un pas supplémentaire. Griffe de Pierre le rejoignit à grandes enjambées. Il le renifla brièvement avant de lui dire deux mots à l'oreille.

« Étoile Filante semble épuisé, murmura Griffe de Ronce à Plume de Jais. C'est sa dernière vie, non ? »

Le guerrier sombre acquiesça, accablé.

« Mais tout ira bien, maintenant que nous sommes arrivés », miaula-t-il comme pour s'en persuader lui-même.

Étoile de Jais bondit sur la souche. Le grand matou blanc dressa la queue, ses pattes noires fermement plantées sur le bois rugueux. Il poussa un cri autoritaire, qui attira l'attention de l'assistance.

« Chats de tous les Clans ! lança-t-il tandis que les derniers retardataires les rejoignaient. Nous avons atteint le territoire que le Clan des Étoiles nous destinait, mais nous sommes tous épuisés et morts de faim. Nous resterons ici le temps de nous reposer.

— Qui lui a demandé de parler au nom de tous les chefs, à celui-là ? » marmonna Nuage d'Écureuil, indignée.

Griffe de Ronce, qui avait repéré quelques guerriers à portée d'oreille, la fit taire en lui appliquant le bout de la queue sur le museau.

« Et pour la chasse ? demanda un chat du dernier rang.

— Nous attendrons le lever du soleil, répondit Étoile de Jais. Ensuite, le gibier sera de sortie, et il y en aura pour tout le monde.

— En premier lieu, il faut que nous organisions des tours de garde, ajouta Étoile de Feu qui bondit à son tour sur la souche, forçant le chef du Clan de l'Ombre à reculer d'un pas. Lieutenants, trouvez deux ou trois guerriers capables de veiller longtemps.

Pas question que des renards nous surprennent pendant notre sommeil. »

Griffe de Pierre, qui parlait au nom du Clan du Vent puisque Étoile Filante était trop faible, donna son accord, imité par Étoile du Léopard. L'assemblée se dispersa et chacun se mit en quête d'un endroit où dormir. À petits coups de museau, Écorce de Chêne força Étoile Filante à se relever et l'aida à atteindre un nid d'herbes hautes, où le frêle chef s'effondra de nouveau. Il tremblait de la truffe au bout de la queue. Moustache s'assit à son côté et entreprit de lui faire sa toilette.

« J'imagine qu'on va avoir besoin de moi », déclara Plume de Jais avant de filer vers ses camarades de Clan.

Pelage d'Or pressa sa truffe contre celle de son frère.

« Je ferais mieux d'aller voir Feuille Rousse, miaula-t-elle. À plus tard. »

Elle s'en fut rejoindre un groupe de guerriers du Clan de l'Ombre massés autour de leur lieutenant.

Griffe de Ronce se demanda s'il devait se porter volontaire pour monter la garde. Il y avait moins de quatre saisons qu'il était guerrier, mais depuis la disparition de leur lieutenant, juste avant le grand départ, le Clan du Tonnerre avait besoin de ses membres les plus aguerris pour nourrir et protéger les faibles. Le guerrier tacheté se souvint en frémissant du jour où Plume Grise avait été piégé par les Bipèdes et emmené à l'intérieur d'un monstre. Il jeta un coup d'œil vers son chef, qui donnait des ordres à Poil de Châtaigne et Poil de Fougère. Comprenant qu'on n'aurait pas besoin de lui tout de suite, il se tourna vers ses camarades du Clan du Tonnerre dans l'espoir de se rendre utile.

Pelage de Poussière attendait à l'ombre des arbres avec sa compagne, Fleur de Bruyère, et leur fils, Petit Frêne, le seul de leur dernière portée qui ait survécu à la famine dans la forêt. Penchée au-dessus de Longue Plume, Fleur de Bruyère le reniflait avec inquiétude. Le matou crème n'était pas beaucoup plus âgé que Pelage de Poussière mais, devenu aveugle, il avait été contraint de rejoindre les anciens. Le voyage avait été particulièrement pénible pour lui. Bouton-d'Or, la mère de Griffe de Ronce, était étendue près de l'infirme. La vieille chatte semblait trop épuisée pour faire quoi que ce soit à part se serrer contre Longue Plume et le réchauffer.

Pelage de Poussière donna un petit coup de museau dans l'épaule de l'ancien guerrier.

« Courage, Longue Plume. Ce n'est plus très loin », dit-il.

Nuage d'Écureuil vint les aider. Griffe de Ronce aperçut un endroit abrité derrière les arbres : un ravin où poussaient une herbe épaisse et quelques buissons.

« Et si on s'installait là-bas ? suggéra-t-il en tendant la queue.

— Bonne idée, miaula Pelage de Poussière. Ça va aller, Longue Plume. Tu pourras dormir autant que tu voudras dès qu'on t'aura conduit en lieu sûr. »

L'aveugle se leva péniblement. La rouquine l'épaula, la queue enroulée autour de son cou pour le guider. Griffe de Ronce laissa Bouton-d'Or s'appuyer contre lui, tandis que Fleur de Bruyère encourageait Petit Frêne à suivre le mouvement.

« J'espère bien que cet endroit est celui qu'on cherchait, déclara Pelage de Poussière en balayant du regard ses camarades de Clan fourbus. Nous sommes tous à bout de forces. »

Le guerrier tacheté ne répondit pas. Il aurait aimé pouvoir rassurer le guerrier brun. Il regarda les autres se glisser entre les branches des buissons pour s'installer sur des litières de feuilles mortes. En apercevant Nuage de Feuille, qui était allée chercher de la mousse, il repensa à la foi inébranlable de l'apprentie guérisseuse : lorsqu'ils étaient arrivés sur ce nouveau territoire, elle n'avait plus douté que le Clan des Étoiles les eût suivis. Il aurait voulu avoir cette foi. Depuis le début de leur aventure, il s'était accroché au fol espoir que tous leurs problèmes seraient résolus le jour où ils trouveraient leur nouveau territoire. À présent, refroidi par l'étrangeté du paysage, il comprenait qu'ils n'étaient pas au bout de leurs peines.

Nuage d'Écureuil le tira de ses pensées :

« Pelage de Poussière, lança-t-elle, tu veux qu'on aille chasser pour vous ? »

Du bout de la queue, son mentor lui donna une pichenette sur l'oreille.

« Non, nous chasserons tous plus tard. Regarde-toi, tu tombes de fatigue. Griffe de Ronce et toi, vous feriez mieux d'aller dormir.

— Entendu, fit-elle en bâillant à s'en décrocher la mâchoire.

— On pourrait se coucher sous ce buisson d'ajoncs ? » proposa le guerrier, avant de se faufiler entre les branches les plus basses.

L'apprentie le suivit et se mit en boule, la queue posée sur la truffe.

« Bonne nuit », marmonna-t-elle.

Le jeune matou gratta les débris jonchant le sol pour se préparer une litière confortable. Il s'installa près de Nuage d'Écureuil, humant son odeur familière. Il était content qu'ils n'aient pas encore de camp définitif, où les guerriers et les apprentis auraient des tanières différentes. Dormir près d'elle lui manquerait, comprit-il dans un dernier sursaut de conscience. Puis le sommeil l'engloutit dans sa vague noire et douce.

Griffe de Ronce fit des rêves sombres et confus. Il cherchait quelque chose – mais quoi ? – au milieu d'une forêt ténébreuse, où chaque sentier s'arrêtait tout d'un coup devant un écheveau d'églantier ou un mur impénétrable de ronces. En désespoir de cause, il voulut forcer le passage, mais une branche lui rentra douloureusement dans les côtes.

« Réveille-toi, Griffe de Ronce ! T'as assez dormi ! Tu te prends pour quoi, un hérisson ? »

Il ouvrit brusquement les yeux : Nuage d'Écureuil le secouait du bout de la patte. La lumière du jour, dorée et ondoyante, filtrait entre les branches du buisson d'ajoncs.

« C'est le matin, reprit-elle. Allons demander la permission de chasser. Enfin, si tu as fini d'hiberner... »

Clignant les yeux pour reprendre ses esprits, il se leva tant bien que mal et se débarrassa de quelques feuilles mortes accrochées à sa fourrure en s'ébrouant. Puis il suivit Nuage d'Écureuil à l'extérieur.

Son esprit embrumé par les rêves redevint clair lorsqu'il contempla pour la première fois le lac à la lumière du jour. Inquiet, il se demanda s'il se sentirait un jour chez lui dans ce vaste territoire inconnu.

Une brise froide ridait la surface du lac et caressait les roseaux sur la rive. L'eau grise et brillante s'étendait devant Griffe de Ronce presque à perte de vue. Au-dessus des collines qui s'élevaient d'un côté, le ciel pâlissant annonçait l'aurore. Derrière lui, le sol s'inclinait en pente douce vers une lande rase bordée par la clôture. Griffe de Ronce distingua quelques nids de Bipèdes au loin. *Bien*, se dit-il. Des nids aussi petits ne devaient pas abriter beaucoup d'habitants, et ils étaient trop éloignés pour être gênants.

Plus bas sur la rive, au pied des collines, il aperçut une tache floue, telle une brume vert-de-gris. Griffe de Ronce comprit qu'il s'agissait d'un entrelacs de branches nues qui, du bord de l'eau, partaient à l'assaut de la crête de la montagne. À l'idée qu'il retrouverait bientôt le couvert des arbres, aussi étranges fussent-ils, son moral remonta.

De l'autre côté du lac, la zone arborée s'assombrissait : il s'agissait sans doute de pins, qui restaient verts même au cœur de la mauvaise saison. Ils couvraient le sol comme une fourrure qui ondulait doucement sous la caresse du vent.

La lueur à l'horizon fut bientôt aveuglante. Le soleil se levait, et les dernières étoiles disparaissaient dans un ciel bleu clair dégagé.

« Il est temps d'aller chasser », miaula-t-il à Nuage d'Écureuil, qui contemplait le paysage près de lui.

Il chercha du regard Étoile de Feu, ou tout autre guerrier expérimenté, pour s'informer de l'organisation des patrouilles. Son chef sortit justement d'un buisson d'ajoncs tout proche, suivi d'Étoile du Léopard, Étoile de Jais et Griffe de Pierre. Les chefs avaient dû se concerter en privé. Griffe de Pierre avait manifestement remplacé son meneur pour représenter le Clan du Vent.

« Tu crois qu'Étoile Filante a rejoint le Clan des Étoiles durant la nuit ? demanda-t-il, ému.

— Ça m'étonnerait, répondit Nuage d'Écureuil. Ils auraient rapporté son corps pour que son Clan lui rende un dernier hommage. »

Le jeune guerrier espérait qu'elle avait raison. Étoile de Feu bondit sur la souche. Étoile de Jais sauta pour le rejoindre et Griffe de Pierre grimpa par l'autre côté. Les trois félins occupaient tout leur perchoir, si bien qu'Étoile du Léopard ne tenta même pas de les imiter, préférant s'asseoir sur une racine.

« Il faudra qu'on trouve un nouveau lieu pour les Assemblées », déclara Nuage d'Écureuil.

Le cri d'Étoile de Feu, qui invitait les Clans à se rassembler, l'interrompit. Herbes hautes et fougères s'écartèrent, buissons et arbustes frémirent lorsque les félins quittèrent le lieu où ils s'étaient reposés. Amaigris, épuisés, ils jetaient des coups d'œil inquiets dans toutes les directions, comme s'ils se sentaient épiés par quelque prédateur.

Griffe de Ronce dévala la pente jusqu'à la souche, Nuage d'Écureuil sur les talons. À mi-parcours, il repéra le pelage noir et blanc d'Étoile Filante, recroquevillé dans l'herbe, à l'endroit même où il s'était endormi la veille. Écorce de Chêne, le guérisseur du Clan du Vent, le reniflait avec angoisse. Ni l'un ni l'autre ne fit le moindre geste pour rejoindre l'assemblée. À l'évidence, Étoile Filante n'était pas en état de participer à la réunion.

« Chats des quatre Clans, annonça Étoile de Feu au moment où Griffe de Ronce rejoignait ses camarades. Aujourd'hui, nous avons beaucoup à faire...

— Des patrouilles de chasse doivent se mettre en route tout de suite, l'interrompit Griffe de Pierre en l'écartant d'un coup d'épaule. Le Clan du Vent prendra les collines, le Clan de la Rivière pêchera dans le lac. Le Clan du Tonnerre... »

Moustache, son camarade de Clan, bondit sur ses pattes en crachant de colère.

« Griffe de Pierre, pour qui tu te prends, à donner des ordres ? Autant que je le sache, Étoile Filante est toujours le chef du Clan du Vent.

— Plus pour très longtemps. »

Griffe de Ronce cligna les yeux, surpris par le ton froid du lieutenant. Il espérait qu'Étoile Filante n'avait rien entendu. En se tordant le cou, il vit avec soulagement que le vieux matou dormait toujours dans son nid d'herbe, veillé par Écorce de Chêne.

« Il faut bien que quelqu'un prenne des décisions, rétorqua Griffe de Pierre. Tu préfères que les autres Clans se partagent le territoire en laissant le Clan du Vent de côté ?

— Comme si c'était notre genre ! » s'indigna Nuage d'Écureuil.

Moustache décocha un regard noir à son lieutenant, la fourrure hérissée et les yeux furibonds.

« Un peu de respect ! cracha-t-il. Étoile Filante était déjà le chef du Clan lorsque tu n'étais encore qu'un chaton piaillant dans la pouponnière.

— Les temps ont changé. Je ne suis plus un chaton maintenant, mais le lieutenant de notre Clan. Et Étoile Filante ne nous a pas été d'un grand secours, depuis qu'on a quitté la forêt.

— Assez ! coupa Étoile de Feu. Moustache, je sais que tu t'inquiètes pour Étoile Filante. Griffe de Pierre ne fait pourtant que son devoir.

— Il n'a pas à se comporter comme s'il était déjà chef », gronda Moustache en se rasseyant.

Le guerrier du Clan du Vent balaya l'assemblée du regard, mettant quiconque au défi de faire un commentaire.

« Moustache n'a pas tort, poursuivit Étoile de Feu à l'intention de Griffe de Pierre. Un lieutenant n'a pas à jouer le rôle d'un chef. Même pour le reste du Clan, c'est inacceptable. »

Griffe de Pierre, qui avait levé la tête avec arrogance lorsque Étoile de Feu avait semblé prendre sa défense, était maintenant de fort méchante humeur. Il fit mine de répondre mais Étoile de Jais le devança.

« Si le Clan du Vent a un problème d'autorité, qu'il le règle en privé. Nous perdons du temps. »

Griffe de Pierre se détourna en poussant un

sifflement courroucé. Griffe de Ronce fit le gros dos, prêt à bondir si nécessaire. Le lieutenant du Clan du Vent était l'un des guerriers les plus agressifs des quatre Clans, et il n'avait jamais aimé Étoile de Feu et le Clan du Tonnerre. S'il devait bientôt devenir chef, alors que les territoires restaient à délimiter, il en profiterait certainement pour leur nuire.

Étoile de Feu reprit la parole, ce qui tira Griffe de Ronce de ses sombres pensées.

« Pour marquer le début de la nouvelle vie du Clan du Tonnerre, j'aimerais honorer un nouveau combattant. Nuage d'Écureuil, où es-tu ?

— Quoi ? Moi ? »

Son étonnement était tel qu'elle avait gémi comme un chaton. Elle se leva d'un bond, les oreilles et la queue dressées.

« Mais oui, toi. » Étoile de Feu invita sa fille à s'approcher, une lueur amusée dans le regard. « Le Clan du Tonnerre rend hommage à tes prouesses : avec les autres, tu es parvenue à trouver Minuit et tu as guidé les Clans jusqu'à ce nouveau territoire. Pelage de Poussière et moi, nous sommes d'accord : s'il y a bien un apprenti qui mérite son nom de guerrier, c'est toi. »

Du bout du museau, Griffe de Ronce toucha doucement l'oreille de Nuage d'Écureuil.

« Vas-y, murmura-t-il. Étoile de Feu a raison. Après tout ce que tu as fait pour le Clan, tu as bien le droit d'être baptisée. »

Elle le dévisagea en cillant, trop effarée pour parler. Tempête de Sable s'approcha d'elle, les yeux brillant de fierté, et donna quelques coups de langue à sa fille pour lisser sa fourrure. Nuage de Feuille s'avança à son tour afin d'enfouir son museau dans le flanc de sa sœur.

Pelage de Poussière, le mentor de Nuage d'Écureuil, la guida ensuite jusqu'à la souche, et attendit avec elle qu'Étoile de Feu reprenne la parole.

Le chef au pelage couleur de flamme sauta à terre. En guise d'encouragements, il lui adressa un petit signe de tête avant de s'adresser à l'assemblée de félins.

« C'est la première fois qu'un chat prononce ces paroles en ce lieu. Moi, Étoile de Feu, chef du Clan du Tonnerre, j'en appelle à nos ancêtres pour qu'ils se penchent sur cette apprentie. Elle s'est entraînée dur pour comprendre les lois de votre noble code. Elle est maintenant digne de devenir un chasseur à son tour. »

À voir le regard flamboyant de son chef, Griffe de Ronce comprit ce que cet instant représentait pour Étoile de Feu, et pour tous ceux qui avaient quitté leur foyer. Par cette cérémonie ancestrale, ils prenaient pleinement possession de leur territoire. À maintes reprises durant leur périple, ils avaient redouté d'avoir laissé les guerriers de jadis derrière eux. Mais Étoile de Feu s'adressait à présent à leurs ancêtres en toute confiance, comme si les étoiles abritant leurs esprits brillaient dans le ciel à cet instant. Après tout, ils avaient découvert des terres accueillantes. Le meneur avait peut-être raison de se sentir confiant. Le jeune matou secoua la tête pour chasser ses soucis, et écouta la suite de la cérémonie.

« Nuage d'Écureuil, promets-tu de respecter le

code du guerrier, de protéger et de défendre le Clan, même au péril de ta vie ?

— Oui, répondit-elle d'une voix ferme et assurée.

— Par les pouvoirs qui me sont conférés par le Clan des Étoiles, je te donne ton nom de chasseur : Nuage d'Écureuil, à partir de maintenant, tu t'appelleras Poil d'Écureuil. Nos ancêtres rendent honneur à ton courage et à ta détermination, et nous t'accueillons dans nos rangs en tant que guerrière à part entière. »

Étoile de Feu posa son menton sur la tête de sa fille, qui lui donna un coup de langue respectueux sur l'épaule. La détermination était une qualité que l'on mentionnait rarement lors du baptême d'un guerrier. Chez Poil d'Écureuil, elle frôlait parfois l'entêtement, ce qui lui avait valu des tas d'ennuis. D'un autre côté, plus d'une fois au cours de leur périple, son entrain avait redonné du courage à tous ses compagnons. Le guerrier tacheté songea avec admiration à sa bravoure indéfectible, à son refus catégorique d'envisager qu'ils puissent échouer dans leur mission.

Lorsqu'elle s'écarta d'Étoile de Feu, Nuage de Feuille bondit à sa rencontre en l'appelant par son nouveau nom : « Poil d'Écureuil ! Poil d'Écureuil ! »

Son cri fut repris en chœur par l'assemblée. La jeune guerrière regarda autour d'elle. La fierté faisait étinceler ses yeux verts. Les quatre Clans dans leur ensemble fêtaient son baptême – tous savaient qu'elle le méritait amplement. Griffe de Ronce se fraya un passage jusqu'à la rouquine et aperçut Pelage d'Or et Plume de Jais, qui allaient eux aussi la féliciter. Le périple était peut-être achevé, mais l'amitié qui unissait les quatre amis survivrait.

« Félicitations », miaula Pelage d'Or, tandis que Plume de Jais hochait la tête et posait le bout de sa queue sur son épaule.

Griffe de Ronce pressa son museau contre celui de la jeune chatte.

« Bravo, Poil d'Écureuil. Mais attention, ajouta-t-il pour la taquiner, cela ne te dispense pas d'écouter tes aînés. »

Une lueur amusée brilla dans les yeux de la jeune guerrière.

« Tu n'as plus le droit de me donner d'ordres, maintenant : je ne suis plus une apprentie !

— Ça ne changera pas grand-chose, déclara Pelage de Poussière, qui avait entendu la remarque de son ancienne protégée. Tu n'en faisais toujours qu'à ta tête. »

Poil d'Écureuil donna un petit coup de tête affectueux dans l'épaule de son ancien mentor en ronronnant joyeusement.

« Si j'en suis là aujourd'hui, répondit-elle, c'est grâce à toi. Je te remercie du fond du cœur, Pelage de Poussière. »

Les miaulements enthousiastes cessèrent lorsque Étoile de Jais s'avança en demandant le silence d'un mouvement de la queue.

« Tout cela est très touchant, mais nous devons maintenant explorer cet endroit pour distribuer les nouveaux territoires au plus vite. Une patrouille, composée d'un guerrier de chaque Clan, partira en reconnaissance le long de la rive et sur les terres qui l'entourent. »

Les oreilles de Griffe de Ronce se dressèrent aussitôt. Près de lui, Poil d'Écureuil se crispa, tout ouïe. Le guerrier se tourna vers sa sœur et vit dans son regard qu'elle aussi attendait la suite avec impatience.

« Nous avons décidé d'envoyer trois des chats qui ont accompli le premier voyage, poursuivit Étoile de Feu. Griffe de Ronce du Clan du Tonnerre, Plume de Jais du Clan du Vent et Pelage d'Or du Clan de l'Ombre. »

Le guerrier tigré frémit d'excitation. Il lui semblait normal que les élus du Clan des Étoiles soient choisis pour cette tâche.

Étoile de Jais montra les crocs lorsque Étoile de Feu énuméra les patrouilleurs mais ne contesta pas cette décision.

« Peuh ! marmonna Pelage d'Or. C'est bien la première fois qu'il me laisse représenter le Clan de l'Ombre. »

Pour apaiser sa sœur, Griffe de Ronce fit glisser sa queue sur ses épaules. Il savait qu'Étoile de Jais n'oublierait jamais que la guerrière écaille était née dans le Clan du Tonnerre, même si elle faisait tout son possible pour prouver qu'elle était loyale à son Clan d'adoption.

« Patte de Brume représentera le Clan de la Rivière, annonça Étoile du Léopard, qui prenait la parole pour la première fois.

— Et moi ? protesta Poil d'Écureuil. Moi aussi, j'étais du premier voyage. Pourquoi est-ce que je ne les accompagne pas ?

— Parce que cela ferait deux chats du Clan du

Tonnerre », répondit Étoile de Jais d'un ton sans appel.

*S'il pense que cela va convaincre Poil d'Écureuil, il se trompe,* songea Griffe de Ronce.

« Une patrouille de quatre chats n'est pas suffisante pour explorer un territoire inconnu », plaida-t-elle.

Étoile de Feu ne laissa pas le temps au chef du Clan de l'Ombre de la rabrouer :

« Elle n'a pas tort. On ferait mieux de la laisser y aller. Voilà qui pourrait constituer sa première mission de guerrière. Elle ne pourra pas veiller toute la nuit comme le font d'habitude les nouveaux guerriers puisque nous n'avons pas de véritable camp. »

D'un regard, Étoile de Jais consulta Étoile du Léopard, qui battit de la queue sans rien révéler de ses pensées, puis Griffe de Pierre, qui hocha la tête.

« Le Clan du Vent n'y voit aucune objection, miaula-t-il.

— Très bien, gronda Étoile de Jais. Mais ne t'imagine pas que cela donnera le moindre avantage au Clan du Tonnerre. »

Griffe de Ronce échangea un regard exaspéré avec Plume de Jais. Croire que les autres Clans essaieraient de s'arroger des privilèges avant même que les nouveaux territoires aient été divisés ressemblait bien à Étoile de Jais !

« Évidemment, répondit Étoile de Feu, placide. Poil d'Écureuil, tu peux donc rejoindre la patrouille. »

La queue de la jeune guerrière s'enroula de plaisir.

« Faites le tour du lac et explorez les rives tant que vous le pourrez, ordonna Étoile de Feu.

Nous devons connaître la nature de ces terres et les meilleurs coins pour chasser. Pour déterminer les besoins de chacun, pensez au type de gibier privilégié par chaque Clan. Cela nous sera utile plus tard, pour établir les frontières. Essayez aussi de localiser des emplacements idéaux pour les camps. Et méfiez-vous des Bipèdes, et de tout autre danger potentiel.

— Rien que ça ? » marmonna Plume de Jais.

Le chef du Clan du Tonnerre leva la tête, les yeux plissés, pour scruter le rivage opposé et évaluer la distance à parcourir.

« Il vous faudra sans doute deux jours pour faire le tour du lac, reprit-il. Ne perdez pas trop de temps dans vos investigations. Tant que nous resterons ici, nous serons vulnérables. Nous devons trouver des camps aussi vite que possible.

— Nous ferons de notre mieux, Étoile de Feu. »

C'était Patte de Brume, le lieutenant du Clan de la Rivière, qui avait répondu avant de rejoindre le reste de la patrouille d'un pas prudent.

« Bienvenue parmi nous, miaula Griffe de Ronce en s'écartant pour lui faire une place.

— Bonne chance, lança Étoile du Léopard.

— Que le Clan des Étoiles vous accompagne », ajouta Étoile de Feu.

Le soleil brillait à présent au-dessus des collines. Pressé de partir, Griffe de Ronce s'inclina devant les chefs avant de lever la queue pour inciter les autres à le suivre. Du coin de l'œil, il vit Pelage d'Or grimacer, tandis que Plume de Jais hoquetait. Il crut mourir d'embarras en comprenant que le rôle de chef de patrouille revenait à Patte de Brume.

Il s'immobilisa, avant de reculer d'un pas. Le lieutenant le toisa avec froideur, puis, sur un signe de tête, la chatte prit le commandement du groupe.

Ils se dirigèrent vers le bord du lac, tandis que derrière eux le vent emportait les paroles d'Étoile de Jais qui organisait les patrouilles de chasse.

« Poil d'Écureuil ! Attends ! » Nuage de Feuille cavalait après sa sœur. « Sois prudente, d'accord ? »

Poil d'Écureuil pressa sa truffe contre le museau de l'apprentie guérisseuse.

« Ne t'inquiète pas pour nous, miaula-t-elle. On sait se défendre.

— Mais vous êtes tout aussi épuisés que le reste du Clan... Ne passez pas trop de temps à chasser et ne vous éloignez pas trop du lac, sinon vous allez vous perdre... »

Poil d'Écureuil effleura du bout de sa queue le museau de sa sœur pour la faire taire.

« Ça ira, ne t'en fais pas. » De la truffe, elle désigna l'étendue d'eau étincelante en contrebas. « Regarde, d'ici, tu pourras nous suivre des yeux. On sera revenus en un rien de temps. » Elle se tut un instant avant d'ajouter : « Tu as reçu un signe du Clan des Étoiles ? C'est pour ça que tu t'inquiètes ?

— Non, pas du tout, je t'assure. Mais il m'est difficile de te voir partir, une fois de plus... »

Griffe de Ronce vint frotter son museau contre son épaule pour la rassurer.

« Fais-moi confiance, Nuage de Feuille, je la protégerai. »

Poil d'Écureuil bondit, feignant l'indignation.

« Je n'ai pas besoin qu'on me protège ! C'est plutôt moi qui veillerai sur ta vieille fourrure miteuse ! »

Cédant à leurs efforts pour détendre l'atmosphère, Nuage de Feuille émit un ronron amusé.

« En tout cas, faites attention, tous autant que vous êtes. Et si vous trouvez des herbes médicinales en cours de route, ce serait super. Nos réserves sont presque épuisées.

— Pas de problème, répondit la rouquine en lui donnant un petit coup de langue. Je tâcherai d'y penser... quand je ne serai pas en train de guetter les renards, les blaireaux, les Bipèdes, les Chemins du Tonnerre...

— Bon, on y va ou quoi ? lança Plume de Jais. Les journées sont courtes à cette époque, et nous devons atteindre l'autre rive avant la tombée de la nuit.

— Que le Clan des Étoiles vous accompagne », murmura la jeune chatte tigrée sans prêter attention aux paroles du guerrier gris sombre.

Puis elle fit volte-face et regagna le sommet de la colline.

Griffe de Ronce leva la truffe pour humer l'air. En bas, les vaguelettes venaient lécher le rivage en clapotant. À mesure que le soleil s'élevait au-dessus des collines, l'eau grise se teintait de couleurs. Devant les félins, s'étendait une zone marécageuse. L'eau était si calme, le silence si imposant que le jeune guerrier devinait que le lac était bien plus profond que la rivière de la forêt, même en crue. Il jeta un regard en coin vers Patte de Brume. Elle aussi semblait intimidée même si, comme tous les membres du Clan de la Rivière, c'était une excellente nageuse.

Comme si elle avait senti qu'il l'observait, elle s'ébroua.

« Bien, miaula-t-elle en passant sa patrouille en revue. Allons-y. Voyons un peu où le Clan des Étoiles nous a amenés. »

CHAPITRE 2

❧

À MI-HAUTEUR DU FLANC DE LA COLLINE, Nuage de
Feuille se retourna pour suivre des yeux sa sœur et
le reste de la patrouille. Grâce au lien unique qui
l'unissait à Poil d'Écureuil, elle ressentait son impatience, tant d'aller explorer le nouveau territoire
que de retrouver ses amis. L'apprentie éprouva une
pointe de jalousie : elle enviait la force de cette
amitié, bâtie sur une confiance mutuelle et nombre
d'expériences partagées.

Son regard se posa sur la silhouette charbon-
neuse de Plume de Jais. Des quatre compagnons, il
était le plus difficile à comprendre. Elle regrettait
de ne pas le connaître davantage. Il semblait le
moins enclin à faire confiance aux guerriers des
autres Clans. Pourtant, au cours de leur longue traversée des montagnes, elle l'avait vu prendre des
risques multiples pour aider les autres, quels que
soient leurs Clans. Elle frissonna, et sa fourrure se
hérissa. Elle sut alors que leurs ancêtres réservaient
à Plume de Jais un destin hors du commun. Quel
serait-il ? Elle l'ignorait, et il n'y avait aucune
raison pour que le Clan des Étoiles le lui dévoile.

Elle sursauta en sentant qu'on lui frôlait l'épaule :

c'était Museau Cendré, qui la contemplait de son regard bleu plein de sagesse.

« Tu aurais aimé partir avec eux ? » demanda la guérisseuse.

Le jeune chatte tigrée ne sut que répondre. Elle était apprentie guérisseuse, non guerrière... Son devoir l'appelait auprès de ses camarades de Clan affaiblis et épuisés. Alors pourquoi désirait-elle aussi suivre la petite patrouille qui longeait la rive marécageuse ? Elle s'imagina en train de bondir à leur suite pour cheminer auprès de Plume de Jais, qui fermait la marche. Elle en eut le souffle coupé : elle arrivait presque à sentir son pelage gris sombre frôlant le sien.

« Tout va bien ? s'enquit Museau Cendré, qui la dévisageait.

— Oui, fit l'apprentie après avoir cligné les yeux. Moi ? Partir avec la patrouille ? Quelle idée ! Il y a bien assez à faire ici.

— C'est vrai. Nous devons soulager quatre Clans à bout de forces et nos réserves de remèdes se résument à quelques feuilles et quelques baies pilées. »

Nuage de Feuille sentit sa gorge se nouer. Peut-être aurait-elle dû partir avec les autres pour chercher des herbes ?

« Nous allons retrouver les autres guérisseurs, poursuivit Museau Cendré. Il faut organiser une cueillette de plantes et discuter de la façon dont nous allons communier avec nos ancêtres, si loin des Hautes Pierres. » Elle leva les yeux au ciel, et sa voix se fit murmure. « J'espère que nous trouverons bientôt une autre Pierre de Lune. »

Papillon, la guérisseuse du Clan de la Rivière,

était assise à l'abri d'un buisson épineux en compagnie de Petit Orage, le guérisseur du Clan de l'Ombre. Autour d'eux, les guerriers et les apprentis des quatre Clans se répartissaient en patrouille de chasse.

Museau Cendré attendit que la plupart des chasseurs soient partis avant de rejoindre les autres guérisseurs. Nuage de Feuille se précipita vers son amie.

« Je me sens si inutile ! gémit Papillon à son oreille. Je n'ai plus de remèdes et tout le monde est si fatigué… »

L'inquiétude de la chatte dorée ne surprenait guère Nuage de Feuille. Papillon avait suivi l'entraînement des guerriers, avant de devenir apprentie guérisseuse. Et Patte de Pierre avait rejoint le Clan des Étoiles juste avant leur départ de la forêt, alors qu'elle n'avait pas fini sa formation. Elle devait maintenant assumer ses responsabilités. La jeune chatte tigrée se réjouissait que Museau Cendré eût encore bien des lunes devant elle. Elle n'était pas pressée de perdre son mentor, et elle n'enviait pas du tout le sort de son amie. Enfin, Papillon avait eu un excellent mentor et elle pourrait demander conseil aux autres guérisseurs en cas de besoin. De plus, sur cette terre inconnue, ils auraient tous des choses à apprendre.

Elle donna un petit coup de langue sur l'oreille de sa camarade.

« Ça va aller, promit-elle. Nous t'aiderons.

— Où est Écorce de Chêne ? demanda Museau Cendré.

« — Toujours avec Étoile Filante, je pense, répondit Petit Orage dans un soupir. Je crains que personne ne puisse plus rien pour lui. »

Nuage de Feuille se crispa. Quelle injustice que le Clan des Étoiles doive accueillir le chef du Clan du Vent avant même qu'il ait pu voir le nouveau foyer de ses guerriers !

« Le voilà », annonça Museau Cendré en pointant les oreilles vers le matou brun qui venait vers eux tête basse, la queue pendante.

« Comment va Étoile Filante ? » s'enquit Petit Orage.

Écorce de Chêne poussa un profond soupir en se laissant tomber sous les ronces.

« Il dort. Il est très faible. Le voyage l'aura achevé. Le Clan des Étoiles attend maintenant qu'il le rejoigne.

— Il n'y a vraiment rien à faire ? insista Nuage de Feuille.

— Non. Si nous avons tous accompli le long périple qui séparait la forêt de ce lac, lui seul devra affronter un voyage plus long encore. Il a été un noble chef, mais il ne peut vivre éternellement.

— Tous les Clans lui rendront hommage », murmura Museau Cendré. Elle s'inclina un instant, avant de se redresser et de s'ébrouer. « En attendant, de lourdes tâches nous attendent.

— Nous devons chercher des plantes médicinales, répondit Papillon. Nous sommes tous épuisés et morts de faim, des maladies risquent de se déclarer.

— C'est vrai, reconnut Museau Cendré. Nous partirons bientôt chercher des herbes, en priant pour que le Clan des Étoiles nous aide à trouver le nécessaire. Mais avant cela… » Elle gratta le sol avant de poursuivre. « Si une patrouille est partie chercher de nouveaux camps, il nous en faudra plus pour que nous nous sentions ici chez nous. Où les Clans se rassembleront-ils à la pleine lune ? Et la Pierre de Lune ? Il nous faudrait des jours et des jours de marche pour rallier la Grotte de la Vie. »

Nuage de Feuille eut mal aux pattes à cette simple idée. À l'évidence, il serait impossible de retourner aux Hautes Pierres toutes les demi-lunes pour communier avec le Clan des Étoiles, non ? Dans ce cas, où les chefs iraient-ils recevoir leur nouveau nom et leurs neuf vies ?

Un long silence s'installa. Nul n'avait de réponse, ni ne savait où commencer les recherches.

« Est-on seulement certains d'être au bon endroit ? demanda finalement Petit Orage. Sans la Pierre de Lune, seuls les signes et les rêves nous lient au Clan des Étoiles, et je n'ai jusqu'à présent rien vu d'encourageant.

— C'est forcément le bon endroit », gémit Nuage de Feuille. Elle se creusa la tête pour trouver un moyen de convaincre Museau Cendré et Petit Orage, qui étaient bien plus expérimentés qu'elle. « Je l'ai vu en rêve. Et Conteur communiait avec les ancêtres de la Tribu dans la Grotte aux Pointes Rocheuses, ajouta-t-elle en se remémorant leur visite à la Tribu de l'Eau Vive. Il y a peut-être d'autres endroits comme la Pierre de Lune.

— Je pense que le Clan des Étoiles nous a envoyé un signe lorsque nous avons vu son reflet à la surface du lac », miaula Museau Cendré.

Soulagée, Nuage de Feuille sentit aussitôt son pelage hérissé se remettre en place.

« Peut-être nous enverra-t-il un autre signe pour nous guider vers une autre Pierre de Lune, hasarda Écorce de Chêne.

— Peut-être, répéta Petit Orage, perplexe. J'espère juste qu'il ne tardera pas.

— Est-ce si important ? s'enquit Papillon. Dans tous les cas, rien ne nous empêche de trouver les bonnes plantes et de… »

Voyant les regards étonnés des autres guérisseurs, elle s'interrompit. Nuage de Feuille se raidit ; comment Papillon pouvait-elle croire que la tâche du guérisseur se résumait à soigner ses camarades ?

La chatte au pelage doré les regarda l'un après l'autre, confuse.

« Ce que veut dire Papillon, déclara Nuage de Feuille pour sortir son amie de ce mauvais pas, c'est que nous pouvons continuer à traiter les malades en attendant un signe du Clan des Étoiles.

— Oui, c'est ce que je voulais dire », ajouta la jeune guérisseuse en se tournant vers elle, visiblement soulagée.

Museau Cendré remua les oreilles.

« C'est vrai, on pourrait déjà commencer par reconstituer nos réserves, miaula Petit Orage.

— Si vous voulez bien m'excuser, ma place est auprès d'Étoile Filante, répondit Écorce de Chêne en se levant péniblement. Mais j'aurais bien besoin de feuilles de pas-d'âne, si vous en trouvez. Il a du mal à respirer.

— On ne trouvera pas de pas-d'âne avant la saison des feuilles nouvelles, fit remarquer Papillon, inquiète. Est-ce que des baies de genièvre feraient l'affaire ?

— Ce serait parfait, merci Papillon.

— Nous t'en rapporterons », promit Museau Cendré.

Écorce de Chêne les remercia d'un grognement et retourna auprès d'Étoile Filante, immobile tas de fourrure noir et blanc. Il échangea quelques mots avec Moustache, qui veillait son chef agonisant, puis s'étendit tout près du vieux meneur. Par sa présence, il voulait lui faire savoir qu'il ne serait pas seul lorsqu'il entreprendrait son dernier voyage.

« Bravo, Papillon ! miaula Nuage de Feuille. Jamais je n'aurais pensé aux baies de genièvre pour remplacer le pas-d'âne. »

Papillon ronronna avant de demander :

« Par où commence-t-on ? »

Museau Cendré se leva d'un mouvement raide pour ménager sa vieille blessure.

« Si nous nous dirigeons de ce côté, répondit-elle, nous finirons sur le territoire des chevaux. À mon avis, on devrait aller dans l'autre sens, vers le lac.

— D'après Étoile de Feu, la rive est marécageuse, lui rappela Nuage de Feuille.

— Des tas de remèdes poussent dans les marécages », rétorqua Papillon. Du bout de la queue, elle donna une petite pichenette sur l'oreille de son amie. « Si tu appartenais au Clan de la Rivière, tu n'aurais pas peur de te mouiller un peu les pattes !

— Quant à moi, je serais bien content d'attraper une grenouille ou un crapaud », déclara Petit Orage. Il vit que les autres le dévisageaient et ajouta, sur la défensive : « Leur chair n'est pas si mauvaise !

On en trouvait en toute saison sur le territoire du Clan de l'Ombre, alors même que le gibier manquait ailleurs. »

À mesure qu'ils s'approchaient du rivage, l'herbe coriace de la lande laissait place aux joncs et à la mousse. Le sol était spongieux. À chaque pas, de l'eau suintait sous les coussinets de Nuage de Feuille.

« J'espère que ce n'est pas comme ça partout », marmonna-t-elle en s'arrêtant un instant pour secouer ses pattes mouillées.

Elle observa le paysage et s'aperçut que, même si ces marais se poursuivaient jusqu'au lac, des arbres poussaient un peu plus loin sur la rive. Elle remarqua même une presqu'île boisée. *Un endroit parfait pour un camp*, se dit-elle.

Elle gambada pour rattraper les autres et les rejoignit près d'une énorme touffe de prêles. Cette plante semblait se développer à merveille dans cet endroit. Le moral de Nuage de Feuille remonta aussitôt.

« C'est formidable, miaula Museau Cendré. Elle n'a jamais aussi bien poussé sur notre ancien territoire. Nous en cueillerons en revenant. Nuage de Feuille, dans quel cas utilise-t-on la prêle ? »

La novice n'appréciait guère de se faire interroger devant les autres guérisseurs comme si elle venait à peine de commencer son apprentissage, mais elle connaissait la réponse :

« Les infections.

— Exact, miaula Petit Orage. Et nous allons en avoir besoin. Nos camarades se sont fait beaucoup d'égratignures et autres coupures durant le voyage.

« — Tu as malheureusement raison », convint Museau Cendré, avant de repartir, suivie des autres guérisseurs.

Nuage de Feuille se félicita lorsqu'elle aperçut en premier un parterre de menthe aquatique, l'un des meilleurs remèdes contre les maux de ventre.

« Nous ne trouverons jamais de baies de genièvre par ici, fit remarquer Papillon en franchissant d'un bond un petit ruisseau. C'est bien trop humide.

— En effet. Nuage de Feuille et toi, vous pourriez poursuivre vos recherches plus loin du rivage, suggéra Museau Cendré. Je vois des buissons, là-bas. Ce sont peut-être des genévriers.

— D'accord », fit la chatte dorée en tournant le dos au lac pour se diriger vers la crête qu'ils avaient franchie la veille au soir.

Nuage de Feuille la suivait de près, soulagée de sentir sous ses pattes un sol plus sec et plus dur. Les deux chattes arrivèrent bientôt à un bosquet, où l'apprentie reconnut aussitôt les feuilles sombres et dentelées ornées de baies pourpres d'un genévrier.

« Parfait », miaula-t-elle gaiement tout en attaquant quelques branches avec les dents.

Elles en arrachèrent autant qu'elles purent avant de redescendre vers le lac. La novice repéra alors en contrebas les silhouettes minuscules, indistinctes, de Museau Cendré et Petit Orage sur le rivage. Elle s'aperçut également que ce qu'elle prenait pour une presqu'île était en fait un petit îlot, bien séparé de la rive par un étroit chenal.

« Papillon, regarde ! Il y a une île sur le lac !

— Voilà un endroit idéal pour les Assemblées !

s'exclama son amie. Elle est assez grande pour accueillir les quatre Clans, et là, rien ne viendrait nous déranger. Allons prévenir les autres. »

Elle ramassa son fardeau et dévala la colline vers Museau Cendré et Petit Orage. Nuage de Feuille prit ses propres branches dans la gueule et la suivit plus lentement. Papillon ne lui avait pas laissé le temps de répondre : seuls les membres du Clan de la Rivière savaient nager et aucun des autres Clans ne pourrait atteindre cette île. C'était bien dommage, car Papillon avait vu juste : l'île aurait été un lieu de rassemblement parfait pour les Clans, à l'abri des prédateurs et des Bipèdes.

Lorsque l'apprentie rejoignit les autres, Papillon évoquait déjà leur découverte avec des miaulements enthousiastes. Les quatre félins s'approchèrent de l'eau pour voir l'île de plus près. Sur le rivage, sec et rocailleux, quelques ronces émergeaient des fissures.

« L'endroit a l'air sûr, admit Museau Cendré. Mais comment nous y rendre ? Tu te vois annoncer aux anciens qu'ils devront nager chaque fois qu'ils voudront assister aux Assemblées ? »

Petit Orage émit un ronron amusé, mais Papillon eut l'air blessée.

« Si l'eau n'est pas trop profonde, il n'est peut-être pas nécessaire de nager, déclara Nuage de Feuille avec tact, même si elle n'était pas pressée de le découvrir.

— Je pourrais aller m'en assurer, proposa Papillon.

— Si tu veux », répondit Museau Cendré.

Il n'en fallut pas plus à la guérisseuse : la chatte à la robe dorée dévala les rochers à toute allure.

« Fais attention ! » lança l'apprentie.

Son amie la rassura d'une ondulation de la queue avant de se glisser dans le lac. L'eau lui arriva bientôt jusqu'au ventre et elle dut se mettre à nager, avançant un peu plus vite à chaque coup de patte puissant. Nuage de Feuille plissa les yeux pour se protéger du reflet du soleil et suivre la progression de la petite tête sombre qui disparaissait par inter-mittence entre les arbres.

Derrière elle, Petit Orage suggéra :

« Et si on chassait, en l'attendant ? J'ai tellement faim que je pourrais avaler un blaireau ! »

La jeune chatte tigrée prit alors conscience des plaintes de son propre estomac. Pourtant, elle ne bougea pas avant d'avoir vu Papillon atteindre la rive de l'île ; la guérisseuse s'extirpa de l'eau et agita joyeusement la queue avant d'être engloutie par les buissons.

L'apprentie se retourna au moment même où Petit Orage se jetait sur un campagnol, dont il ne fit qu'une bouchée. Heureusement qu'il n'avait pas mis la patte sur une grenouille ou un crapaud. S'il lui en avait proposé, elle se serait sentie obligée d'accepter ! Or, elle n'était pas suffisamment affamée pour dévorer une proie si peu ragoûtante.

Un peu plus loin, Museau Cendré traquait une souris dans les hautes herbes au pied des rochers. Un instant plus tard, elle l'acheva et interpella sa protégée.

« Viens chasser ! Papillon s'en sortira très bien. Le gibier est abondant par ici. »

La jeune chatte tigrée jeta un ultime regard vers la petite île, mais ne vit aucun signe de son amie. À pas de velours, elle gagna les rochers les plus proches et perçut les petits couinements d'un rongeur. Elle s'immobilisa. Quelques brins d'herbe se courbèrent, révélant la tête d'un autre campagnol qui grattait des graines tombées par terre. Elle rampa vers lui, ses coussinets décollant à peine du sol. Dès qu'il fut à portée de pattes, elle bondit et le tua d'un coup de dents.

Elle ne se rappelait pas la dernière fois qu'elle avait vu un rongeur aussi dodu. Pendant la destruction de la forêt, les rares animaux qui ne s'étaient pas enfuis, et qui étaient faciles à débusquer, étaient toujours maigrelets et coriaces. Et lors de la traversée des montagnes, ils n'avaient pas eu beaucoup d'occasions de chasser.

Rassasiée, elle finissait son repas lorsque Petit Orage lança à la cantonade :

« Papillon revient ! »

Nuage de Feuille se hâta d'avaler sa dernière bouchée et fila accueillir son amie, qui nageait lestement vers elle. Elle fut bientôt en mesure d'avancer sur ses pattes et sortit de l'eau pour s'ébrouer.

« Alors ? s'enquit Museau Cendré. Qu'as-tu trouvé ?

— C'est parfait ! s'exclama la guérisseuse, enthousiaste. Des arbres et des buissons poussent le long de la rive, mais au centre, il n'y a qu'une clairière verdoyante. Tous les Clans pourraient aisément s'y réunir.

— Le Clan de la Rivière, peut-être, répondit Petit Orage avec inquiétude. Mais tu ne convaincras jamais les autres de vous y rejoindre. Certains, ceux qui ont plus de courage que de jugeote, se noieraient s'ils essayaient.

— En plus, au milieu de la clairière, continua Papillon comme si son aîné n'avait rien dit, il y a un arbre gigantesque, aussi gros que les Quatre Chênes. Les chefs pourraient grimper sur les plus basses branches pour s'adresser aux Clans. » Ses yeux bleus brillaient d'excitation. « C'est l'endroit rêvé ! On y trouve aussi du gibier.

— C'est pourtant impossible, soupira Museau Cendré. Mais tu as raison, Papillon, cette île semblait idéale. Merci de l'avoir explorée. »

Dépitée que les guérisseurs s'opposent à son idée, Papillon s'était éloignée. Les autres la suivirent vers le camp de fortune. Nuage de Feuille s'attarda un instant, pour jeter un ultime regard vers l'île prometteuse. Les Clans avaient besoin d'un lieu de rassemblement et d'une nouvelle Pierre de Lune tout autant que de camps sûrs et abrités, et de gibier en abondance. À cette seule condition ils retrouveraient peut-être le cinquième Clan contraint de quitter la forêt : le Clan des Étoiles.

L'apprentie frémit, alors même que les roseaux la protégeaient du vent froid venu du lac. Tant qu'une solution ne se ferait pas jour, l'avenir des Clans sur leur nouveau territoire demeurerait incertain.

## CHAPITRE 3

**P**ATTE DE BRUME entraîna à petites foulées la patrouille jusqu'au marécage bordant le lac. Les pâles rayons du soleil réchauffaient le dos des félins. Griffe de Ronce inspira profondément l'air imprégné d'odeurs de gibier. Il n'avait qu'une envie : bondir devant ses camarades pour découvrir le territoire au plus vite. Sachant que la route serait longue, il se força malgré tout à suivre l'allure du lieutenant du Clan de la Rivière.

« Quelle horreur ! » grommela Poil d'Écureuil en glissant une fois de plus dans un trou d'eau. Elle s'arrêta un instant pour secouer d'un air dégoûté sa patte arrière mouillée. « Si on s'installe là, on finira tous avec des pattes palmées !

— Ce ne serait pas si mal, pour le Clan de la Rivière, répondit Patte de Brume. Mais le gibier est rare, avec ce genre de végétation.

— Nous ne sommes pas obligés d'occuper tout le pourtour du lac, déclara Pelage d'Or. L'espace ne manque pas. Si aucun Clan ne veut de ces marigots, tant pis.

— Encore faudrait-il qu'on trouve mieux plus loin », ajouta Plume de Jais.

Griffe de Ronce fit halte pour scruter le paysage. D'un côté, un accotement menait à une chaîne de collines. Derrière eux, après la clôture des Bipèdes, les pâturages s'élevaient en pente douce avant de disparaître derrière une ligne d'arbres. Droit devant, les marais continuaient le long du rivage. Au loin, Griffe de Ronce distinguait sur le lac une presqu'île verdoyante, et, au-delà, des bois épais.

« Apparemment, on sera bientôt sortis des marais, miaula-t-il.

— On ne pourrait pas grimper la colline, Griffe de Ronce ? s'enquit Poil d'Écureuil. Pitié, j'en ai marre d'avoir les pattes trempées...

— En plus, on trouvera du gibier, là-haut, ajouta Pelage d'Or avec envie. Il faudra bien qu'on chasse.

— Nous sommes censés explorer les rives du lac, leur répondit le guerrier tacheté.

— Et le territoire qui l'entoure, lui rappela Plume de Jais.

— Bon, j'imagine qu'on peut s'éloigner un peu du lac, déclara le matou, pensif. Commençons par gagner le sommet de la colline. On chassera en route et... »

Un raclement de gorge l'interrompit. Lorsque Griffe de Ronce croisa le regard serein de Patte de Brume, il sentit sa fourrure se hérisser.

« D-désolé, Patte de Brume, bégaya-t-il. C'est à toi de décider... »

Les yeux du lieutenant pétillèrent.

« Écoute, Griffe de Ronce, il vaut peut-être mieux que tu prennes la tête de la patrouille. Ces guerriers ont manifestement l'habitude que tu leur donnes des ordres.

— Je ne dirais pas ça, répondit-il, plus embarrassé que jamais. Pendant notre voyage, la plupart du temps, on décidait ensemble.

— Il veut dire qu'on se disputait tout le temps, rétorqua sèchement Pelage d'Or. Du moins, *certains* se disputaient. »

Elle toisa durement Poil d'Écureuil et Plume de Jais.

« Qui ça, nous ? s'indigna la rouquine, les yeux écarquillés. C'est même pas vrai ! »

Réprimant un ronron amusé, Griffe de Ronce commença à grimper vers un terrain plus sec. Il remercia le Clan des Étoiles que Patte de Brume se montre si compréhensive. Il se réjouissait de voyager de nouveau avec ses amis, même si l'absence de Pelage d'Orage le tourmentait comme une épine dans son flanc.

Arrivés à mi-hauteur de la colline, ils flairèrent du gibier près d'une haie. Il ne fallut pas longtemps aux cinq félins pour attraper une proie et déguster un bon repas.

« Mmm… » gémit Poil d'Écureuil, étendue sur le côté, pattes tendues pour s'étirer avec délice. « C'était la souris la plus délicieuse que j'aie mangée depuis des lunes. Je ferais bien une grosse sieste, maintenant.

— Pas question ! s'exclama Griffe de Ronce en la secouant. Un long trajet nous attend, et nous devons profiter de la lumière du jour pour aller aussi loin que possible.

— Ça va, pas la peine de te friser les moustaches… » Poil d'Écureuil se leva péniblement, ses yeux verts brillant de malice. « Tu n'es qu'une boule de poils autoritaire. N'oublie pas que je suis une guerrière, maintenant ! »

Elle lui donna une pichenette du bout de la queue.

« Ça, tu t'en vantes tellement que je ne risque pas de l'oublier », rétorqua-t-il, railleur.

Il rassembla les autres. Le visage impassible, Patte de Brume le regarda en silence donner les ordres. Lorsqu'ils redescendirent vers le lac, Griffe de Ronce s'aperçut que la péninsule repérée plus tôt était en fait une île ; trois confettis de fourrure l'observaient depuis la rive.

« C'est Nuage de Feuille ! » s'écria Poil d'Écureuil.

Griffe de Ronce ne lui demanda pas comment elle pouvait reconnaître sa sœur de si loin. Il connaissait le lien particulier qui les unissait.

Au lieu de filer droit sur l'île, ils obliquèrent vers un point situé un peu plus loin. Au grand soulagement de Griffe de Ronce, les marais et les trous d'eau bordés de roseaux disparurent peu à peu, laissant place à une herbe longue et fraîche, agréable à fouler.

« Je préfère ça ! » marmonna Plume de Jais.

À force de vivre sur les terres sablonneuses et bien drainées de la lande, le Clan du Vent était le moins habitué à l'humidité.

Tandis que les chats longeaient la rive, le soleil atteignit son zénith puis commença à décliner dans le ciel. Une plage de galets ronds rappela à Griffe de Ronce les bords de la rivière qui traversait leur ancienne forêt. Le guerrier repéra un poisson qui dessinait des cercles à la surface de l'eau.

« Le Clan de la Rivière ne manquera pas de gibier, miaula-t-il à Patte de Brume.

— C'est vrai. Néanmoins, nous devrons peut-être élaborer de nouvelles techniques de pêche. Nous avons l'habitude de rester à l'affût au bord de l'eau, ou sur des pierres émergées, et de sortir les poissons d'un coup de patte. Que ferions-nous si tous les poissons allaient se cacher au milieu du lac ? »

Cette idée arracha à Poil d'Écureuil un grognement amusé, mais Griffe de Ronce la fit taire d'un regard noir. Patte de Brume ne plaisantait pas : son Clan pouvait bien mourir de faim à côté d'un lac poissonneux s'il ne s'adaptait pas à leur nouvel environnement. Les yeux plissés, il scruta l'autre rive. Les taches verdâtres qu'il y discernait lui rappelaient les arbres sous lesquels le Clan du Tonnerre vivait naguère. Y chasser des souris et des écureuils ne serait sans doute pas plus compliqué qu'avant, non ?

Au fur et à mesure de leur progression, les galets devinrent de plus en plus gros et glissants. Ils durent ralentir pour ne pas se coincer les pattes entre les pierres. Devant eux, une pinède bordait le lac. Tel un pont de Bipèdes qui ne menait nulle part, une structure en bois était suspendue au-dessus de l'eau.

« Qu'est-ce que c'est ? demanda Griffe de Ronce en désignant la chose du bout de la queue.

— Un truc de Bipèdes, miaula Plume de Jais avec mépris.

— Pourvu qu'ils ne soient pas nombreux par ici, gémit Pelage d'Or.

— Je ne pense pas, répondit Patte de Brume. Il n'y a pas l'ombre d'un Bipède à l'horizon. Ils ne viennent peut-être qu'à la saison des feuilles vertes, comme ils le faisaient sur notre ancien territoire. Leurs petits adorent jouer dans l'eau.

— Nous l'inspecterons le moment venu, ajouta Griffe de Ronce. Comme l'a dit Patte de Brume, pour l'instant, il n'y a pas de Bipède ici. »

Il donna le signal du départ. Ils avançaient en silence, comme si le demi-pont, en leur rappelant leurs anciens ennemis, les avait mis sur leurs gardes. Bientôt, Griffe de Ronce entendit un autre bruit couvrant le petit clapotement des vagues sur le rivage : le gargouillis d'un cours d'eau. La terre redevint humide sous leurs pattes. Un véritable mur de roseaux se dressait non pas le long du lac mais en travers de la grève.

« Une rivière ! » s'exclama Patte de Brume en filant ventre à terre.

Le reste de la patrouille gambada pour la rejoindre au bord de l'eau. En se glissant entre les roseaux, Griffe de Ronce découvrit que la rivière prenait sa source dans le lac. Comme elle était plus large que les ruisseaux qu'ils avaient traversés jusque-là, il leur serait impossible de la franchir d'un simple bond. Des eaux profondes serpentaient autour de petits îlots pierreux et de bancs de sable couverts de galets. L'onde, verte et fraîche, était ombragée par les roseaux et les quelques arbres qui poussaient sur les berges. Des touffes de fougères brunes et sèches promettaient une végétation plus luxuriante à la saison des feuilles vertes.

Patte de Brume balaya la rivière du regard en agitant le bout de la queue.

« Le Clan de la Rivière se plairait ici », dit-elle.

Griffe de Ronce était d'accord avec elle. Mais ce n'était pas à eux de prendre une telle décision. Leur mission était de rapporter à leurs chefs tous les détails de leur expédition. À eux de décider ensuite du partage du territoire.

« Hé, miaula Poil d'Écureuil. J'ai vu un poisson ! »

Un instant plus tard, Griffe de Ronce en aperçut un, lui aussi, éclair argenté dessinant des ronds à la surface.

« Parfait ! se réjouit Patte de Brume. Voulez-vous que je vous en attrape quelques-uns ?

— On sait pêcher, tu sais, rétorqua Pelage d'Or d'une voix polie mais ferme.

— Ah bon ? s'étonna le lieutenant.

— Jolie Plume nous a appris. Pendant notre premier voyage », expliqua sèchement Plume de Jais.

Il se détourna pour aller s'asseoir au bord de l'eau. Patte levée, il scruta les profondeurs, prêt à frapper.

Griffe de Ronce eut de la peine pour lui. Jolie Plume avait tout mis en œuvre pour que Plume de Jais trouve sa place dans le groupe et s'était sacrifiée pour les sauver, lui et tous les autres, des griffes de Long Croc. Il se demanda si le chagrin de Plume de Jais s'effacerait un jour. Ces derniers temps, il semblait redevenu aussi susceptible et égoïste qu'au premier jour, avant qu'il apprenne à faire confiance à ses compagnons, et qu'il tombe amoureux de la jolie chatte grise.

Patte de Brume murmura des paroles pleines de compassion. En voyant l'air peiné du lieutenant, le guerrier tacheté se souvint qu'elle avait été le mentor de Jolie Plume. Elle n'essaya pas d'aller consoler le guerrier gris sombre mais s'installa non loin de lui et se mit, elle aussi, à l'affût. Pelage d'Or et Poil d'Écureuil l'imitèrent. Griffe de Ronce, quant à lui, demeura près des roseaux, les sens en alerte, guettant le moindre signe de danger. Quatre chats concentrés sur leur gibier constitueraient des proies faciles pour un renard affamé.

Heureusement, rien ne vint déranger la partie de pêche de ses amis.

« Tu n'as pas faim, Griffe de Ronce ? s'enquit Poil d'Écureuil, qui venait de déposer un poisson dodu à ses pieds. Ou bien tu as oublié comment faire ?

— Je montais la garde », protesta-t-il. Mais il se tut quand il vit la lueur amusée dans le regard de la guerrière rousse.

« Cervelle de souris, ronronna-t-elle en poussant le poisson vers lui. Je sais bien, que tu montais la garde ! J'en ai pêché assez pour nous deux, viens manger. »

Lorsqu'il vint s'asseoir près d'elle, Pelage d'Or dévisagea son frère.

« Vous semblez très proches, tous les deux, déclara-t-elle. Pas besoin de demander au Clan des Étoiles ce que l'avenir vous réserve ! »

Griffe de Ronce ne savait plus où se mettre. L'idée qu'on puisse cancaner sur Poil d'Écureuil et lui le mettait mal à l'aise. Puis il se détendit. Il n'avait aucune raison de dissimuler ses sentiments pour la rouquine, et encore moins à sa propre sœur.

À la fin du repas, il se leva et se lécha le museau.

« Et maintenant ? demanda-t-il. On retourne au lac, ou on suit la rivière ?

— J'aimerais remonter un peu le courant, répondit Patte de Brume. Histoire de chercher un bon emplacement pour le camp. »

Griffe de Ronce acquiesça. Comme elle connaissait mieux que quiconque les besoins de son Clan, il la laissa prendre la tête du groupe et les félins suivirent le cours d'eau à la queue leu leu… De son point de vue à lui, l'endroit – avec ses nids de roseaux bordés de ronciers où ils trouveraient du gibier en plus du poisson, et le gazouillis perpétuel de la rivière – semblait idéal pour les membres du Clan de la Rivière. Au pied d'une butte couverte de mousse et de fougères, ils tombèrent sur un étroit ruisseau qui dévalait la pente. Le bras de terre séparant les deux cours d'eau était abrité par des noisetiers et des ronces.

« C'est parfait ! » s'écria Patte de Brume, les yeux brillants.

Elle traversa le courant en sautant d'une pierre à l'autre, puis s'immobilisa comme si elle avait oublié de se montrer prudente. Elle leva la tête pour humer l'air avant de disparaître dans les taillis.

« On dirait que le Clan de la Rivière est casé, déclara Pelage d'Or.

— Rien n'est fait, lui rappela sèchement Plume de Jais. C'est aux chefs d'en décider.

— Ne me dis pas que le Clan du Vent veut vivre

à côté d'une rivière, parce que je ne te croirais pas, rétorqua Poil d'Écureuil.

— Plume de Jais a raison, mais il ne faut pas se disputer pour autant. »

Si le guerrier tacheté avait essayé de garder un ton neutre, il fut pourtant incapable de réprimer un soupçon de jalousie. Cet endroit, certes parfait pour le Clan de la Rivière, conviendrait aussi tout à fait au Clan du Tonnerre. D'accord, son Clan n'avait jamais eu l'habitude de pêcher, mais il pouvait apprendre, et les arbres étaient assez nombreux pour leur fournir en plus du gibier à poil. Il décida de ne rien dire pour le moment, de peur de contrarier Patte de Brume.

« Avec un peu de chance, reprit-il fermement, nous trouverons tous un territoire adapté à nos Clans. »

Patte de Brume revint bientôt, la queue levée bien haut. Elle affichait sa satisfaction.

« J'en ai vu assez, miaula-t-elle. Cet endroit serait idéal pour un camp. Et maintenant, essayons de trouver quelque chose pour vous. »

Griffe de Ronce perçut une trace de suffisance dans sa voix, comme si elle leur accordait une faveur en poursuivant l'exploration. Il essaya de ne pas s'en irriter et la rejoignit le premier de l'autre côté de la rivière. Ils redescendirent vers le lac et, en quittant les arbres, ils découvrirent une clairière qui rejoignait le rivage. Alors qu'il s'approchait du demi-pont, Griffe de Ronce huma une odeur âcre dans l'air, peu perceptible mais familière.

« Il y a un Chemin du Tonnerre pas loin ! » feula-t-il, les poils de sa nuque soudain hérissés.

Son sang se figea dans ses veines. Il revit les monstres des Bipèdes qui éventraient le sol de la forêt, déracinaient les arbres et ne laissaient après leur passage qu'un paysage désolé de tranchées boueuses. Les Bipèdes et leurs monstres les chasseraient-ils aussi du lac ?

Près de lui, Poil d'Écureuil s'était raidie et son pelage se gonflait, comme si elle aussi revivait le cauchemar passé.

« Je n'ai pas entendu le moindre monstre, murmura Patte de Brume. Allons jeter un coup d'œil. »

Elle fit quelques pas puis se retourna en constatant que personne ne la suivait.

« Écoutez, fit-elle, nous avons vécu pendant des saisons et des saisons près des Chemins du Tonnerre, et tant que nous restions prudents, il ne nous arrivait jamais rien. Celui-ci n'est guère emprunté : nous n'avons pas entendu un seul monstre de la journée. Pas besoin de s'arracher la fourrure pour si peu. Venez. »

Griffe de Ronce s'ébroua. Il s'avança prudemment, les trois autres serrés contre lui. La puanteur du Chemin du Tonnerre s'amplifia et il repéra bientôt la dure surface noire qui louvoyait dans l'herbe comme un serpent aplati. Il était bien plus étroit que ceux qu'ils connaissaient et, ainsi que l'avait fait remarquer Patte de Brume, aucun monstre ne chargeait ni dans un sens ni dans l'autre.

« À quoi sert-il ? se demanda Plume de Jais en s'approchant tout près. Regardez, il s'arrête au bord du lac. »

Griffe de Ronce suivit son regard. En effet, le Chemin du Tonnerre débouchait sur une vaste clairière recouverte de la même matière noire et dure. Sur le côté, trônait un petit nid de Bipèdes en bois.

« L'odeur de Bipèdes est faible, et ancienne, annonça Pelage d'Or. Ils n'ont pas dû venir ici depuis des lunes.

— Regardez ça ! »

Griffe de Ronce fit volte-face et se crispa en voyant que Poil d'Écureuil s'était aventurée jusqu'au bout du demi-pont pour regarder dans l'eau.

« Attention ! », lança-t-il en bondissant vers elle.

Ses pas résonnèrent doucement sur les planches de bois grinçantes. Il essaya de ne pas penser à ce qu'il ressentirait s'il devait tomber dans l'eau glaciale.

« Regarde ! » lança Poil d'Écureuil en inclinant ses oreilles vers le lac.

Le matou s'aperçut alors qu'un autre objet de Bipèdes flottait sur l'eau. Il évoquait une feuille retournée, mais bien plus grande, et tout en bois. Elle était en partie dissimulée par le demi-pont, ce qui expliquait qu'ils ne l'aient pas vue de la rive.

« Qu'est-ce que c'est ?

— Les Bipèdes appellent ça une barque », leur apprit Patte de Brume, qui les avait rejoints.

Sa fourrure ne se hérissait pas : à l'évidence, les planches branlantes du demi-pont ne l'avaient pas impressionnée.

« Dans notre ancienne forêt, ils en apportaient parfois jusqu'à la rivière, poursuivit-elle. Vous n'en aviez jamais vu ? Ils s'en servent pour pêcher. »

Griffe de Ronce essaya d'imaginer un Bipède tapi dans cette « barque », attendant de pouvoir capturer un poisson avec ses grosses pattes maladroites. Il avait dû mal à croire qu'ils étaient assez rapides pour y parvenir, mais Patte de Brume savait sans doute de quoi elle parlait.

« Comme je le supposais, les Bipèdes ne doivent venir qu'à la saison des feuilles vertes, ajouta encore le lieutenant. Nous n'avons donc aucune raison de nous inquiéter pour le moment.

— C'est ça, on s'inquiétera doublement à la saison prochaine », miaula Poil d'Écureuil.

Patte de Brume haussa les épaules.

« Nous y penserons en temps voulu. Les feuillages seront touffus, alors. Nous pourrons rester hors d'atteinte, tout comme nous le faisions jadis. » Elle leva la tête pour regarder droit dans les yeux Griffe de Ronce et Poil d'Écureuil, puis Plume de Jais et Pelage d'Or, restés prudemment là où le demi-pont touchait la rive. « Bien sûr, la vie sur notre nouveau territoire ne sera pas sans danger. Mais nous ne devons pas oublier que nous avions déjà des ennemis dans la forêt, avant même que les Bipèdes ne lâchent leurs monstres sur nous. Si le Clan des Étoiles nous a conduits jusqu'ici, ce n'est pas parce qu'il n'y a aucun danger, mais parce que nous pouvons apprendre à les éviter, comme avant. »

Poil d'Écureuil acquiesça, rassurée, mais Griffe de Ronce montra les crocs. Il n'aimait pas la façon dont Patte de Brume les traitait, comme s'ils n'étaient qu'une bande d'apprentis apeurés. Elle ignorait tout des périls qu'ils avaient affrontés lors de leur premier voyage ! Plus de Chemins du Tonnerre qu'elle n'en avait traversés sa vie durant, sans oublier des chiens, des chats domestiques hostiles, des Bipèdes prêts à les capturer, des renards affamés...

« Tu comptes rester là jusqu'à demain ? » lança Poil d'Écureuil, qui avait fait demi-tour et le regardait à présent par-dessus son épaule d'un air interrogateur.

Patte de Brume avait déjà retrouvé les autres sur la berge.

« Non, j'arrive », marmonna-t-il.

Il suivit la rouquine jusqu'à la rive et dut réprimer des envies de mutinerie en voyant que Patte de Brume avait pris la tête de la patrouille pour conduire les guerriers de l'autre côté de la clairière, loin du Chemin du Tonnerre.

« Elle est lieutenant de son Clan, lui rappela sa camarade en ralentissant l'allure pour cheminer à son côté. Tu ne peux pas lui reprocher d'avoir plus d'expérience que nous. »

Le matou faillit lui répondre avec virulence que leur voyage jusqu'à Minuit avait fait d'eux des guerriers plus expérimentés que quiconque. Il se reprit en voyant le regard doux de Poil d'Écureuil. Il serait injuste de passer ses nerfs sur elle. S'il se montrait honnête envers lui-même, il avait toujours honte d'avoir cédé à la peur devant le Chemin du Tonnerre.

Il donna un petit coup de langue sur l'oreille de la jeune guerrière.

« Je sais, miaula-t-il. Et elle a raison en tous points. Viens, il ne faut pas qu'on se laisse distancer. »

Ils partirent comme des flèches, et Griffe de Ronce fut immédiatement soulagé de se détourner du Chemin du Tonnerre et du demi-pont pour explorer le reste de la région.

Ils approchaient à présent de la zone verte qu'il avait aperçue depuis leur camp provisoire. Comme il l'avait soupçonné, il s'agissait d'une pinède, semblable à celle qui entourait la Cabane à Couper le Bois dans leur ancien territoire. Il renifla, mais ne perçut aucun relent amer typique des monstres de Bipèdes dévoreurs d'arbres. Le sol était égal, sans la moindre ornière creusée par les monstres.

Le soleil déclinait déjà. Une lumière rougeoyante brillait à travers les arbres, projetant des ombres noires et allongées sur le chemin. Sous les rayons écarlates, la fourrure écaille de Pelage d'Or semblait de braise, et ses yeux luisaient.

Griffe de Ronce se rappela que leur ancienne forêt avait abrité une autre pinède, sur le territoire du Clan de l'Ombre, près des terres marécageuses où les arbres se faisaient plus rares.

« Tu crois que ton Clan aimerait cet endroit ? demanda-t-il à sa sœur.

— Peut-être, répondit-elle en agitant la queue. Mais chez nous, les branches des pins étaient plus basses. Il serait plus difficile de grimper sur celles-là. »

Griffe de Ronce comprit le problème. Les épineux qui les entouraient s'élevaient tout droit, leur tronc était lisse et glissant, et les premières branches poussaient bien au-dessus d'une hauteur de chat. Un guerrier athlétique n'aurait aucun mal à s'y réfugier, mais qu'en serait-il des anciens ou des reines avec leurs petits ? Si des renards ou des blaireaux attaquaient, les plus faibles du Clan n'en réchapperaient pas.

« Mais vous ne dormirez pas dans les arbres, fit remarquer Plume de Jais. Si vous venez vivre ici, il vous faudra un endroit facile à défendre pour abriter le camp. »

Pelage d'Or hocha la tête, avant de scruter les sous-bois. L'ancien camp du Clan de l'Ombre se trouvait à l'abri d'une épaisse roncière, suffisamment épineuse pour dissuader les renards de s'en approcher, même les plus curieux.

« Je ne vois rien qui puisse faire l'affaire », conclut-elle au bout d'un instant.

Le terrain s'inclinait légèrement depuis la rive, éclat d'argent à peine visible à travers les arbres. Aussi loin que son regard portait, Griffe de Ronce ne voyait qu'un sol lisse et dégagé, avec trop peu de taillis pour abriter du gibier en abondance. Dans l'air, une odeur dominait toutes les autres : celle de l'écureuil. Néanmoins, un Clan tout entier ne pouvait espérer survivre si, pour manger, il devait attendre que les écureuils daignent descendre des arbres.

Il eut de la peine pour sa sœur. Dans la forêt qu'ils avaient quittée, le territoire du Clan de l'Ombre était sinistre et inhospitalier, moitié marais, moitié forêt miteuse et clairsemée. Il s'était toujours demandé si le cœur noir de certains membres du Clan de l'Ombre résultait de leur environnement lugubre. Cette pinède n'était pas aussi menaçante, mais elle ne convenait pas à un Clan de chats.

« C'est peut-être différent un peu plus haut, lança-t-il avec enthousiasme. Éloignons-nous un peu du lac. »

Pelage d'Or prit la tête du groupe pour escalader la pente. L'épais tapis d'aiguilles de pin étouffait le bruit de leurs pas. Le silence était tel que leurs miaulements leur semblaient de trop et, peu à peu, tous se turent. Griffe de Ronce sursauta lorsqu'un oiseau prit son envol dans un cri alarmé.

Poil d'Écureuil renifla un bouquet de champignons jaunâtres et fronça le nez de dégoût.

« Ça ne me plairait pas du tout de vivre ici, marmonna-t-elle au guerrier tacheté. Tu crois que c'est utile, de poursuivre par là ?

— À Pelage d'Or d'en décider. Cet endroit ressemble davantage au territoire du Clan de l'Ombre que tous ceux que nous avons traversés. »

Ils poursuivirent leur chemin mais, au bout de quelques pas, Patte de Brume s'immobilisa.

« Cela ne sert à rien, miaula-t-elle. Nous nous éloignons de plus en plus du lac, et il fera bientôt nuit.

— J'ai besoin de trouver un emplacement pour le camp, répondit Pelage d'Or.

— Mais nous sommes censés explorer tout le pourtour du lac ! Nous ne pouvons pas passer plus de temps sur un territoire que sur un autre. Tu as déjà dit que ces arbres te rappelaient ton ancien foyer, alors c'est sans doute l'endroit idéal pour le Clan de l'Ombre.

— Et qu'est-ce que je vais dire à Étoile de Jais ? Je ne sais même pas si nous pourrions vivre ici ! » Son ton était plus dur, et son pelage se hérissait. « Tu pensais peut-être que mon Clan se contenterait du pire territoire ?! Si nous ne pouvons camper nulle part, c'est hors de question !

— Comme d'habitude, le Clan de l'Ombre se met en avant ! rétorqua Patte de Brume, qui faisait le gros dos.

— Facile à dire, pour toi ! Tout est réglé pour ton Clan. Tu n'as pas perdu de temps ! Tu as revendiqué le ruisseau dès qu'on l'a trouvé ! »

Patte de Brume feula rageusement, les griffes sorties. Griffe de Ronce bondit pour s'interposer entre les deux chattes en colère. Il avait beau être d'accord avec Pelage d'Or, ce serait un désastre si sa sœur venait à se battre avec le lieutenant du Clan de la Rivière. Si loin de leurs camarades, sans guérisseur et sans remèdes, ils n'avaient rien pour soigner les blessures. De plus, comment accompliraient-ils leur mission s'ils se querellaient ?

« Arrêtez ! Pelage d'Or, personne ne forcera le Clan de l'Ombre à s'installer ici s'il ne le souhaite pas, trancha-t-il.

— Bien dit ! s'écria-t-elle en décochant un regard noir à Patte de Brume avant de lui tourner le dos.

— Je pense que nous devrions poursuivre un peu, ajouta-t-il à l'attention de la guerrière grise. Profitons-en pour chercher un abri. La nuit va bientôt tomber.

— Je sais, répondit-elle d'une voix où perçait toujours la colère. Mais, à mon avis, nous ferions mieux de repartir vers le lac.

— Alors… » Griffe de Ronce laissa sa phrase en suspens. Une brise légère s'était levée, leur apportant une odeur inattendue. Il entrouvrit les mâchoires pour mieux l'identifier. « D'autres chats !

— Hein ? fit Poil d'Écureuil en bondissant vers lui. Où ça ?

— Là-haut, dit-il en inclinant les oreilles à l'horizontale.

— Sans doute des chats errants ou des solitaires, déclara Plume de Jais, inquiet. À moins qu'un autre Clan se soit déjà installé ici. »

Cette idée contraria un instant Griffe de Ronce, puis il se rassura en repensant au reflet des étoiles sur l'eau. Si le Clan des Étoiles les avait guidés jusqu'ici, il était impossible que d'autres guerriers de jadis veillent sur ce territoire.

« Ils ne font peut-être que passer, miaula-t-il. Nous devons nous en assurer.

— Peu importe, répondit Patte de Brume, qui agita la queue lorsque Griffe de Ronce fit mine de protester. D'accord, d'accord. Allons voir de quoi il retourne. Mais c'est toi qui expliqueras à nos chefs la raison de notre retard.

— Si tu veux. »

Le matou tacheté reprit sa montée, flairant l'odeur féline. Ils atteignirent bientôt un muret de pierres grises protégeant un nid de Bipèdes.

« Encore eux ! pesta Pelage d'Or avec dégoût. Alors il y a sans doute des chats domestiques.

— Tout ça pour des petits minets inoffensifs… soupira Poil d'Écureuil en levant les yeux au ciel.

— Restez-là, lança Griffe de Ronce. Je vais jeter un coup d'œil.

— À quoi bon ? » lança Patte de Brume, impatiente, en le regardant s'éloigner.

Il s'approcha du mur en rampant puis bondit au sommet. Le soleil avait presque disparu, et les ombres s'allongeaient dans le jardin silencieux. Il s'apprêtait à sauter dans l'herbe lorsqu'il surprit un crissement de griffes sur la pierre.

« De l'herbe à chat ! s'exclama Poil d'Écureuil.

— Je croyais t'avoir dit de rester en arrière !

— Vraiment ? dit-elle en battant des cils. Désolée. Enfin, les guérisseurs seront ravis d'apprendre qu'on leur a trouvé un plant d'herbe à chat.

— Tu as un bon odorat, bravo, admit-il à contre-cœur. Maintenant, si vraiment tu dois m'accompagner, reste près de moi et, pour l'amour du Clan des Étoiles, ne fais pas de bruit ! »

Il se laissa tomber dans le jardin, derrière une touffe d'herbe duveteuse. Poil d'Écureuil atterrit doucement près de lui, et, ensemble, ils avancèrent à croupetons vers le nid de Bipèdes. L'odeur des chats domestiques se précisa : ils étaient deux, se dit Griffe de Ronce. Il allait suggérer à la jeune guerrière de rebrousser chemin lorsqu'une lumière s'alluma dans le nid, l'inondant d'une lueur jaune. D'instinct, il se glissa sur le côté pour replonger dans l'ombre. Un Bipède apparut à la fenêtre et tira de drôles de fourrures pour cacher la lumière.

« Poil d'Écureuil ? souffla-t-il. Où es-tu ? Fichons le camp d'ici. »

La voix de la rouquine lui parvint de l'autre côté du carré de lumière.

« Euh… Griffe de Ronce, tu vas devoir changer d'avis. »

Le guerrier ne la vit pas aussitôt dans la pénombre, puis il finit par la repérer, tout près du mur du nid. Elle faisait le gros dos et sa fourrure était si gonflée qu'elle semblait avoir doublé de volume. Deux chats domestiques furieux se tenaient devant elle, la coinçant contre le mur.

Griffe de Ronce n'en revenait pas. Malgré ses affrontements passés contre des chats domestiques, il s'attendait toujours qu'ils soient petits et doux, incapables d'affronter un guerrier bien entraîné. Mais ces deux-là, avec leurs corps souples et leurs muscles roulant sous leur fourrure brillante, lui semblaient dangereux. Le premier, un matou noir et blanc, dont l'oreille déchirée prouvait qu'il se battait souvent, se jeta sur Poil d'Écureuil. Elle recula en feulant :

« Laisse-moi tranquille, sale boule de poils ! »

Poussant un cri de rage, Griffe de Ronce fonça à travers le jardin, droit sur le matou. Il le percuta de plein fouet et tenta de le maintenir au sol. Son adversaire se tortilla sous lui, lui griffa la tête et lui bourra le ventre de coups de pattes. Griffe de Ronce entendit Poil d'Écureuil crier : du coin de l'œil, il la vit rouler au sol avec l'autre chat domestique, un mâle tigré brun clair.

La peur tétanisa aussitôt Griffe de Ronce. Maigres et épuisés après leur périple dans les montagnes, Poil d'Écureuil et lui ne faisaient pas le poids face à ces félins agressifs, robustes et bien nourris.

Il s'efforça de mordre le matou noir et blanc à la gorge, mais celui-ci rentra les épaules et le fit basculer avant qu'il ait eu le temps de refermer ses mâchoires. Écrasé par le poids de son ennemi, Griffe de Ronce sentait qu'il essayait de lui arracher les oreilles à coups de dents et lui griffait les flancs. Pour le déloger, il lui martela le ventre de ses pattes arrière, en vain.

Soudain, le matou noir et blanc cessa de peser sur lui. Griffe de Ronce se mit péniblement sur ses pattes. Au même instant, Patte de Brume donna un grand coup de griffes à l'épaule de son ancien adversaire. D'un bond, elle se mit hors d'atteinte avant qu'il puisse riposter. Profitant de son déséquilibre, elle lui sauta aussitôt sur le dos et lui planta les crocs dans le cou.

Près du mur, le félin tigré s'écarta de Poil d'Écureuil et fila se cacher derrière le nid en gémissant. Griffe de Ronce aperçut Pelage d'Or et Plume de Jais qui déboulaient vers eux, mais la porte du nid s'ouvrit en grand avant qu'ils aient eu le temps de rejoindre le combat. Un Bipède se tenait sur le seuil. Poussant un cri aigu, il balança un objet qui frôla la tête de Griffe de Ronce et atterrit avec fracas dans les buissons. Le bruit déconcentra Patte de Brume ; le matou noir et blanc en profita pour courir se réfugier dans le nid. Le Bipède sortit dans le jardin, son ombre menaçante se découpant sur le rectangle de lumière de la porte.

« Courez ! » feula Patte de Brume.

Griffe de Ronce s'assura que Poil d'Écureuil s'était relevée avant de détaler vers le mur. Un autre objet s'écrasa sur le sol, juste derrière lui, tandis que le Bipède hurlait de plus belle. Le guerrier tacheté escalada le muret, ses griffes crissant contre la pierre rugueuse, et retomba lourdement de l'autre côté. Il fila vers les arbres, les autres sur les talons, et ne s'arrêta qu'une fois le nid hors de vue.

« Bravo ! haleta Patte de Brume. Peut-être que tu m'écouteras, la prochaine fois, Griffe de Ronce, avant d'aller explorer trop loin. »

Le matou baissa la tête, honteux. Il avait été stupide de s'approcher si près du nid dans le but de se pavaner, de montrer qu'il pouvait être un bon chef de patrouille.

« Désolé, Patte de Brume, marmonna-t-il.

— J'espère bien. Tu aurais pu te faire gravement blesser ou te faire capturer par ces Bipèdes. » Le ton du lieutenant était acerbe. Elle promena son regard sur les arbres avant d'ajouter : « As-tu la moindre idée de l'endroit où nous sommes ? »

Griffe de Ronce se rendit alors compte qu'ils n'étaient pas revenus sur leurs pas. De grands pins se dressaient tout autour d'eux ; rien ne permettait de savoir où se trouvait le lac. L'obscurité était presque totale.

« Non, évidemment, reprit la chatte grise, caustique. Nous voilà perdus dans des bois inconnus, et la nuit tombe. Nous ferions mieux de trouver un abri. J'espère que nous retrouverons notre chemin demain matin. »

Cette fois-ci, elle prit la tête du groupe, filant entre les arbres la queue en l'air. Pelage d'Or et Plume de Jais la suivirent aussitôt. La guerrière écaille posa un regard plein de compassion sur son frère et murmura :

« Merci. Je sais que tu essayais de m'aider. »

Le matou haussa les épaules. Il ne pouvait se justifier – Patte de Brume l'avait sauvé de justesse. Il ferma la marche, la queue basse, et releva à peine la tête lorsque Poil d'Écureuil le rejoignit pour lui donner un coup de museau affectueux.

« T'inquiète ! Ce n'est pas si grave. Au moins, le

Clan de l'Ombre sera prévenu du danger s'il décide de s'installer ici.

— Étoile de Jais ne voudra pas de ces chats domestiques sur son territoire, grommela-t-il.

— Je n'en suis pas si certaine », répondit-elle, les yeux pétillants. Elle s'assura que Pelage d'Or était trop loin pour les entendre avant d'ajouter : « Ils feraient de bonnes recrues pour le Clan de l'Ombre, si tu veux mon avis. »

Griffe de Ronce émit un ronron amusé avant de répondre :

« Viens. Nous ne devons pas nous laisser distancer. »

Ils forcèrent l'allure pour rejoindre les autres, leurs fourrures se frôlant tandis qu'ils slalomaient entre les arbres. La montée se fit raide et des rochers commencèrent à pointer ici et là. Griffe de Ronce dut ralentir après s'être cassé les griffes sur une pierre. Des touffes d'herbe et des buissons sortaient des failles, et l'odeur de gibier se renforça.

Pelage d'Or parvint la première au sommet. Elle fit halte sur une pierre aplatie et leur lança :

« Venez voir ! »

Patte de Brume et Plume de Jais la rejoignirent d'un bond, suivis de près par Griffe de Ronce et Poil d'Écureuil. Malgré la pénombre, Griffe de Ronce discerna une large cuvette peu profonde, à demi dissimulée par d'épaisses ronces. Le croissant de lune, parfois voilé par un nuage, nimbait d'argent les arbres qui la bordaient. Leurs branches noueuses touchaient presque le sol.

Poil d'Écureuil donna un coup de langue à l'oreille de Pelage d'Or.

« Et un camp pour le Clan de l'Ombre, un ! souffla-t-elle. On ne l'aurait jamais trouvé si Griffe de Ronce n'était pas parti à la recherche de ces chats domestiques. »

Patte de Brume lui décocha un regard mi-agacé, mi-amusé.

« Voilà qui ferait peut-être un bon camp, en effet », répondit Pelage d'Or. Malgré son calme feint, Griffe de Ronce devinait son excitation. « Étoile de Jais seul décidera si le Clan de l'Ombre s'installera sur ce territoire.

— Au moins, nous savons maintenant que c'est possible, ajouta Patte de Brume. Vous trouverez peut-être même mieux en explorant les alentours.

— En tout cas, il est trop tard pour aller plus loin ce soir, leur fit remarquer Plume de Jais.

— Tu as raison, miaula Poil d'Écureuil. Mes coussinets sont à vif ! Où va-t-on dormir ? »

Griffe de Ronce aurait aimé s'installer sous les ronces de la cuvette, mais ils avaient vu une petite mare au pied des rochers, et il était mort de soif. Prudemment, il rebroussa chemin, imité par les autres.

Patte de Brume s'installa à côté de lui pour laper la surface de l'eau et lui demanda :

« Veux-tu chasser ce soir ou demain ?

— Demain », répondit Poil d'Écureuil bien que la question ne lui fût pas destinée. Elle bâilla à s'en décrocher la mâchoire. « Je suis si fatiguée que je n'arriverais pas à attraper une souris même si elle s'asseyait sur mes pattes. En plus, aujourd'hui on a mangé autant qu'un Clan tout entier ! »

*C'est vrai,* se dit Griffe de Ronce. Dans leur forêt

natale, il ne comptait plus les jours où ils avaient dû se passer de repas, faute de gibier.

Ils se désaltérèrent tour à tour puis s'installèrent dans l'herbe au pied de la pente pour la nuit. Patte de Brume organisa les tours de garde et Plume de Jais prit le premier quart. Roulé en boule près de Poil d'Écureuil, Griffe de Ronce avait du mal à distinguer les oreilles dressées du guerrier du Clan du Vent qui se découpaient sur la forêt ténébreuse.

*La journée a été bonne,* pensa-t-il en fermant les yeux. *Nous avons trouvé des territoires pour deux des quatre Clans. Et le Clan du Tonnerre alors ? Et si nous ne trouvions rien pour nous ?*

# CHAPITRE 4

LE SOLEIL DISPARAISSAIT derrière les nuages lorsque la patrouille repartit le lendemain matin à la recherche du lac. Griffe de Ronce s'immobilisa en sentant une forte odeur de chats. Levant la tête, il aperçut les murs du nid de Bipèdes à travers les arbres.

« Berk ! s'écria Poil d'Écureuil en montrant les crocs. Ça pue encore plus que de la crotte de renard. Ces chats domestiques ont dû marquer leur territoire. »

La patrouille contourna prudemment la zone. Au grand soulagement de Griffe de Ronce, leurs adversaires de la veille ne se montrèrent pas. Grâce aux murs de pierre, il put déterminer de quel côté ils étaient arrivés et il ne lui fallut pas longtemps pour retrouver son chemin.

« Par là ! » miaula-t-il.

Un vent glacial se mit à balayer la cime des pins. Arrivés au bord du lac, les félins durent affronter toute la force de ces bourrasques. La fourrure du guerrier se rebroussa. Il estima qu'ils étaient arrivés à mi-parcours. Derrière lui, la forme sombre de l'île se détachait sur les collines vert pâle. Les eaux du lac, sur lesquelles se reflétaient de noirs nuages gorgés de pluie, étaient grises et légèrement agitées.

« Il manquait plus que ça ! » grommela Pelage d'Or en enfouissant son museau dans son poitrail.

D'un signe de la queue, Griffe de Ronce invita les autres à le suivre sous les arbres.

« On ferait mieux de rester dans la forêt, suggéra-t-il. On sera plus abrités.

— Si tu veux, tant que nous ne nous égarons pas de nouveau, répondit Patte de Brume. Nous ne devons pas perdre le lac de vue. »

Ses compagnons lui emboîtèrent le pas en silence, trop contents d'échapper à la tempête. Peu après, Plume de Jais étouffa un grognement avant de filer ventre à terre. En le suivant du regard, Griffe de Ronce sentit une odeur d'écureuil : le rongeur grignotait une pomme de pin au pied d'un arbre. Alerté par le bruit, la créature dressa les oreilles et sauta se réfugier dans les branches. Mais le matou fut plus rapide. D'un bond extraordinaire, il attrapa la queue du petit animal, qui retomba au sol. Il revint vers ses camarades en tenant le corps inerte de sa proie dans la gueule.

« Venez manger », proposa-t-il après avoir déposé son butin devant eux.

Même si Griffe de Ronce s'accroupit près des autres pour prendre sa part, il lui tardait déjà de repartir. Les chefs attendaient leur retour au crépuscule, et il leur restait une vaste portion de territoire à explorer.

« Allons-y », lança-t-il dès qu'ils eurent fini.

Patte de Brume ne protesta pas. Elle se contenta de se donner un coup de langue sur le museau et de le suivre en silence lorsqu'il partit au petit trot à travers la forêt.

Le guerrier du Clan du Tonnerre était si excité que ses coussinets le picotaient. Les Clans de la Rivière et de l'Ombre avaient déjà déniché des territoires de remplacement, et il se disait que les collines de l'autre côté du lac conviendraient sans doute au Clan du Vent. Non, ce qui l'inquiétait vraiment, c'était le sort de son propre Clan. Leur ancien camp était idéal, malgré le Chemin du Tonnerre et les Bipèdes tout proches... Trouveraient-ils un endroit où il ferait aussi bon vivre et où les siens pourraient chasser en toute quiétude ?

Ils découvrirent bientôt un large sentier qui serpentait entre les arbres. Le tapis d'aiguilles qui recouvrait le sol laissa place à une herbe courte. Des trous, remplis d'eau de pluie, jalonnaient le sol.

« Des chevaux sont passés par là », miaula Plume de Jais en lapant un peu d'eau.

Pelage d'Or huma l'air.

« Des Bipèdes aussi, déclara-t-elle. Mais ils sont partis depuis longtemps. »

Patte de Brume leva la tête vers un arbre qui bordait le sentier.

« Ça, c'est un truc de Bipèdes », annonça-t-elle en pointant la queue vers le haut.

Griffe de Ronce aperçut alors, attachée à l'arbre, une forme ronde, dure et brillante, d'un bleu vif qui lui rappela le pelage coloré de certains monstres du Chemin du Tonnerre.

« À votre avis, ça sert à quoi ? demanda Poil d'Écureuil.

— Les Bipèdes s'en servent peut-être pour marquer leur territoire, suggéra Griffe de Ronce. Ce sentier pourrait être une frontière. »

Si la chose ronde ne semblait pas dangereuse, ils la lorgnèrent tous avec méfiance en traversant le chemin. Furieux, le matou tacheté se rappela que les Bipèdes ne l'effrayaient pas autant, avant qu'ils ne lâchent leurs monstres dans la forêt et emprisonnent tant de chats. Se sentirait-il un jour de nouveau en sécurité près de Bipèdes ? Il poussa un soupir de soulagement lorsqu'ils regagnèrent le couvert des bois.

Une pluie glaciale tomba soudain sur les félins qui avançaient sous les pins clairsemés et malmenés par le vent ; ils recevaient en prime des averses d'aiguilles sur la tête.

« Je donnerais n'importe quoi pour un nid douillet ! » grommela Poil d'Écureuil en agitant les oreilles afin d'en chasser les gouttelettes.

Tête basse, ils poursuivirent malgré tout. Peu après, ils entrèrent dans une vaste clairière verdoyante qui descendait jusqu'au bord du lac. Un sentier, plus étroit, la traversait. Il était tellement emprunté que l'herbe n'y poussait plus. Du fait de la pluie battante, les chats furent incapables de repérer la moindre odeur. Le bruit de l'averse et les craquements des branches tordues par le vent couvraient les autres sons. Griffe de Ronce ne pouvait être sûr que d'une chose : l'endroit était absolument désert.

« J'aperçois un autre demi-pont, là-bas », miaula-t-il en inclinant les oreilles vers la berge.

La pluie violente qui grêlait la surface du lac et

martelait les planches de bois dissuada Poil d'Écureuil de s'y aventurer. Les félins traversèrent la clairière, tapis si près du sol que l'herbe courte leur
effleurait le ventre. Ils allaient bientôt s'engager dans
le dernier terrain boisé qui les séparait des collines.
Ensuite, ils atteindraient le territoire des chevaux,
puis le bosquet où les quatre Clans les attendaient.
Si le Clan du Vent devait prendre la lande – ce qui
semblait logique –, alors cette forêt constituait la
dernière chance de Griffe de Ronce de trouver un
territoire pour le Clan du Tonnerre. Ses oreilles
frémirent lorsqu'il entendit des clapotis.

« Sans doute un autre cours d'eau », miaula Plume
de Jais.

Le sol, à présent couvert de gravier, s'inclinait
en pente douce jusqu'à une large rivière. Aucun
passage à gué, aucun îlot ne permettait de la traverser facilement.

« On va devoir se mouiller les pattes, déclara
Pelage d'Or. Elle n'a pas l'air très profonde. »

La guerrière alla jusqu'à la rive et trempa une
patte, qu'elle ressortit aussitôt en crachant. L'eau
était de toute évidence glaciale. S'ébrouant pour se
donner du courage, elle avança, posant avec précaution une patte après l'autre sur les galets glissants.
Les roseaux étaient plus rares que là où ils s'étaient
arrêtés la veille pour pêcher, et les fourrés inexis-
tants. Impossible d'établir un camp ici, surtout avec
ces Bipèdes si proches.

« Fais attention en arrivant au milieu, lança Patte
de Brume. Il y a parfois des trous d'eau. »

Pelage d'Or était maintenant trempée jusqu'au
ventre. Elle hocha la tête sans se retourner et

progressa encore plus lentement. Griffe de Ronce et les autres la suivirent. Plume de Jais émit un miaulement de surprise en glissant sur une pierre, mais il retrouva son équilibre après quelques battements de pattes peu élégants.

D'un bond, Pelage d'Or gagna la rive et s'ébroua de la truffe jusqu'à la queue, projetant des gouttes dans toutes les directions.

« Ça va aller, les encouragea-t-elle. Je n'ai pas eu à nager. »

Transi, la fourrure collée la peau, Griffe de Ronce ne voyait pas vraiment la différence. Près de lui, Patte de Brume progressait d'un pas sûr. Elle gardait un œil sur Poil d'Écureuil : courte sur pattes, la rouquine devait redresser la tête pour conserver ses moustaches au sec.

La berge opposée était bordée d'herbe, puis d'arbres. Lorsqu'il l'atteignit, Griffe de Ronce avait le poil gorgé d'eau. Il fila se mettre à couvert sous les branches dénudées qui n'offraient guère de protection contre la pluie.

Blotti au pied d'un arbre, il attendit les autres en se demandant à quoi ressemblerait cet endroit à la saison des feuilles vertes, quand l'herbe serait plus fournie, les fougères touffues et le feuillage bruissant au-dessus de sa tête. Pour l'heure, le sol était spongieux et le guerrier ne voyait ni ronce ni noisetier semblables à ceux qui poussaient sur leur ancien territoire.

Au moins, les arbres – des chênes et des hêtres –, lui étaient familiers : les rongeurs et oiseaux que le Clan du Tonnerre avait l'habitude de chasser devaient y être nombreux. Son moral remonta un peu. En songeant aux sentiers, à la chose colorée sur l'arbre et au demi-pont, il se demanda si son imagination lui jouait des tours ou bien s'il y avait réellement plus de traces de Bipèdes ici que dans leur forêt natale. Il secoua la tête pour s'éclaircir les idées.

« Qu'en penses-tu ? » s'enquit Patte de Brume en venant le rejoindre.

À cet instant Poil d'Écureuil bondit et gratta dans l'herbe, parmi les faines tombées des hêtres.

« Avec tous ces glands, il doit y avoir plein d'écureuils », déclara-t-elle.

Les yeux plissés, le lieutenant du Clan de la Rivière attendait toujours la réponse du guerrier. Celui-ci essaya de dissimuler sa déception. Il commençait à désespérer de trouver un territoire pour son Clan.

« Et si on s'arrêtait un moment ? suggéra la chatte grise. Attendons que la pluie cesse.

— L'espoir fait vivre, rétorqua Plume de Jais tandis qu'il sortait de l'eau avec Pelage d'Or en s'ébrouant.

— Bonne idée, miaula Griffe de Ronce.

— Encore faudrait-il qu'on trouve un endroit où s'abriter, remarqua Pelage d'Or.

— Enfonçons-nous un peu dans les bois, lança Patte de Brume. Le vent y sera moins froid. »

Ils trottèrent jusqu'à un chêne séculaire qui se dressait fièrement parmi les hêtres. La terre s'était affaissée autour de ses racines noueuses. Une faible odeur de gibier flottait, comme si, jadis, des lapins y avaient creusé leur terrier. Les cavités, assez

grandes pour accueillir tous les chats, les protégeaient du vent à défaut de la pluie.

Griffe de Ronce se pelotonna tout près de Poil
d'Écureuil et se mit à lécher les gouttelettes qui
constellaient la nuque et les épaules de sa compagne.

« C'est encore plus dur que tout ce qu'on a traversé jusqu'à présent, murmura-t-elle, ce voyage
interminable, ces dangers qu'on a dû affronter...
Maintenant, on doit choisir où vivra notre Clan. Et
je n'ai pas l'impression que le Clan des Étoiles nous
facilite la tâche. Qu'arriverait-il si on se trompait ? »

À croire qu'elle lisait dans les pensées de Griffe
de Ronce...

« Je pensais moi aussi que ce serait plus simple »,
répondit-il, les yeux plongés dans ceux de la jeune
guerrière.

Elle cilla pour chasser la pluie qui voilait son
regard et observa les environs.

« Ce sont les arbres qu'il nous faut, mais le sol
est bien trop dégagé. Le Clan du Tonnerre ne se
sentira jamais en sécurité s'il ne peut pas se cacher.

— Et si le territoire grouille de Bipèdes », ajouta
Griffe de Ronce.

Pelage d'Or interrompit sa toilette et se tourna
vers eux :

« C'est bientôt fini, tous les deux ? Il y avait plein
de Bipèdes, dans notre ancienne forêt, même avant
la destruction. Nous nous en accommodions très
bien, nous nous y ferons ici aussi. »

Son raisonnement, pourtant logique, ne convain-
quit pas Griffe de Ronce. Il avait avant tout besoin
de se sentir en sécurité, ce qui était loin d'être le
cas dans ce lieu, du moins pour l'instant.

« La forêt aura meilleure allure à la saison des feuilles nouvelles, murmura Patte de Brume, qui voulait se montrer rassurante. Comme tout le reste.

— Mmm… » Poil d'Écureuil se contorsionna pour donner quelques coups de langue à la fourrure imprégnée d'eau de sa queue. « N'empêche, il nous faut encore trouver un camp.

— On vient à peine de mettre les pattes sur ce territoire, leur rappela Plume de Jais.

— Je sais », fit Griffe de Ronce.

Pour dissiper son inquiétude, le guerrier se concentra sur sa tâche : faire la toilette de Poil d'Écureuil, qui bâillait à s'en décrocher la mâchoire.

« Cette pluie n'arrange rien, gémit-elle. Si elle ne s'arrête pas bientôt, je vais y laisser ma fourrure. »

Le matou posa le museau sur le flanc de la rouquine. Il allait s'endormir lorsqu'il la sentit s'agiter.

« Je crois que ça se calme », miaula-t-elle.

En effet, les trombes d'eau avaient fait place à une fine ondée. Le vent était tombé, et un soleil brumeux faisait scintiller les gouttelettes suspendues aux branches.

« Les nuages se dispersent », annonça Pelage d'Or.

Griffe de Ronce s'extirpa des racines et regarda le ciel ; il était presque midi. Le reste de la patrouille émergea à sa suite. Patte de Brume huma l'air, tandis que Plume de Jais lissait la fourrure sombre de ses épaules.

« On peut chasser ? s'enquit Poil d'Écureuil en étirant ses pattes l'une après l'autre.

— Bien sûr, répondit le guerrier du Clan du Tonnerre. En chemin. »

Ainsi, ils sauraient si ces bois recelaient de quoi nourrir quelques chats affamés.

Les cinq félins s'égaillèrent entre les arbres. Les oreilles dressées, Griffe de Ronce était à l'affût du moindre bruit. Il s'arrêtait de temps en temps pour lever la tête. Il ne flairait que feuilles humides et branches dégoulinantes. Les Bipèdes étaient-ils donc si nombreux ici que tout le gibier avait fui ? Au moins, les sous-bois s'épaississaient, offrant enfin quelques buissons et autres bouquets de fougères fanées où des petits rongeurs pouvaient se cacher.

Soudain, il surprit un bruissement au pied d'un arbre. Poil d'Écureuil l'entendit en même temps et fila aussitôt dans sa direction. Ses pattes martelèrent lourdement le sol, si bien que le campagnol détala aussi sec et disparut dans les ronces. Poil d'Écureuil le prit en chasse, les narines dilatées. Griffe de Ronce gémit : elle savait bien qu'il était inutile de pourchasser une proie de la sorte alors que la forêt était silencieuse.

« Elle n'a plus aucune chance de l'attraper », remarqua Plume de Jais.

Ils regardèrent la jeune guerrière plonger dans les buissons. Son pelage roux sombre ondula un instant entre les branches, puis disparut. Un long cri leur parvint, qui diminua d'intensité avant de s'interrompre tout à fait.

Oubliant totalement le campagnol, Griffe de Ronce se rua dans les buissons.

« Poil d'Écureuil ! hurla-t-il. Poil d'Écureuil, où es-tu ? »

Il se contorsionna pour avancer malgré les épines.

« Fais attention ! » lui lança Patte de Brume.

Il l'entendit à peine. Des brindilles lui fouettèrent le visage, et une épine se planta dans ses coussinets.

« Poil d'Écureuil ! appela-t-il encore.

— Je suis là, en bas ! »

Il regarda d'où venait le miaulement plaintif. À une longueur de queue devant lui, le sol se dérobait brusquement. Quelques pas de plus, et lui aussi serait tombé dans le vide.

« Reste là, conseilla-t-il à Pelage d'Or qui l'avait rejoint. Il y a une espèce de falaise. Je vais aller voir. »

Il rampa jusqu'au bord du gouffre. Se souvenant du précipice dans lequel était tombé Nuage de Fumée, il se prépara à la vision du corps désarticulé de Poil d'Écureuil. Mais, non, elle avait atterri dans des ronces et levait vers lui ses grands yeux verts.

« Poil d'Écureuil ! s'écria-t-il. Tu vas bien ?

— Non ! répondit-elle, agacée. J'ai tant d'épines plantées dans la peau que j'ai l'impression d'être un hérisson. Et je n'ai même pas réussi à attraper ce fichu campagnol. En revanche, j'ai dégoté un truc génial ! Viens voir ça !

— Tu crois qu'on pourra remonter ensuite ? »

La rouquine poussa un profond soupir.

« Franchement, Griffe de Ronce, t'es quoi, un chat ou une souris ? Descends tout de suite, il faut que tu voies ça. »

La curiosité de Griffe de Ronce l'emporta. Il jeta un coup d'œil au reste de la patrouille. Pelage d'Or n'avait pas bougé, tandis que Patte de Brume et Plume de Jais, figés derrière elle, tendaient le cou, l'air inquiets.

« Est-ce qu'elle est blessée ? demanda Patte de Brume.

— Non, je pense qu'elle va bien, répondit Griffe de Ronce. Elle veut me montrer quelque chose. Vous montez la garde ? »

Patte de Brume acquiesça et Griffe de Ronce reporta son attention sur le ravin. Il remarqua alors qu'il n'était pas aussi escarpé qu'il le pensait. La pente était abrupte, mais les pierres et les touffes d'herbe offraient de nombreuses prises. Moitié glissant, moitié dégringolant, il finit par rejoindre Poil d'Écureuil.

« Ta-da ! dit-elle en pivotant. T'as vu ça !? »

Griffe de Ronce suivit son regard. Ils avaient atterri au cœur d'une grande combe, protégée par des parois rocheuses peu élevées de ce côté mais beaucoup plus hautes en face.

« Heureusement que tu n'es pas tombée là-bas, miaula-t-il.

— Oui, je sais, mais tu ne vois donc pas, Griffe de Ronce ? Voici le nouveau camp du Clan du Tonnerre !

— Hein ?

— Mais oui ! insista-t-elle. Cet endroit est parfait. »

Le guerrier se débarrassa d'une brindille prisonnière de sa fourrure puis gagna la roncière au milieu de la combe. Non loin, une brèche dans la paroi, encombrée de fougères mortes et d'herbes à la tige velue et granuleuse, s'ouvrait sur la forêt. La cime de la muraille, couverte de lézardes, dissimulait peut-être des cavernes. Il comprenait l'enthousiasme de Poil d'Écureuil. Pourtant, cet endroit l'effrayait…

« Je ne sais pas… » marmonna-t-il. Il craignait de décevoir sa camarade, mais ne pouvait ignorer son propre malaise. « Regarde la surface de la pierre, comme elle est lisse ! Seuls des Bipèdes ont pu faire ça, et il est impensable de nous installer près d'eux !

— Ils ont dû venir il y a très longtemps, rétorqua-t-elle en le rejoignant au centre de la combe. Cette herbe et les buissons sur les parois n'ont pas poussé dans la nuit ! Et je ne sens pas la moindre odeur de Bipède. »

Griffe de Ronce leva la truffe. Poil d'Écureuil avait raison. Personne n'avait mis les pieds ici depuis longtemps. Les Bipèdes avaient probablement découpé la pierre – peut-être pour construire leurs nids – avant de repartir en laissant ce trou béant au milieu de la forêt. En un sens, cette combe lui rappelait le ravin de l'ancien camp du Clan du Tonnerre. Peut-être que ses camarades s'y sentiraient vite chez eux…

Il se força à conserver son calme. Pour servir son Clan du mieux qu'il pouvait, il devait cesser d'avoir peur de tout, de la moindre ombre, de la plus petite feuille qui frissonnait.

« Ça pourrait convenir, j'imagine, dit-il.

— Cache ta joie, surtout.

— Je me demande simplement comment on fera pour le défendre. Là-bas, ce serait facile. » Il pointa le bout de sa queue vers la paroi la plus haute.

« Mais beaucoup moins ici, puisque nous avons pu descendre. Sans même parler de la trouée.

— Au moins, l'entrée sera plus accessible que celle que nous avons empruntée ! On pourra la tapisser de ronces ou de je ne sais quoi pour empêcher les intrus de pénétrer chez nous. »

D'un bond, elle partit fureter parmi les herbes masquant l'ouverture. À la voir ainsi, Griffe de Ronce fut emporté par une vague de nostalgie. Il voulait retrouver l'ancien camp, avec ses barrières de ronces infranchissables et son tunnel d'ajoncs si facile à défendre. Il voulait s'allonger dans le repaire des guerriers et visiter la tanière de Museau Cendré dissimulée dans les fougères. Il voulait prendre ses repas sur le tapis d'aiguilles en regardant les apprentis jouer à se battre près de leur souche préférée, tandis que les chatons imitaient leurs mouvements devant la pouponnière.

La douleur qu'il éprouva à l'idée qu'il n'y retournerait jamais fut presque insupportable. Les monstres des Bipèdes avaient sans doute détruit le camp dans ses moindres recoins. Ce n'était pas juste ! Pourquoi le Clan des Étoiles avait-il laissé une telle catastrophe advenir ?

Le vent se leva et les branches des arbres qui ceinturaient la combe frémirent, tirant Griffe de Ronce de ses pensées. Il inspira profondément avant de rejoindre Poil d'Écureuil qui flairait toujours de-ci de-là près de la trouée.

« Tout va bien ? demanda-t-elle. Tu boites.

— Oh… Je me suis planté une épine dans la patte. »

Il l'avait presque oublié.

« Allonge-toi, je vais regarder ça. »

Le guerrier obéit. Léchant habilement ses coussinets, elle parvint à saisir l'épine entre ses dents et tira d'un coup sec pour la déloger.

« Voilà, miaula-t-elle. Maintenant, nettoie bien la plaie.

— Merci. Tu aurais fait une bonne guérisseuse ! »

Poil d'Écureuil émit un ronron amusé. Puis ses yeux se voilèrent lorsqu'elle le regarda de près.

« Ça ne te plaît pas, ici, pas vrai ?

— Ce n'est pas si simple. » Il marqua une pause pour donner un coup de langue sur sa blessure. « C'est juste que… eh bien, je voulais sans doute trouver un camp en tout point identique à celui que nous avons dû abandonner, dans un ravin, avec des ajoncs pour repousser les envahisseurs… »

Il ne termina pas sa phrase, craignant que Poil d'Écureuil ne le trouve ridicule. Au contraire, celle-ci pressa tendrement son museau contre le sien.

« Tous les membres du Clan du Tonnerre, jusqu'au dernier, feraient n'importe quoi pour retrouver l'ancien camp. Mais c'est impossible. Le Clan des Étoiles nous a guidés jusqu'ici et c'est à nous de nous y adapter. Franchement, tu ne crois pas que cette combe ferait un bon camp ? Les Bipèdes ne viennent pas par là, et il n'y a pas le moindre signe de Chemin du Tonnerre. »

En contemplant les yeux brillants de la rouquine, il comprit qu'il avait emporté avec lui ce qu'il possédait de plus précieux.

« Tu as raison, murmura-t-il en se frottant à sa fourrure tiède. Comment ferais-je sans toi ? »

Avec douceur, elle passa sa langue râpeuse sur l'oreille du guerrier tacheté avant de répondre :

« Stupide boule de poils. »

Griffe de Ronce lui rendit son geste affectueux puis se figea en entendant du bruit : quelqu'un approchait par la brèche dans la paroi.

« Hé ! »

C'était la voix de Plume de Jais, déformée par le campagnol qu'il tenait dans la gueule. Il écarta les hautes herbes d'un coup d'épaule et vint déposer sa prise à leurs pieds.

« Vous mettiez si longtemps qu'on commençait à se demander si un renard vous était tombé dessus.

— Non, tout va bien, répondit Griffe de Ronce.

— Si un renard s'était montré, ajouta Poil d'Écureuil, vous l'auriez entendu crier, crois-moi.

— J'imagine… soupira Plume de Jais en poussant le rongeur vers eux. C'est pour vous. On a déjà mangé. On a chassé en vous attendant.

— Merci, miaula Griffe de Ronce.

— Alors, Plume de Jais, qu'est-ce que tu penses du nouveau camp du Clan du Tonnerre ? lui demanda la jeune guerrière.

— Quoi, ici ? » Il cilla, avant de tourner lentement sur lui-même tandis que les deux autres dévoraient le campagnol. « Oui, ça fera sans doute l'affaire, dit-il enfin. Faut aimer être enfermés, quoi. Ce camp sera facile à défendre, mais il ne conviendrait pas du tout au Clan du Vent.

— On ne compte pas vous le donner, de toute façon », rétorqua Poil d'Écureuil.

Plume de Jais remua les oreilles. Griffe de Ronce se demanda s'il s'inquiétait à l'idée de ne pas trouver d'endroit approprié pour son Clan. Maintenant qu'ils avaient découvert cette combe rocheuse, située au milieu d'une forêt giboyeuse, le guerrier tacheté se laissa aller à l'optimisme : il commençait à croire qu'ils trouveraient bel et bien autour du lac un territoire pour chaque Clan.

Pelage d'Or et Patte de Brume vinrent inspecter la combe, le museau tour à tour au vent et sur le sol.

« Pas de renard ni de blaireau, déclara le lieutenant. Et c'est bien abrité.

— Il vous faudra quand même être prudents, lança la guerrière du Clan de l'Ombre. Si des Bipèdes ont creusé cet endroit, comment être sûr qu'ils ne reviendront pas ?

— Il y a bien des saisons qu'ils sont partis, répondit calmement Poil d'Écureuil. Nulle trace de leur odeur, et les taillis ne seraient pas si touffus s'ils s'avisaient encore de découper la roche. »

Griffe de Ronce partageait les craintes de sa sœur. Il n'imaginait que trop bien le retour des Bipèdes. Pourtant, il serait idiot de ne pas s'installer dans un endroit pareil qui leur fournirait presque tout ce dont ils avaient besoin. Ce serait à Étoile de Feu d'en décider.

« Vous êtes prêts ? s'enquit Patte de Brume. Le soleil commence à décliner. »

Le guerrier du Clan du Tonnerre acquiesça. Il se mit en quête de repère pour rejoindre le lac. Mais son odorat était troublé par toutes sortes d'odeurs inconnues. Il remarqua que, non loin de l'entrée, le terrain était en pente.

« Allons par là », suggéra-t-il.

S'ils montaient suffisamment, ils apercevraient peut-être le lac. Les membres de la patrouille sortirent côte à côte de la combe. Tandis qu'ils s'enfonçaient dans le sous-bois, Poil d'Écureuil s'arrêta un instant et se retourna.

« On reviendra, pas vrai ? »

Elle avait parlé si bas que Griffe de Ronce n'était pas sûr qu'elle s'adressât à lui, mais il répondit tout de même :

« Oui. Je pense que nous reviendrons. »

Du bout de la truffe, il caressa l'oreille de la jeune guerrière.

« Allez ! lança Plume de Jais. Nous devons être rentrés avant la tombée de la nuit. »

Il n'eut pas besoin d'ajouter qu'il leur fallait encore découvrir un territoire pour le Clan du Vent ; tous en avaient conscience.

Griffe de Ronce escaladait le talus au côté de Poil d'Écureuil. L'herbe humide, qui frôlait sa fourrure, le glaçait jusqu'aux os. Les nuages s'étaient dissipés pour révéler le ciel bleu clair de la mauvaise saison, mais le soleil avait beau briller, il ne parvenait guère à les réchauffer.

Le guerrier du Clan du Tonnerre jeta un ultime coup d'œil en arrière et constata avec satisfaction que les troncs dénudés dissimulaient parfaitement la combe.

Au fil de leur progression, les arbres se raréfièrent et les épais taillis se firent tapis de feuilles mortes. Griffe de Ronce finit par apercevoir une vaste lande entre les vestiges de végétation. Dans la vallée en contrebas, le lac brillait d'un éclat argenté. Ils parvinrent bientôt à la lisière de la forêt, où commençait une chaîne de petites collines semées d'ajoncs. Le murmure d'un ruisseau résonnait non loin. Pas de doute : c'était le nouveau territoire du Clan du Vent.

« Hé, Plume de Jais ! lança le matou tacheté. T'en penses quoi ? »

Les yeux du petit guerrier gris sombre brillèrent, mais il ne répondit pas avant d'avoir entrouvert les mâchoires pour mieux goûter l'air ambiant.

« Des lapins !

— Bien, le Clan du Vent est donc casé, miaula Poil d'Écureuil. On peut rentrer. »

Plume de Jais lui décocha un regard noir.

« Je plaisante, se hâta-t-elle d'ajouter. Venez, il faut qu'on trouve un emplacement pour le camp. »

Griffe de Ronce savait qu'elle avait raison, mais le soleil avait décliné à tel point que de longues ombres se déployaient sur l'herbe.

« En fait, on ferait mieux d'aller faire notre rapport, déclara-t-il, gêné. Je suis désolé, Plume de Jais. Nous n'avons pas le temps d'explorer davantage ces collines. Étoile Filante pourra dépêcher une autre patrouille demain pour vous trouver un camp. Nous allons traverser la lande pour redescendre jusqu'au lac. »

Le guerrier du Clan du Vent agita le bout de la queue. Pendant un instant, il resta immobile, les yeux braqués sur le paysage vallonné, avant de baisser la tête pour flairer le sol. Griffe de Ronce craignait qu'il n'insiste pour poursuivre l'exploration, mais il finit par répondre :

« D'accord. T'as raison, on ferait mieux de rentrer. »

Il n'avait pas l'air mécontent que ses camarades, qui n'étaient pas de son Clan, ne connaissent pas ce nouveau territoire. Le guerrier tacheté en fut blessé. Plume de Jais avait toujours été farouchement loyal envers son Clan ; il n'était donc guère surprenant qu'il soit le premier à réinstaurer les anciennes barrières.

Ils progressèrent rapidement vers le sommet de la colline. En contrebas, le lac s'étendait comme un deuxième ciel étincelant. Au détour d'une butte, ils découvrirent un torrent écumant. Ils le remontèrent sur quelques longueurs de queue de renard, puis le franchirent en empruntant un passage à gué. Là, un ruisseau qui dévalait une pente abrupte et verdoyante venait se jeter dans le torrent.

Avant d'atteindre le sommet du talus, un gouffre les contraignit soudain à s'arrêter. C'était comme si un monstre énorme avait dévoré le flanc de la colline. Mais pas un monstre de Bipèdes, se dit Griffe de Ronce. Seule l'érosion avait creusé ce précipice. Des blocs de roche étaient éparpillés au fond du ravin, tandis que des ajoncs et autres buissons tapissaient ses bords. Cette fosse devait être à l'abri du vent, même si ses parois n'étaient pas aussi hautes que celles du nouveau camp du Clan du Tonnerre.

Griffe de Ronce plissa les yeux.

« Qu'est-ce que tu dis de ça ? Pas mal, non ? » demanda-t-il à Plume de Jais.

Tout excité par cette découverte, le guerrier gris sombre laboura le sol.

« Ç'a l'air chouette, admit-il. Je vais regarder de plus près. Continuez sans moi, je vous rejoins.

— Tu es sûr ? On ne devrait peut-être pas te laisser seul...

— Je me débrouillerai. Je ne sens pas la moindre odeur de Bipède ou de renard. Et je retrouverai facilement mon chemin jusqu'au territoire des chevaux. Je sens ces bestioles d'ici ! »

Il entama la descente sans même laisser le temps aux autres de protester. Il fit brièvement halte au bord du gouffre, avant de plonger dans les ajoncs ; seul le frémissement des branches indiquait qu'il s'était tenu là un instant plus tôt.

« J'espère qu'il a raison, pour les Bipèdes et les renards », murmura Patte de Brume, venue se placer près du guerrier du Clan du Tonnerre.

Celui-ci se demanda, un peu tard, s'il aurait dû consulter Patte de Brume avant de laisser Plume de Jais partir de son côté. Au moment où il allait prendre la défense du guerrier du Clan du Vent, elle l'arrêta d'une voix douce :

« Ne t'en fais pas, Griffe de Ronce. Je vois à quel point ces guerriers te respectent. Tu devrais en être fier, et arrêter de t'excuser sans cesse. Peu de chats sont des chefs-nés, et je crois que tu es l'un d'eux. »

Il cligna des yeux, à la fois reconnaissant et surpris qu'un membre d'un Clan rival puisse le louer ainsi. Il se demanda ce qu'elle pensait de son demi-frère, Plume de Faucon. L'autre fils d'Étoile du Tigre était-il lui aussi un chef-né ?

Soudain, une rafale de vent les fouetta si fort qu'il en eut les larmes aux yeux et manqua perdre l'équilibre. L'odeur de cheval était à présent plus forte. Griffe de Ronce secoua la tête pour chasser ses larmes et repéra le territoire des chevaux au pied de la chaîne de collines. Derrière, on voyait le petit bosquet où les quatre Clans attendaient le retour de la patrouille.

« Nous y sommes presque ! » s'écria Poil d'Écureuil.

Elle s'élança dans la descente à toute allure, aussitôt suivie par les autres. Dans la végétation rase de la lande, ils avançaient bien plus vite que dans la forêt. Griffe de Ronce comprit soudain pourquoi les membres du Clan du Vent couraient plus vite que tous les autres, et se sentaient nerveux dès qu'ils se retrouvaient encerclés par des fougères et des troncs d'arbres.

Le soleil, qui se couchait derrière la pinède, embrasait la surface du lac. Les félins venaient tout juste d'atteindre le pied de la colline lorsque Plume de Jais les rattrapa, pantelant.

« Alors ? » s'enquit Poil d'Écureuil.

L'œil brillant, Plume de Jais se passa la langue sur le museau comme s'il venait d'avaler une proie délicieuse.

« C'est parfait ! Il y a un tunnel sous l'un des buissons d'ajoncs qui a l'air de mener vers une ancienne tanière de blaireau. C'est sans risque, l'occupant doit être parti depuis longtemps car je n'ai pas décelé son odeur.

— Ça pourrait servir de tanière, suggéra Pelage d'Or.

— Je te rappelle que les guerriers du Clan du Vent dorment à la belle étoile. Seuls les blaireaux et les lapins vivent dans des terriers ! »

Dans la lumière du crépuscule, ils cavalèrent le long du lac puis longèrent la clôture du territoire des chevaux. Sur le qui-vive, Griffe de Ronce guettait le moindre signe de Bipèdes ou de leurs chiens. Mais ils ne croisèrent qu'un énorme cheval qui les regardait par-dessus la clôture. Poil d'Écureuil sursauta lorsqu'il hennit et feula pour dissimuler sa peur.

Un peu plus tard, un miaulement sonore leur parvint dans les ténèbres :

« Qui va là ?

— C'est bon, Plume de Faucon, ce n'est que nous », lança Patte de Brume.

Le guerrier du Clan de la Rivière sortit de l'ombre, ses épaules puissantes roulant sous sa fourrure tachetée.

« Étoile du Léopard et les autres chefs m'ont envoyé à votre rencontre, déclara-t-il. Tout le monde vous attend. Venez. »

Griffe de Ronce observa son demi-frère. Il n'arrivait pas à se faire à l'idée que ce guerrier et lui étaient parents. Ils se ressemblaient beaucoup, pourtant Griffe de Ronce ne parvenait pas à se sentir proche de lui, ni même à éprouver la moindre loyauté à son égard. Il le trouvait trop autoritaire, trop avide de pouvoir, ce qui l'obligeait à se poser des questions qu'il aurait préféré ignorer : Plume de Faucon avait-il hérité du caractère de leur père ? Serait-il prêt à tout, comme lui, pour assouvir sa soif de pouvoir ? Et quelle conclusion devait en tirer Griffe de Ronce ?

Le guerrier au regard bleu glacé les escorta jusqu'au bosquet, où Étoile de Feu et Étoile de Jais discutaient près de la souche. En dehors d'eux, la clairière semblait déserte.

Dès que la patrouille apparut, Étoile de Jais sauta sur la souche et poussa un miaulement retentissant.

« Chats de tous les Clans ! Rassemblez-vous ! »

Aussitôt, des silhouettes émergèrent des creux et des touffes d'herbe haute. Quelques-unes descendirent même de branches basses. Griffe de Pierre se fraya un passage parmi les siens pour bondir près d'Étoile de Jais, forçant Étoile du Léopard à redescendre s'asseoir par terre.

Étoile de Feu vint trouver Griffe de Ronce.

« Nous sommes contents de vous revoir, miaula le chef. Des problèmes à signaler ?

— Rien de bien méchant », répondit le guerrier tacheté.

Honteux, il regarda Poil d'Écureuil en repensant à l'escarmouche qui les avait opposés aux chats domestiques.

« L'un de vous devrait monter sur la souche, que tout le monde entende, décida Étoile de Feu. Patte de Brume, veux-tu nous faire un rapport ? »

Le lieutenant du Clan de la Rivière inclina la tête.

« Je pense que Griffe de Ronce est le mieux placé pour parler au nom de la patrouille. Il a l'habitude de décrire les endroits inconnus. »

Inquiet, le jeune matou la regarda à la dérobée,

mais il ne discerna aucune amertume sur son visage. Elle s'écarta même pour le laisser passer.

« Merci », dit-il.

Griffe de Ronce se hâta de rejoindre les chefs. L'espace manquait ; lorsqu'il se retourna vers l'assemblée, il frôla Étoile de Jais, qui recula en feulant. Griffe de Ronce ignora son hostilité manifeste. Son cœur s'emballa : il devait maintenant décrire aux quatre Clans leur long périple autour du lac. Tous levaient la tête vers lui, prêts à boire ses paroles. L'espace d'un instant, il se demanda si c'était ça, être chef : voir tous les membres d'un Clan suspendus à ses lèvres.

Puis la voix de Pelage de Poussière retentit dans le bosquet :

« Qu'on en finisse ! Dis-nous ce que vous avez trouvé. »

Griffe de Ronce déglutit péniblement, ne sachant par où commencer. Il ne pouvait leur parler de ses craintes. Malgré les indications de Minuit, le signe du guerrier mourant, le reflet de la Toison Argentée dans le lac, il n'avait toujours pas l'impression que les Clans étaient à leur place ici. Il imaginait trop bien les monstres des Bipèdes déchirant les bois, éventrant la terre et brisant les murs de pierre autour de la combe...

Mais ce n'était pas ce que les Clans voulaient entendre, et aucun autre membre de la patrouille n'avait semblé partager ses doutes. C'étaient peut-être eux qui avaient raison.

« Bonne nouvelle ! lança-t-il enfin après avoir pris une grande inspiration. Nous avons découvert des territoires adaptés à chaque Clan : des roseaux et de l'eau pour le Clan de la Rivière, une pinède pour le Clan de l'Ombre, des bois touffus pour le Clan du Tonnerre et une lande pour le Clan du Vent. »

Tandis que des murmures excités s'élevaient de l'assemblée, Étoile du Léopard l'interpella :

« Et pour la chasse ?

— Tous ces territoires semblent giboyeux, même en pleine mauvaise saison. Nous n'avons pas souffert de la faim, en tout cas.

— Et les Bipèdes ? » demanda un autre.

Griffe de Ronce crut reconnaître un membre du Clan de l'Ombre.

« Certaines traces portent à croire qu'ils visitent parfois les abords du lac, mais pas en ce moment. Patte de Brume pense qu'ils seront plus nombreux à la saison des feuilles vertes. Dans notre ancienne forêt, c'est aussi à cette époque qu'ils venaient à la rivière avec leurs petits. »

Il sentit un frisson de peur parcourir le rassemblement de félins. Certains échangèrent des regards inquiets. Il fut soulagé lorsque Patte de Brume ajouta :

« Nous nous débrouillerons pour les éviter. Ce ne sera pas un problème.

— Eh bien... c'est tout, conclut Griffe de Ronce, ne sachant qu'ajouter. Chaque membre de la patrouille donnera les détails à son propre Clan.

— Nous devons délimiter les frontières, feula Étoile de Jais.

— C'est vrai, reconnut Étoile de Feu, assis près d'Étoile du Léopard entre les racines. Nous nous y attellerons lorsque nous aurons une idée plus précise de chaque territoire. Merci, Griffe de Ronce. »

Le guerrier s'inclina respectueusement devant son meneur. Il avait beau avoir guidé ses amis jusqu'à Minuit et exploré le pourtour du lac, il se sentait au milieu de tous les chefs aussi inexpérimenté qu'un chaton. Sa fourrure le picota ; il remarqua que Plume de Faucon l'observait. Nerveux, il sauta de la souche en remuant les oreilles. Voyant que son demi-frère venait à sa rencontre, il se prépara à recevoir un commentaire désobligeant ou même des provocations à propos des futures frontières.

À sa grande surprise, une lueur amicale brillait dans les yeux du guerrier.

« Merci de nous avoir trouvé de nouveaux territoires, Griffe de Ronce, miaula-t-il. Je suis presque déçu que nos routes doivent se séparer si tôt. J'aurais aimé chasser avec toi. »

Le jeune matou n'en revenait pas. Des guerriers de Clans différents ne pouvaient pas chasser ensemble… Mais ce n'était pas la véritable raison de son étonnement. Le guerrier du Clan de la Rivière se sentait-il proche de lui ? S'ils avaient appartenu au même Clan, auraient-ils pu devenir amis, comme Étoile de Feu et Plume Grise, qui avaient maintes fois risqué leur vie l'un pour l'autre ?

« Nous nous reverrons aux Assemblées, répondit-il.

— Griffe de Ronce, qu'est-ce que tu fiches ? lança Poil d'Écureuil en décochant un regard mauvais à Plume de Faucon. Étoile de Feu nous attend.

— Bien sûr, miaula Plume de Faucon. Et Étoile du Léopard doit m'attendre aussi. »

Il baissa la tête avant de s'éloigner.

« Pourquoi est-ce que tu lui parles, à celui-là ? s'indigna la rouquine. Tu sais très bien qu'on ne peut pas lui faire confiance.

— Je n'en suis pas si sûr, rétorqua Griffe de Ronce.

— C'est ça, le railla-t-elle. Ce chat a les dents trop longues.

— Ah oui ? fit-il tandis que sa fourrure se hérissait sur son échine.

— Il aurait préféré que Patte de Brume ne revienne jamais, pour rester lieutenant. Je l'ai entendu plus d'une fois contester les décisions de Patte de Brume.

— Il veut le meilleur pour son Clan, c'est tout, rétorqua Griffe de Ronce.

— Non, ce n'est pas tout, ajouta Poil d'Écureuil, dont le bout de la queue s'agitait d'agacement. Je sais que Nuage de Feuille ne lui fait pas confiance non plus, et elle le connaît mieux que nous. Elle était dans la forêt pendant qu'il remplaçait Patte de Brume.

— Et tu lui as demandé pourquoi elle se méfiait de lui ?

— Inutile. Ce qu'elle ressent, je le ressens aussi. »

Griffe de Ronce plissa les yeux.

« Alors tu n'as rien à lui reprocher, sauf que ta sœur ne l'aime pas ? Eh bien, figure-toi que Plume de Faucon est aussi *mon* frère.

— Ce n'est pas une raison pour prendre sa défense, tu ne le connais même pas !

— Toi non plus ! Pourtant, ça ne t'empêche pas

d'affirmer qu'on ne peut pas lui faire confiance. »
Griffe de Ronce planta ses griffes dans le sol tapissé
de feuilles mortes. « À moins que tu lui en veuilles
simplement d'être le fils de son père ? »

Poil d'Écureuil écarquilla les yeux.

« Si c'est ce que tu penses, c'est bien mal me
connaître ! » cracha-t-elle.

Sur ses mots, elle s'éloigna la queue dressée.
Griffe de Ronce la regarda partir, décontenancé.
Même s'ils se disputaient régulièrement depuis
qu'elle était devenue apprentie, jamais il n'aurait
cru percevoir un jour un tel mépris dans sa voix.

Il frissonna. Si Poil d'Écureuil se méfiait de
Plume de Faucon parce qu'Étoile du Tigre était
son père, alors se méfiait-elle aussi de *lui* ?

## CHAPITRE 5

Nuage de Feuille cherchait sa sœur des yeux. Elle avait hâte d'entendre en détail la description de leur nouveau territoire et voulait savoir si Poil d'Écureuil avait trouvé des herbes médicinales.

Elle aperçut Poil de Châtaigne et bondit vers elle.

« Tu as vu ma sœur ? »

La guerrière écaille secoua la tête. L'apprentie guérisseuse allait reprendre ses recherches lorsqu'une douleur fulgurante la transperça comme une griffe acérée. Le souffle coupé, elle enfouit son museau dans son poitrail pour tenter de l'apaiser. Poil d'Écureuil n'allait pas bien, quelque chose semblait la tourmenter, mais la jeune chatte tigrée en ignorait la raison. La patrouille était revenue saine et sauve, et avait apparemment accompli sa mission. Pourquoi alors Poil d'Écureuil ressentait-elle une telle fureur indignée ?

« Tout va bien ? s'enquit Poil de Châtaigne.

— Hein ? Oh oui, ça va ! Il faut seulement que je demande un truc à ma sœur. »

Sa voix tremblante trahit son trouble malgré elle. Heureusement, le bosquet était si bruyant que son amie ne le remarqua pas.

121

« On va la chercher ensemble, répondit cette dernière. Je veux tout connaître de notre nouveau chez-nous ! »

Nuage de Feuille acquiesça avant de se faufiler parmi les chats de son Clan, guettant le pelage roux sombre si familier. Elle soupira de soulagement quand elle eut repéré sa sœur. Elle n'avait pas l'air souffrante, et parlait en agitant la queue avec enthousiasme, mais Nuage de Feuille n'était pas dupe.

« C'est une combe entourée de parois de pierre, expliquait la jeune guerrière. Il y a largement la place pour plusieurs tanières, une pouponnière et même un terrain d'entraînement. »

Elle parvenait à cacher son trouble aux autres mais Nuage de Feuille percevait sa tristesse. Les yeux de sa sœur étaient trop écarquillés, trop brillants, et elle ne cessait de regarder autour d'elle comme si elle cherchait quelqu'un. L'apprentie guérisseuse comprit que l'absent devait être Griffe de Ronce.

« Et cette combe, elle est inhabitée ? » demanda Pelage de Poussière. Il était assis devant Poil d'Écureuil, près de Fleur de Bruyère. Leur seul chaton survivant, Petit Frêne, jouait à se rouler dans l'herbe avec les trois petits de Fleur de Pavot – ils étaient tous bien trop excités pour dormir. « Ça te ressemblerait bien, Poil d'Écureuil, de nous emmener dormir dans un terrier de blaireau !

— Pelage de Poussière ! s'indigna-t-elle. Si tu y trouves le moindre blaireau, je te jure que je le dévorerai tout cru ! Et le moindre renard aussi ! Nous n'avons décelé aucune odeur de prédateurs. »

Pelage de Poussière grommela.

« Ça m'a l'air formidable, lança Cœur Blanc en venant se frotter contre la jeune guerrière. Comment l'as-tu trouvée ?

— Euh… je suis tombée dedans, admit-elle.

— Ah ! s'esclaffa Flocon de Neige. Ça ne m'étonne pas de toi !

— Toi alors… rétorqua la rouquine en se tournant vers le guerrier blanc, mais un appel l'interrompit.

— Chats de tous les Clans ! »

Museau Cendré venait de grimper sur la souche. Les rayons lunaires nimbaient sa fourrure d'un éclat argenté. D'un mouvement de la queue, elle demanda le silence et l'agitation générale prit fin peu à peu.

« Avant que nous nous séparions pour rejoindre nos territoires respectifs, nous devons planifier la prochaine Assemblée. Le Clan des Étoiles attend de nous que nous nous réunissions à chaque pleine lune.

— Mais où nous retrouver ? demanda Feuille Rousse, le lieutenant du Clan de l'Ombre. Est-ce que la patrouille a découvert un endroit semblable aux Quatre Chênes ? »

Assise au pied de la souche, Patte de Brume se leva.

« Non, répondit-elle en haussant la voix pour que tous l'entendent. Rien de tel. Mais nous n'avons pas eu le temps d'explorer tout le pourtour du lac.

— Le Clan des Étoiles nous guidera, intervint Petit Orage, qui se tenait entre son lieutenant et son chef, Étoile de Jais.

— Il l'a peut-être déjà fait. »

Papillon avait bondi sur ses pattes, ses yeux ambrés brillant de mille feux. Elle leur décrivit alors l'île qu'elle avait visitée.

« C'est un lieu sûr, bien abrité et pas trop éloigné. Parfait pour les Assemblées, conclut-elle.

— Mais il nous faudrait nager pour y aller ! protesta Poil de Souris, la guerrière du Clan du Tonnerre. Je refuse de me tremper dans ce lac à chaque pleine lune, même si le Clan des Étoiles lui-même me suppliait.

— Et les aînés ? » croassa Rhume des Foins, l'ancien guérisseur du Clan de l'Ombre.

Des murmures s'élevèrent. Le regard de Nuage de Feuille passait d'un visage à l'autre. Elle-même n'était pas convaincue par la proposition de son amie, mais elle n'avait pas de meilleure idée. Autour d'elle, personne ne paraissait enthousiaste.

Plume de Faucon vint se placer près de Papillon. Il s'inclina poliment devant Museau Cendré avant de parler :

« Puis-je proposer d'emmener une patrouille qui explorera cette île en profondeur ? Si nous ne pouvons nous en servir pour les Assemblées, ce pourrait être l'emplacement idéal du futur camp du Clan de la Rivière. »

Patte de Brume s'approcha aussitôt de lui.

« J'ai déjà annoncé où se situerait notre camp », lui rappela-t-elle. Son ton était calme, mais sa fourrure se hérissait sur sa nuque. « J'ai trouvé un endroit au confluent de deux cours d'eau, non loin du lac, à l'abri des arbres. Rien n'indique que les Bipèdes s'y aventurent, pas même à la saison des feuilles vertes.

— Mais cette île serait bien plus sûre, non ? insista Plume de Faucon. Sans compter que nous aurions un lac poissonneux juste devant nos tanières. Tu ne t'es pas dit que tu avais peut-être choisi un emplacement trop exposé ? Et ce Chemin du Tonnerre, il est sans doute trop proche.

— Remets-tu en cause mon jugement ? Je connais les besoins de mon Clan. »

Plume de Faucon fit le gros dos. Nuage de Feuille se crispa, craignant qu'ils se jettent l'un sur l'autre.

« Assez ! » Étoile du Léopard fendit la foule pour rejoindre ses deux guerriers. « Vous cherchez à humilier votre Clan ? »

Plume de Faucon recula d'un pas, et Patte de Brume prit sur elle afin que sa fourrure se remette en place.

« Plume de Faucon, tu peux aller explorer l'île avec une patrouille si tu le souhaites, ajouta le chef du Clan de la Rivière. Nous prendrons notre décision à ton retour.

— Entendu, Étoile du Léopard, répondit le guerrier. Ma patrouille partira aux premières lueurs de l'aube. »

Il s'éloigna de quelques pas et fut aussitôt entouré par ses camarades, tous volontaires pour l'accompagner.

Nuage de Feuille frémit. Quelle chose étrange que d'assister à une telle contestation de l'autorité de Patte de Brume. Plume de Faucon devait vraiment jouir d'une position de force pour oser défier son lieutenant devant son chef et tous les autres Clans.

La novice crut discerner la même inquiétude dans les yeux de son mentor lorsque celle-ci demanda de nouveau le silence.

« Bien, reprit-elle. Où nous retrouverons-nous pour la prochaine Assemblée ?

— Nous reviendrons ici, décida Étoile de Feu. À moins que le Clan des Étoiles ne nous désigne un autre endroit avant la prochaine pleine lune. »

Griffe de Pierre fit face au meneur du Clan du Tonnerre.

« Je ne pense pas que ce soit une bonne idée. Nous sommes bien trop près de ce nid de Bipèdes, là-bas, derrière le territoire des chevaux.

— Nous n'y pouvons rien, répondit Étoile de Jais.

— Nous avons passé deux jours et deux nuits ici, et nous n'avons pas reniflé la présence d'un seul Bipède, renchérit Étoile de Feu. Si tu as une meilleure idée, vas-y, nous t'écoutons.

— Comme tu veux, gronda Griffe de Pierre en agitant la queue. La parole du grand Étoile de Feu a valeur de loi, comme toujours. »

Les guerriers s'éloignèrent peu à peu de la souche et regagnèrent les ombres. Fleur de Bruyère appela Petit Frêne.

« Il est grand temps que tu ailles dormir, mon chéri. Demain, un long voyage nous attend. »

Le chaton abandonna ses jeux guerriers avec les enfants de Fleur de Pavot pour la rejoindre.

« Est-ce que Petit Crapaud, Petite Pomme et Petite Flaque pourront venir ? demanda-t-il.

— Non. Nous, nous faisons partie du Clan de l'Ombre, expliqua doucement la mère de ces derniers. Et chaque Clan doit rejoindre son propre territoire.

— Mais c'est pas juste ! » gémit Petit Frêne. Les quatre boules de poils se blottirent les unes contre les autres, levant vers leurs mères de grands yeux implorants. « S'ils ne peuvent pas venir, alors je veux pas y aller. »

Nuage de Feuille se raidit. Ils étaient si naïfs ! S'ils savaient à quel point leur vie avait été différente de celle de leurs parents ! Leurs premiers souvenirs remontaient sans doute aux horreurs de la famine dans la forêt, à la peur perpétuelle. Puis ils s'étaient fait de nouveaux amis lorsque les Clans s'étaient rassemblés pour entreprendre la périlleuse traversée des montagnes. Ils ignoraient les notions de rivalité et de loyauté. Ils ne savaient sans doute même pas qu'il y avait quatre Clans de chats.

« Ne fais pas ta mauvaise tête, dit Fleur de Bruyère, et elle donna un coup de langue réconfortant à son fils. C'est le code du guerrier. Quand vous serez apprentis, vous vous reverrez lors des Assemblées.

— Ça sera plus pareil, marmonna Petit Crapaud d'un ton effronté.

— Et il n'y a pas d'autres chatons pour jouer avec moi dans le Clan du Tonnerre », ajouta tristement Petit Frêne.

Fleur de Bruyère et Fleur de Pavot échangèrent un regard. Nuage de Feuille discerna un regret sincère dans leurs yeux : leurs petits n'étaient pas les seuls à s'être liés d'une profonde amitié.

La reine du Clan de l'Ombre finit par s'incliner,

avant de rassembler d'un mouvement de la queue ses trois chatons autour d'elle.

« Et maintenant, dites au revoir, miaula-t-elle d'un ton vif.

— Au revoir. »

Petit Frêne regarda ses amis partir, puis suivit sa mère, la queue basse.

Nuage de Feuille eut pitié du chaton solitaire, et de tous ceux qui allaient regretter leurs amis des autres Clans. À quelques longueurs de queue, elle aperçut Cœur d'Épines qui saluait Patte Cendrée et Moustache, du Clan du Vent. Il vit que l'apprentie l'observait et sursauta, honteux, comme s'il avait commis une faute.

« Ne t'inquiète pas, miaula-t-elle en allant se frotter contre lui. Il n'est pas facile de renoncer à ses amis. »

*J'ai de la chance*, se dit-elle. *Je peux rester amie avec Papillon.* Les divisions claniques ne concernaient guère les guérisseurs.

Elle alla trouver Museau Cendré, bien décidée à se rendre utile. Tandis qu'elle se faufilait entre les matous, elle tomba sur Plume de Jais. Le guerrier gris sombre veillait un ancien de son Clan, un chat maigre au pelage crème qui s'était roulé en boule confortablement sur un nid de feuilles mortes au pied d'un arbre.

« Écoute, Plume de Genêts, s'impatientait Plume de Jais. Le Clan du Vent se rassemble un peu plus bas. Si tu restes là, tu vas te mélanger au Clan du Tonnerre.

— Et alors ? Le Clan du Tonnerre ne m'a jamais fait de mal, rétorqua le vieux matou d'une voix rauque. Je ne bougerai pas d'un poil, jeune guerrier. Du moins tant que je n'aurai pas mangé un morceau.

— Par le Clan des Étoiles !

— Je peux faire quelque chose ? » s'enquit Nuage de Feuille.

Elle se demandait si l'ancien se montrait juste entêté ou bien s'il était vraiment épuisé. Dans ce cas, elle lui trouverait peut-être des herbes fortifiantes comme celles qu'ils mâchaient naguère avant de se rendre à la Pierre de Lune.

Plume de Jais se tourna vers elle et la toisa froidement.

« Je n'ai pas besoin de l'aide du Clan du Tonnerre, merci bien.

— Je suis désolée, dit-elle en reculant d'un pas. Je me disais juste que...

— Calme-toi, Plume de Jais. » Poil d'Écureuil venait de les rejoindre. « Pas la peine d'être si agressif. »

Nerveux, le jeune guerrier laboura la terre de ses griffes.

« Notre voyage est fini, Poil d'Écureuil, déclara-t-il. Nous devons nous rappeler que nous appartenons à des Clans différents.

— T'as toujours eu un sale caractère ! Si tu tiens à rendre les choses plus difficiles que nécessaire, c'est ton droit. Mais surveille tes manières quand tu parles à ma sœur. »

Plume de Jais regarda l'apprentie guérisseuse en marmonnant un semblant d'excuse.

« Je peux m'occuper de Plume de Genêts tout seul, merci », ajouta-t-il.

En partant, Nuage de Feuille le vit se pencher de nouveau sur l'ancien.

« Plume de Genêts, si je te rapporte à manger, tu accepteras de me suivre ?

— Possible. » Le vieux matou s'installa plus à son aise encore et ferma les yeux. « Si c'est une proie bien dodue.

— Tu viens, Nuage de Feuille ? » appela Poil d'Écureuil.

Alors que l'apprentie guérisseuse suivait sa sœur, Poil de Châtaigne vint à leur rencontre.

« Tu as des ennuis avec Plume de Jais ? Sa langue est aussi acérée que des crocs de renard. S'il t'embête, je vais lui régler son compte ! » lança-t-elle. Ses yeux ambrés brillaient d'impatience.

« Ne t'en fais pas, tout va bien », répondit-elle en posant le bout de sa queue sur l'épaule de son amie.

Songeuse, elle regarda le petit matou au pelage sombre partir chasser dans les fourrés. Elle savait que, pour Plume de Jais, rien n'allait bien. Malheureusement, à sa connaissance, aucun remède ne pourrait guérir son cœur brisé.

## CHAPITRE 6

**R**OULÉ EN BOULE dans un nid de feuilles mortes, Griffe de Ronce s'agita. Une branche lui piquait le flanc, mais ce n'était pas ça qui l'avait réveillé. Il ne s'habituait pas à dormir sans la chaleur de Poil d'Écureuil près de lui. S'était-elle couchée près de Pelage de Granit ? En tout cas, elle n'était pas à son côté.

Il sentit une nouvelle pression sur ses côtes. Il ouvrit les yeux et vit à travers le brouillard du demi-sommeil qu'il ne s'agissait pas d'une branche : Écorce de Chêne se tenait au-dessus de lui et lui donnait des coups de patte.

« Où est Étoile de Feu ? » demanda le guérisseur du Clan du Vent.

Le guerrier tacheté se leva tant bien que mal en bâillant. Le ciel commençait à peine à s'éclaircir.

« La plupart des membres du Clan du Tonnerre sont là-bas, sous les arbres.

— Va le chercher, veux-tu bien ? » La voix du guérisseur paraissait sur le point de se briser. « Étoile Filante le demande. »

Griffe de Ronce comprit alors que le vieux chef

131

du Clan du Vent devait être sur le point de perdre sa neuvième vie.

« J'y cours.

— Merci. Rejoignez-nous sous ce buisson d'ajoncs, là-bas. Je dois encore trouver Moustache », ajouta Écorce de Chêne en détalant.

Griffe de Ronce se rua vers les autres guerriers de son Clan. Étoile Filante était le doyen des chefs, et sa mort serait une grande perte pour tous les Clans. Incapable de repérer Étoile de Feu dans la pénombre, le guerrier tacheté paniqua un instant. Puis il aperçut son meneur près de la souche, en train de faire sa toilette en compagnie de Tempête de Sable.

« Étoile de Feu, Écorce de Chêne dit qu'Étoile Filante veut te voir », miaula Griffe de Ronce en fonçant droit sur eux.

Le chef se raidit, puis échangea un regard avec sa compagne.

« J'arrive tout de suite, répondit-il.

— Est-ce qu'Écorce de Chêne a besoin d'aide ? demanda Tempête de Sable. J'ai vu Museau Cendré à l'instant. Qu'il envoie un messager s'il la veut près de lui. »

Griffe de Ronce acquiesça et suivit Étoile de Feu à découvert jusqu'au buisson d'ajoncs où Étoile Filante se mourait. Derrière les branches qui effleuraient le sol, il ne semblait y avoir personne. En s'approchant, le jeune félin entendit une respiration rauque et irrégulière. Il passa la tête entre les rameaux et vit Étoile Filante étendu sur le flanc.

« Étoile de Feu est là, miaula-t-il avant de s'écarter pour laisser entrer son chef dans la tanière de fortune. Je vais attendre dehors.

— C'est Griffe de Ronce ? » La voix du vieux matou leur parvint faiblement. « Ne pars pas. Tu as le droit d'entendre ce que j'ai à dire. »

Le guerrier tacheté interrogea Étoile de Feu du regard et lorsque ce dernier opina, il le rejoignit en rampant sous les plus basses branches.

Étoile Filante était seul ; Écorce de Chêne n'était pas encore revenu avec Moustache. Le flanc du vieux chef se soulevait difficilement à chacune de ses inspirations. Griffe de Ronce eut pitié de lui en voyant l'effort qu'il devait accomplir pour lever la tête.

Éclairés par les derniers rayons de lune qui s'insinuaient parmi les branches, les yeux d'Étoile Filante brillaient de la lumière du Clan des Étoiles.

« Étoile de Feu, je dois te remercier, miaula-t-il d'une voix rauque. Tu as sauvé mon Clan. »

Le jeune meneur émit un murmure de protestation.

« Et Griffe de Ronce… poursuivit Étoile Filante. Tu as accompli un long périple pour nous sauver tous de la destruction de la forêt et tu as affronté des dangers inimaginables. Même Plume Grise, puisse-t-il chasser avec le Clan des Étoiles, verrait en toi un valeureux lieutenant pour le Clan du Tonnerre. »

Griffe de Ronce en eut le souffle coupé. Il n'osa pas regarder son chef, qui se raidit près de lui. Il savait qu'Étoile de Feu s'accrochait à l'espoir que son ami était encore en vie. Il avait refusé de désigner un nouveau lieutenant, même s'il semblait plus qu'improbable que Plume Grise parvienne à échapper un jour aux Bipèdes qui l'avaient capturé dans la forêt.

L'ambition saisit le cœur de Griffe de Ronce comme les serres d'un aigle. Même s'il lui en coûtait de l'admettre, oui, il voulait devenir lieutenant, puis chef de son Clan. Était-ce là ce qu'avait éprouvé Étoile du Tigre ? La soif de pouvoir de son père avait été si forte qu'il avait été prêt à mentir, trahir et tuer pour la satisfaire. *Moi, je ne ferai jamais une chose pareille*, se dit Griffe de Ronce. S'il devenait lieutenant, ce serait en restant loyal envers son Clan, en travaillant dur et en respectant le code du guerrier.

Mais le sombre passé d'Étoile du Tigre rendrait toujours ses propres actes suspects. *Quand ils me regardent, ils voient mon père.*

Il se reprit aussitôt et baissa la tête humblement en murmurant :

« Je n'étais pas seul. Tous les élus ont joué leur rôle.

— Tu gaspilles tes forces, Étoile Filante, coupa Étoile de Feu avec douceur. Tu as besoin de repos.

— Le repos ne me servira plus à rien, à présent. »

Étoile de Feu ne tenta pas de le contredire.

« Tu rejoindras les rangs des plus nobles guerriers du Clan des Étoiles, répondit-il, avant de poser son museau sur celui du vieux matou.

— Avant cela... avant cela, je dois dire... »

Étoile Filante fut pris d'une quinte de toux qui menaça de l'emporter.

« Griffe de Ronce, va chercher Écorce de Chêne, ordonna Étoile de Feu.

— Non. » Étoile Filante parvint à retrouver son souffle et, d'un battement de la queue, il fit signe au guerrier tacheté de rester. « Il n'y a rien… qu'un guérisseur puisse faire pour moi, maintenant. » Les yeux mi-clos, il prit plusieurs inspirations avant de poursuivre. « J'ai une chose importante à dire. Où est Moustache ? »

Étoile de Feu interrogea Griffe de Ronce du regard, mais le guerrier secoua la tête.

« Écorce de Chêne est parti le chercher, miaula-t-il. Je vais à leur rencontre.

— Vite… gémit Étoile Filante tandis que Griffe de Ronce s'éloignait. Dis-leur… que le moment est venu… »

Malgré les premières lueurs de l'aube, le matou ne discernait rien d'autre que des silhouettes sombres dans le bosquet, avec, çà et là, une touche de fourrure pâle. La plupart des félins, plus ou moins regroupés par Clan, dormaient sur des litières improvisées dans l'herbe haute. Il essayait encore de repérer le Clan du Vent lorsqu'il aperçut un chat solitaire qui courait vers lui depuis le lac. À son grand soulagement, il reconnut Moustache.

« Écorce de Chêne m'a dit qu'Étoile Filante se mourait. » Le guerrier du Clan du Vent s'arrêta près du buisson et posa sur le sol la boule de mousse trempée qu'il portait dans la gueule. « J'étais parti un instant pour lui chercher à boire.

— Il demande à te voir. »

Moustache se faufila à l'intérieur de la tanière de son chef et posa la mousse près du museau d'Étoile Filante. Le meneur agonisant lapa quelques gouttes puis releva la tête.

« Avant que le Clan des Étoiles ne m'appelle auprès de lui, il me reste une dernière chose à accomplir. » Sa voix avait gagné en force. « Étoile de Feu, Moustache, écoutez-moi bien. Griffe de Pierre est un brave guerrier, mais il n'est pas le chef qu'il faut au Clan du Vent. Ces dernières lunes, nous avons appris que l'avenir de nos Clans se bâtirait sur l'amitié. Je ne veux voir aucune rivalité entre les Clans du Vent et du Tonnerre après mon départ. Le temps des inimitiés est révolu. Mais Griffe de Pierre ne l'a pas compris. »

Étoile de Feu et Moustache se regardèrent : ils savaient que les dernières volontés d'Étoile Filante ne se réaliseraient jamais. La rivalité entre les Clans était inévitable : elle faisait partie intégrante du code du guerrier.

« Je peux encore choisir mon successeur, poursuivit-il. À partir de maintenant, Griffe de Pierre n'est plus le lieutenant du Clan du Vent. »

Les trois matous le fixèrent avec stupeur.

« Je prononce ces paroles… devant le Clan des Étoiles, hoqueta Étoile Filante. Le Clan du Vent doit avoir… un nouveau lieutenant. Moustache, tu seras le chef du Clan après mon départ. »

Griffe de Ronce et Étoile de Feu échangèrent un regard surpris. Même si son intention était évidente, Étoile Filante n'avait pas respecté la cérémonie. Des frissons glacés descendirent le long de l'échine de Griffe de Ronce. Le Clan des Étoiles accepterait-il Moustache comme chef du Clan du Vent s'il n'avait pas été nommé lieutenant selon le rituel décrit dans le code du guerrier ? Il allait protester, quand il surprit l'expression de son chef.

Étoile de Feu semblait encore plus choqué que lui : sa fourrure s'était dressée sur sa nuque et ses griffes labouraient le sol. Pourtant, il ne dit rien.

« Étoile Filante, non... » gémit Moustache, horrifié.

Mais le vieux chef l'ignora. Ses yeux, brillants comme deux astres, allèrent de son nouveau lieutenant à Étoile de Feu puis à Griffe de Ronce.

« Je suis heureux d'avoir pu accompagner le Clan jusqu'ici, murmura-t-il. Moustache, traite nos amis dignement, lorsque tu seras chef. Rappelle-toi tout ce que le Clan du Tonnerre a fait pour nous.

— Étoile Filante, je ferai de mon mieux... »

Moustache tendit la patte pour toucher l'épaule de son meneur, mais celui-ci avait reposé la tête sur les feuilles. Il ferma les yeux, et sa respiration s'accéléra.

Une brise légère caressa la fourrure de Griffe de Ronce. Un bruit de pas retentit derrière lui, puis quelque chose le frôla. Au même instant, il crut voir un reflet argenté dans le regard d'Étoile de Feu. Le guerrier tacheté eut soudain l'impression que la petite tanière était remplie de félins, dont il sentait le doux pelage contre lui.

Un bruissement le fit sursauter et, aussitôt, le nid fut de nouveau désert. En se tournant, il vit Écorce de Chêne se faufiler entre les branches. Le guérisseur laissa tomber un paquet d'herbes près d'Étoile Filante.

« Museau Cendré m'a donné des... miaula-t-il avant de s'interrompre en voyant le visage de son chef.

« — Les remèdes ne peuvent plus rien pour lui »,
répondit Étoile de Feu avec douceur.

Moustache enfouit son museau dans le pelage du
défunt. Le flanc noir et blanc du vieux matou avait
cessé de se soulever, immobile pour toujours maintenant que l'esprit d'Étoile Filante était parti.

« Il chassera avec le Clan des Étoiles à présent »,
murmura Écorce de Chêne.

La gorge de Griffe de Ronce se serra. Étoile
Filante n'était pas son chef, mais il s'était toujours
montré noble et digne. Après sa mort, rien ne serait
plus comme avant.

Quelques instants plus tard, Étoile de Feu posa
le bout de sa queue sur l'épaule de Moustache.

« Tu dois avertir ton Clan. Rappelle-toi les
paroles d'Étoile Filante : il... il t'a nommé lieutenant, et il veut que tu deviennes chef. »

Moustache leva la tête, le regard voilé par le chagrin et la confusion.

« Je ne peux pas faire une chose pareille, Étoile
de Feu, gémit-il. Je ne peux pas devenir chef ! »
Puis il demanda, d'une voix hésitante : « Sommes-
nous vraiment obligés de répéter ses paroles ? Je...
je sais que ce n'est pas ainsi qu'on désigne un nouveau lieutenant. Étoile Filante se mourait, il n'avait
plus les idées claires...

— Étoile Filante savait très bien ce qu'il faisait,
qu'il ait utilisé les mots justes ou non, le rabroua
le meneur du Clan du Tonnerre. Il voulait que tu
deviennes lieutenant à la place de Griffe de Pierre,
pour que tu lui succèdes à la tête de votre Clan.
Serais-tu prêt à trahir sa confiance, et l'honneur
qu'il t'a fait ? »

En voyant Écorce de Chêne ouvrir de grands yeux, Griffe de Ronce se souvint que le guérisseur n'avait pas assisté à la scène.

« Qu'est-ce qu'il a dit ? » s'enquit ce dernier. Lorsque Étoile de Feu lui expliqua la situation, il eut l'air profondément bouleversé. « Je comprends que tu sois sous le choc, dit-il à Moustache. Mais tu n'y peux rien. Si c'est la volonté d'Étoile Filante, alors tu es bien le chef du Clan devant le Clan des Étoiles. Crois-tu que nos ancêtres accorderaient neuf vies à Griffe de Pierre, sachant qu'Étoile Filante a changé d'avis ?

— Griffe de Pierre ! répéta Moustache en dévisageant ses compagnons. Mais qu'est-ce que je vais lui dire ? »

Étoile de Feu se pressa contre lui pour le rassurer.

« Si tu le souhaites, j'annoncerai la nouvelle aux Clans pendant que tu réfléchiras à ce que tu diras aux tiens.

— Tu ferais ça ? Oh, merci, Étoile de Feu ! »

Le chef du Clan du Tonnerre hocha la tête, mais Griffe de Ronce se sentit aussitôt mal à l'aise. Il savait que les deux matous étaient amis depuis longtemps, avant même qu'Étoile de Feu devienne chef. Pourtant, les circonstances exigeaient que Moustache agisse seul. Le Clan du Vent serait suffisamment choqué, inutile de leur laisser croire qu'Étoile de Feu, un chat étranger à leur Clan, avait été mêlé à l'affaire.

Le meneur au pelage roux se fraya un passage à travers les branches, suivi de Griffe de Ronce et des deux autres. Étoile de Feu bondit sur la souche.

Moustache s'apprêtait à prendre place parmi les racines lorsque Étoile de Feu lui fit signe de le rejoindre.

« Ta place est là-haut. Que va penser ton Clan si tu restes là comme un guerrier ordinaire ? »

Griffe de Ronce comprenait l'agacement d'Étoile de Feu : Moustache allait devoir apprendre à se comporter en chef !

« Vas-y », le pressa-t-il.

Moustache lui jeta un regard interrogateur, avant de sauter près d'Étoile de Feu.

Le meneur du Clan du Tonnerre poussa un cri de ralliement.

« Chats de tous les Clans ! Venez entendre la nouvelle ! »

Dans toute la clairière, des félins s'agitèrent. Non loin de Griffe de Ronce, un guerrier marmonna :

« Qu'est-ce qu'il veut encore ? »

Étoile de Feu répéta son appel jusqu'à ce que les Clans fussent rassemblés autour de la souche.

À demi réveillée, Poil d'Écureuil se dirigea vers Griffe de Ronce en bâillant à s'en décrocher la mâchoire.

« Qu'est-ce qui se passe ? demanda-t-elle. Que veut mon père ?

— Il vaut mieux que tu l'entendes de sa bouche », répondit le guerrier tacheté, qui se sentait bien incapable d'expliquer ce qui s'était passé.

Puis il se souvint trop tard de sa dispute avec la jeune guerrière ; elle, en revanche, n'avait rien oublié, et interpréta sa réserve comme un refus de lui répondre.

« Très bien », feula-t-elle.

Elle le toisa avec froideur puis alla s'asseoir un peu plus loin.

« Chats de tous les Clans, j'ai une très mauvaise nouvelle à vous annoncer, lança Étoile de Feu. Étoile Filante est parti chasser avec le Clan des Étoiles.

— Étoile Filante est mort ! s'écria Oreille Balafrée. Dire que je n'étais même pas né quand il est devenu chef. Que deviendra le Clan du Vent sans lui ? »

Près de lui, son apprenti, Nuage de Hibou, baissa la tête, trop ému pour parler. Pelage de Mousse, une reine du Clan de la Rivière, posa le bout de sa queue sur l'épaule de l'apprenti.

« C'était un noble chef, dit-elle. Le Clan des Étoiles l'accueillera comme il se doit et il côtoiera les plus nobles de nos ancêtres. »

Une plainte solitaire s'éleva du fond de la clairière.

« J'étais là au moment de sa mort, reprit Étoile de Feu en jetant un coup d'œil à Griffe de Ronce. Ses dernières paroles... »

Il s'interrompit lorsqu'un guerrier brun foncé au pelage pommelé se fraya un passage jusqu'à la souche.

« Qu'est-ce qui se passe ? demanda-t-il, le regard plein de colère. Étoile Filante est mort ? Pourquoi ne m'a-t-on pas prévenu ? »

C'était Griffe de Pierre.

## CHAPITRE 7

Sans perdre son calme, Étoile de Feu baissa les yeux vers le guerrier du Clan du Vent.

« Étoile Filante est mort à l'instant, miaula-t-il.

— Griffe de Pierre, tu es notre chef, maintenant, lança Plume Noire. Nous pleurerons tous la disparition d'Étoile Filante, mais nous avons besoin de toi pour nous guider vers notre nouveau territoire. »

Ses camarades de Clan murmurèrent leur accord. Griffe de Pierre s'inclina devant leur plébiscite, mais lorsqu'il se tourna vers Étoile de Feu, ses yeux reflétaient toujours sa fureur.

« Tu aurais dû venir me voir avant de convoquer un rassemblement. Un chat du Clan du Tonnerre n'a pas à annoncer les nouvelles d'un autre Clan !

— C'est la volonté d'Étoile Filante, répondit le rouquin, dont la queue se balançait en cadence. Laisse-moi parler, s'il te plaît. » Il poursuivit à l'intention de tous : « Juste avant de mourir, Étoile Filante a nommé Moustache comme nouveau lieutenant. »

Griffe de Ronce sentit sa fourrure se hérisser. Étoile de Feu allait-il vraiment ignorer le fait qu'Étoile Filante n'avait pas nommé son nouveau lieutenant au cours d'une vraie cérémonie ?

« *Quoi ?* s'écria Griffe de Pierre.

— Tu veux dire que ce n'est pas Griffe de Pierre, notre chef ? insista Plume Noire.

— Crotte de souris ! s'emporta Belle-de-Nuit, une guerrière noire aux yeux verts. Griffe de Pierre est le plus apte à diriger le Clan. »

Griffe de Ronce ne savait plus où se mettre. Il trouvait, quant à lui, que Moustache ferait un bien meilleur chef, mais il n'avait pas son mot à dire. Et il imaginait très bien ce que devait ressentir Griffe de Pierre, lui à qui on venait d'arracher le pouvoir qu'il convoitait depuis si longtemps.

Moustache s'adressa à Griffe de Pierre.

« Crois-moi, je suis tout aussi surpris que toi, miaula-t-il. Et j'aimerais que tu restes le lieutenant du Clan du Vent. J'aurai besoin de tout ton soutien et de ton expérience.

— Tu ne penses tout de même pas que je vais avaler cette histoire ? feula le guerrier brun, la fourrure ébouriffée. Tout le monde sait qu'Étoile Filante a pour ainsi dire offert notre Clan à Étoile de Feu avant qu'on quitte la forêt. Il s'était toujours montré bien trop loyal envers le Clan du Tonnerre. Et maintenant, Étoile de Feu veut nous faire croire que son ami Moustache doit devenir chef ! Y a-t-il d'autres témoins de ce changement de programme si pratique ? »

Pesamment, Griffe de Ronce vint se placer à côté de Griffe de Pierre.

« Oui, moi, dit-il péniblement, comme si les mots restaient coincés dans sa gorge, tel un morceau de viande coriace. J'étais là. J'ai entendu Étoile Filante nommer Moustache lieutenant. »

Il faillit ajouter : « ... mais il n'a pas respecté le rituel », puis il se ravisa. Si Étoile de Feu n'en avait pas parlé, ce n'était pas à lui de le faire.

La clairière et la souche parurent soudain lointains au guerrier : Griffe de Ronce se revit dans le ravin, à l'époque où il était un apprenti de moins de sept lunes et cherchait en bougonnant des tiques dans la fourrure des anciens. Tous les apprentis détestaient cette corvée, mais ils étaient parfois récompensés par des histoires sur le Clan. Tandis que Griffe de Ronce saisissait entre ses dents une tique à la base de la queue d'Un-Œil, il écoutait la vieille chatte évoquer le jour où Étoile Bleue avait nommé lieutenant Étoile de Feu. L'ancien lieutenant, Griffe de Tigre, avait été reconnu coupable de trahison : il complotait pour tuer le chef du Clan. Griffe de Ronce avait frémi en les entendant relater les noirs projets de son père. Griffe de Tigre avait été chassé du camp, et Étoile Bleue avait nommé Cœur de Feu à sa place. Mais la trahison de son lieutenant l'avait tant bouleversée qu'elle avait attendu bien après minuit, l'heure limite établie par le code du guerrier, pour organiser la cérémonie. Par la suite, il avait fallu bien des lunes pour que Cœur de Feu prouve qu'il était digne de succéder à Griffe de Tigre.

Griffe de Ronce secoua la tête pour s'arracher à ses souvenirs. Pas étonnant que le chef du Clan du Tonnerre soit prêt à défendre son ami face à ses détracteurs ! Sa propre nomination au poste de lieutenant avait été controversée. Si Étoile de Feu avait à l'époque éprouvé le moindre doute sur sa légitimité, il l'avait gardé pour lui. Il pensait manifestement que Moustache devait faire de même.

Griffe de Pierre décocha un regard noir à Griffe de Ronce.

« Alors toi aussi, tu y étais ? Un autre guerrier du Clan du Tonnerre ? Quelle surprise ! Que t'a promis Étoile de Feu pour que tu le soutiennes ? La place de lieutenant du Clan du Tonnerre ? »

Aveuglé par la colère, Griffe de Ronce oublia ses doutes et se retint de bondir sur ce menteur et lui arracher la fourrure. Il leva la tête et vit une froide colère dans les yeux verts de son chef.

« Comment oses-tu douter de ma parole, ou de celle de mon guerrier ? feula Étoile de Feu. Étoile Filante nous a annoncé sa décision devant le Clan des Étoiles.

— Comment le sais-tu ? le défia Griffe de Pierre. Te voilà guérisseur, maintenant ?

— Sa décision était sans appel. »

Griffe de Pierre prit à témoin ses camarades :

« Vous allez accepter ça sans protester ? lança-t-il. Allons-nous laisser le Clan du Tonnerre choisir notre chef à notre place ? » Il fit volte-face pour toiser Moustache. « Combien de nos guerriers te suivront, à ton avis, sale traître ! Tu n'es qu'un lâche, seulement bon à bouffer de la chair à corbeau ! »

Sans laisser le temps à Moustache de répondre, Plume de Jais s'avança jusqu'à la souche. Malgré son pelage hérissé et ses yeux tristes, il parla avec calme.

« Moi, je suivrai Moustache. J'ai longtemps voyagé avec Griffe de Ronce, et je sais qu'il ne ment pas. S'il dit qu'Étoile Filante a choisi un autre chat pour lui succéder, alors je le crois. » Il leva la tête afin de croiser le regard de Moustache. « Je suis fier que tu sois le nouveau chef de mon Clan. »

Des hourras s'élevèrent parmi les membres du Clan du Vent. Mais d'autres guerriers semblaient peu convaincus, ou carrément hostiles. La tâche de Moustache ne serait pas aisée. Griffe de Ronce surprit Étoile de Jais et Étoile du Léopard en marge de l'assemblée, qui échangeaient un regard amusé. Ils n'étaient pas mécontents de voir des querelles naître au sein du Clan du Vent.

« Merci, Plume de Jais, miaula Moustache. Mais le Clan des Étoiles ne m'a pas encore donné mon nom ni mes neuf vies de chef. »

Embarrassé, il rabattit ses oreilles en arrière, comme s'il craignait que le Clan des Étoiles n'approuvât jamais sa fulgurante et inhabituelle ascension.

« Et tu n'es pas près de les recevoir ! feula Griffe de Pierre, comme s'il pouvait lire dans les pensées de Moustache. Tu n'es pas notre chef ! Descends de là et viens te battre si tu l'oses. Alors nous verrons lequel de nous deux sera digne de diriger notre Clan. »

Prêt à relever le défi, Moustache allait bondir lorsqu'Étoile de Feu leva une patte pour l'en empêcher. Griffe de Ronce se prépara à intercepter Griffe de Pierre, au cas où il essaierait de sauter sur la souche.

« Arrêtez ! » Écorce de Chêne venait de pousser un cri outragé. « Calme-toi, Griffe de Pierre. Les chefs n'ont jamais été choisis au combat. Tu cherches la bagarre alors que l'esprit d'Étoile Filante veille encore sur nous ? Nous devrions tous être en train de le veiller, et non de nous disputer pour savoir qui le remplacera. Tu le trahis en agissant de la sorte. Il attendait toujours le meilleur de ses guerriers les plus expérimentés. » Il ajouta : « Je crois la parole de ces deux membres du Clan du Tonnerre. Si telle est la décision d'Étoile Filante, tu dois l'accepter. »

Dans un effort visible, le matou brun rentra les griffes et sa fourrure perdit de son volume.

« Très bien », gronda-t-il. Il décocha à Moustache un regard venimeux. « Tu fais le fier, avec tes amis du Clan du Tonnerre pour te soutenir. Mais si tu penses que je vais accepter de te servir de lieutenant, tu rêves.

— C'est ton choix… miaula le nouveau chef. J'en suis désolé, mais je le respecte. »

Griffe de Pierre ne répondit que par un feulement. Puis il partit avec Écorce de Chêne et d'autres guerriers du Clan du Vent pour aller chercher le corps de leur défunt chef et commencer la veillée.

« Moustache, miaula doucement Étoile de Feu. Tu dois nommer un nouveau lieutenant. Tout de suite. Tu ne peux diriger ce Clan seul, et tu auras besoin de tout le soutien possible si Griffe de Pierre décide de faire des siennes. »

Allait-il choisir Plume de Jais ? Ce dernier observait la scène sans en perdre une miette. Mais il était trop jeune, et il avait le tort d'être considéré comme l'ami du Clan du Tonnerre depuis son voyage avec Griffe de Ronce et Poil d'Écureuil. Moustache avait besoin d'un guerrier aguerri, respecté par son Clan, sans être trop populaire chez les autres. Son choix devrait recevoir l'approbation de tous, peut-être même de Griffe de Pierre.

Moustache ferma les yeux un instant. Quand il les rouvrit ce fut pour regarder un à un ses camarades.

« J'annonce ma décision devant Étoile Filante et le Clan des Étoiles, afin que l'esprit de nos ancêtres l'entende et l'approuve. Patte Cendrée sera le nouveau lieutenant du Clan du Vent. »

Griffe de Ronce vit une chatte au pelage gris se lever, son large visage reflétant la surprise qu'elle éprouvait. Plume de Jais bondit vers elle et pressa son museau contre le sien, tandis que les autres membres du Clan clamaient : « Patte Cendrée ! Patte Cendrée ! »

Griffe de Ronce se souvint alors que c'était la mère de Plume de Jais. Il l'avait rencontrée une ou deux fois par le passé, pendant les Assemblées, mais n'avait jamais eu l'occasion de lui parler. Manifestement, ses camarades l'appréciaient. Ainsi, Moustache avait choisi son lieutenant avec sagesse.

Le nouveau chef du Clan du Vent sauta de la souche, suivi d'Étoile de Feu. Patte Cendrée s'avança pour toucher du bout de la truffe le museau de son meneur.

« Merci, Moustache, miaula-t-elle. Je ferai de mon mieux. Je n'imaginais pas…

— Je sais, la coupa-t-il en lui donnant un vif coup de langue sur l'oreille. C'est l'une des raisons pour lesquelles je t'ai désignée. Je n'ai nul besoin d'un lieutenant qui croit mériter le pouvoir mais de quelqu'un qui m'aidera à rendre notre Clan plus fort lorsque nous aurons investi notre nouveau territoire.

— Alors, c'est ce que je ferai », ronronna-t-elle.

Moustache se tourna vers Étoile de Feu.

« Merci, mon ami, miaula-t-il. Je suis désolé, jamais je n'aurais pensé que Griffe de Pierre te traiterait de menteur.

— Cela ne m'étonne guère », répondit le rouquin en haussant les épaules. Griffe de Pierre assumait depuis longtemps la plupart des devoirs d'un chef. Quel choc pour lui d'apprendre qu'il ne devait pas succéder à Étoile Filante ! « Au moins, la plupart de tes guerriers semblent te soutenir, à présent. »

Moustache acquiesça, mais son visage trahissait son inquiétude.

« Comment vais-je recevoir mon nom et mes neuf vies, Étoile de Feu ? Il n'y a pas de Pierre de Lune, ici. À ton avis, je dois partir avec une patrouille pour retraverser les montagnes jusqu'aux Hautes Pierres ?

— Voilà une idée digne d'une cervelle de souris. Il te faudrait presque une lune pour aller et revenir. Et Griffe de Pierre n'attendrait pas bien sagement ton retour, sois-en certain. »

Il inclina les oreilles vers les félins qui avaient amené le corps d'Étoile Filante dans la clairière. Assis un peu à l'écart, Griffe de Pierre dardait sur son ancien chef un regard noir. Griffe de Ronce sentit son estomac se nouer. Le nouveau chef du

Clan du Vent s'illusionnait s'il pensait ne plus avoir de problèmes avec Griffe de Pierre.

« Tu as raison, soupira Moustache. Ce n'est pas le moment de quitter mon Clan. Mais nous devons trouver un autre moyen de communier avec le Clan des Étoiles, non ?

— Il doit y avoir une autre Pierre de Lune, non loin, répondit Patte Cendrée, pragmatique. Autrement, le Clan des Étoiles ne nous aurait pas conduits ici. Nous la trouverons dès que possible. En attendant, la loyauté de ton Clan devra suffire pour te maintenir à ta place de chef. »

Moustache paraissait néanmoins troublé. Griffe de Ronce le comprenait. Griffe de Pierre n'était pas son seul ennemi : Plume Noire et Belle-de-Nuit semblaient soutenir l'ancien lieutenant, et il y en avait peut-être d'autres. L'autorité de Moustache ne serait pas établie avant qu'il eût reçu ses neuf vies et son nouveau nom.

« Nous ne pouvons rien faire de plus, miaula le nouveau chef. Même si c'est déjà l'aube, nous devons maintenant veiller Étoile Filante. »

Il traversa la clairière pour se coucher près du corps noir et blanc pétrifié à jamais, et enfouit son museau dans la fourrure froide d'Étoile Filante. Patte Cendrée et Plume de Jais l'encadrèrent, comme s'ils voulaient le protéger pendant qu'il pleurait le disparu. Leur chagrin devait être encore plus grand de ne pouvoir le veiller toute une nuit, se dit Griffe de Ronce. Bientôt, les Clans se dirigeraient vers leurs nouveaux territoires. Il fut pris de tournis, comme si le code du guerrier s'effondrait autour de lui sous la pression des circonstances.

« Moustache a fait preuve de sagesse en choisissant Patte Cendrée », remarqua Étoile de Feu, ce qui tira Griffe de Ronce de ses sombres pensées.

Le guerrier partageait son avis, mais il fut incapable de répondre. Que pouvait-il dire, alors qu'Étoile de Feu avait refusé de faire un choix similaire pour son propre Clan ? Comment lui faire savoir, sans pour autant manquer de respect à l'amitié qui liait Étoile de Feu et Plume Grise, que le Clan du Tonnerre ne pourrait rester éternellement sans lieutenant ?

« Nous n'avons aucune preuve de la mort de Plume Grise, déclara Étoile de Feu comme s'il lisait dans ses pensées. S'il est toujours en vie, alors il nous reviendra. Comment pourrais-je nommer un autre à sa place ?

— Le Clan de la Rivière a bien désigné Plume de Faucon pour remplacer Patte de Brume...

— La situation était différente. Lorsque Patte de Brume a disparu, personne ne savait ce qui lui était arrivé. Il semblait impossible qu'elle puisse être encore en vie. Nous savons maintenant que les Bipèdes capturaient les chats non pour les tuer, mais pour les emporter. Plume Grise est retenu prisonnier quelque part, et tôt ou tard, il parviendra à s'échapper et à nous rejoindre. » Ses griffes labourèrent le sol, laissant de profondes entailles dans la terre. « Tant que je n'aurai pas vu son cadavre de mes propres yeux, je garderai espoir. »

*Qui essaies-tu de convaincre ? Moi ou toi-même ?* se demanda Griffe de Ronce.

Sans rien ajouter, Étoile de Feu alla se joindre à la veillée funèbre. Le jeune guerrier le regarda s'éloigner, la culpabilité et la frustration au ventre. Il voulait être lieutenant : qu'y avait-il de si effrayant à cela ?

*Rappelle-toi Étoile du Tigre*, lui murmura une petite voix, et chaque poil de sa fourrure se dressa d'horreur.

*Je ne ressemble en rien à Étoile du Tigre ! Je suis un guerrier loyal. J'ai travaillé dur et risqué ma vie pour mon Clan. Personne ne peut dire que je ne mérite pas d'être lieutenant. Combien de fois devrai-je prouver ma valeur ?* se lamenta-t-il, au désespoir.

Plume de Faucon, de son côté, ne semblait pas rencontrer de problèmes similaires au sein du Clan de la Rivière. Griffe de Ronce aurait voulu lui parler, mais les Clans étaient à présent sur le départ.

Pourquoi Étoile de Feu et Poil d'Écureuil refusaient-ils de lui faire confiance ? Il ferma les yeux et plongea ses griffes dans l'humus, luttant contre une bouffée d'ambition qui figea son sang dans ses veines.

## CHAPITRE 8

**T**APIE NON LOIN du corps d'Étoile Filante, Nuage de Feuille regardait les guerriers rendre un dernier hommage à leur ancien chef. Le jour se levait doucement derrière la chaîne des collines, révélant un ciel couvert. Un vent froid, humide, soufflait depuis le lac et faisait claquer les branches comme des os de souris.

À la vue de la dépouille, l'apprentie guérisseuse frémit. Il était étrange de veiller un mort dans la pâle lueur de l'aube. La cérémonie se déroulait d'habitude la nuit, lorsque le défunt se drapait de ténèbres comme d'une douce fourrure noire.

Elle détourna le regard, laissant ses idées vagabonder. L'inquiétude la rongeait. Moustache ne pouvait pas retourner à la Pierre de Lune pour recevoir son nom et ses neuf vies. Il était trop fatigué pour un tel trajet, et Griffe de Pierre en profiterait certainement pour tenter de prendre sa place. Mais qu'arriverait-il aux Clans si les guérisseurs et leurs chefs ne pouvaient plus communiquer avec le Clan des Étoiles ? Le code du guerrier s'évaporerait comme brume au soleil et ils ne vaudraient alors guère mieux que des chats errants.

« Le Clan des Étoiles doit nous guider ! » miaula-t-elle tout haut.

Museau Cendré, qui parlait avec Écorce de Chêne, se tourna vers elle.

« Nuage de Feuille ? Que t'arrive-t-il ? s'enquit la guérisseuse en se dirigeant vers elle.

— Je ne voulais pas t'inquiéter. Je pensais juste à Moustache. Que va-t-il faire s'il ne peut se rendre aux Hautes Pierres ? »

La chatte grise tendit la queue pour toucher la tête de son apprentie.

« Ne t'en fais pas. Le Clan des Étoiles nous montrera un nouveau sanctuaire où nous pourrons partager leurs rêves.

— Mais quand ? insista la jeune chatte tigrée, plongeant ses yeux dans les prunelles bleues de son mentor. Moustache a besoin de son nouveau nom et de ses neuf vies tout de suite !

— Prends patience. On ne peut presser le Clan des Étoiles. La réponse viendra, tu verras. En attendant, ajouta-t-elle avec plus de fermeté, tu pourrais te rendre utile au lieu de broyer du noir. Regarde, Papillon a eu une excellente idée. Elle est allée chercher à boire pour les chatons et les anciens. »

De l'autre côté de la clairière, la guérisseuse du Clan de la Rivière trottait vers un groupe de matous du Clan du Vent, la gueule pleine de mousse gorgée d'eau. La novice se sentit coupable d'être restée là sans rien faire.

« Je suis désolée, Museau Cendré, miaula-t-elle en se mettant sur ses pattes. Je vais l'aider.

— Bien. L'occupation te changera les idées. »

L'apprentie se dirigeait vers le lac lorsqu'elle

aperçut à l'orée du bosquet plusieurs matous qui grimpaient la pente à toute allure. Leur pelage trempé leur collait aux flancs. Nuage de Feuille reconnut Plume de Faucon à la tête de la patrouille partie aux premières lueurs de l'aurore explorer l'île.

Curieuse, elle fit demi-tour pour les suivre jusqu'au centre de la clairière.

Plume de Faucon bondit sur la souche et poussa un cri de ralliement. Nuage de Feuille n'était pas certaine qu'il ait le droit de faire ça.

« À quoi il joue ? La souche est réservée aux chefs, comme le Grand Rocher aux Quatre Chênes, grommela Poil de Châtaigne, venue rejoindre son amie. Plume de Faucon n'est même plus lieutenant ! »

Mais personne ne le remit à sa place et les Clans se rassemblèrent rapidement.

« Alors ? le pressa Étoile du Léopard. Vous avez exploré l'île ? Qu'avez-vous trouvé ?

— Tout ce dont nous aurions pu rêver, déclara Plume de Faucon. Je n'imagine pas meilleur emplacement pour un camp. Comme si le Clan des Étoiles nous le destinait en nous conduisant ici. D'un côté, le lac nous offrira du poisson à volonté, de l'autre, les arbres nous protégeront, et nous serons à l'abri des prédateurs – et de quiconque voudrait nous attaquer », ajouta-t-il en décochant un regard noir aux Clans rivaux.

Des murmures enthousiastes s'élevèrent du Clan de la Rivière et Griffe Noire alla même jusqu'à lancer :

« Bien joué, Plume de Faucon ! »

Celui-ci le remercia d'un signe de tête.

« Je ne cherche que le bien de mon Clan »,
répondit-il.

Nuage de Feuille fut surprise d'entendre un
« Peuh ! » sonore derrière elle. C'était Poil d'Écureuil, qui toisait Plume de Faucon avec une hostilité non feinte.

L'apprentie recula doucement jusqu'à sa sœur.

« Qu'est-ce qui t'arrive ? lui demanda-t-elle.

— Je ne lui fais pas confiance, marmonna la rouquine sans quitter des yeux le guerrier au regard
bleu glacé.

— Moi non plus », répondit Nuage de Feuille.

Elle repensa au jour où Poil de Châtaigne avait
accidentellement franchi la frontière du Clan de la
Rivière en pourchassant un écureuil. Plume de
Faucon s'était emparé d'elle et seule l'intervention
de Papillon l'avait convaincu de la relâcher. Il n'avait
pas caché ses ambitions, alors, sous-entendant même
que le Clan de la Rivière pourrait annexer le territoire du Clan du Tonnerre pendant que celui-ci souffrait de la famine.

Nuage de Feuille et Poil de Châtaigne avaient
décidé de ne pas évoquer l'incident. La guerrière
écaille, qui ne voulait pas admettre sa faute, avait
même affirmé que n'importe quel jeune guerrier
ambitieux pouvait rêver de prendre le territoire d'un
autre Clan. L'apprentie guérisseuse aurait bien aimé
partager son insouciance.

« Je le savais, reprit Poil d'Écureuil. Je l'avais
deviné depuis le début. Je suis contente que
quelqu'un soit d'accord avec moi. »

Patte de Brume s'avança jusqu'à la souche, la
queue battant la mesure.

« Plume de Faucon, je t'ai déjà dit que nous ne pouvions pas établir le camp sur l'île. Les guerriers peuvent nager jusque-là, d'accord, mais les chatons ? Et les anciens ? Et s'il arrivait quelque chose aux poissons du lac ? Nous serions incapables de rapporter du gibier depuis la côte. »

Sans lui accorder un regard, Plume de Faucon demanda à son chef :

« Étoile du Léopard, qu'en penses-tu ? »

Cette dernière hésita avant de répondre.

« Tu dis vrai, Plume de Faucon, miaula-t-elle enfin. L'île serait plus facile à défendre qu'un camp sur terre. Mais Patte de Brume a raison elle aussi. Nous ne pouvons pas nous établir dans un endroit que les chatons et les anciens auraient du mal à atteindre, et notre isolement, tout en nous protégeant, nous rendrait vulnérables. Nous camperons donc à la croisée des rivières. »

Nuage de Feuille s'attendit à une explosion de colère de la part du guerrier, mais il se contenta de s'incliner devant son chef et de descendre de la souche.

« Tant mieux, lâcha Poil d'Écureuil avec satisfaction.

— Sois honnête, répondit sa sœur. Tu ne peux pas lui reprocher de vouloir le meilleur pour son Clan.

— Tu plaisantes ? rétorqua la rouquine dans un grognement de mépris. C'est bien la dernière chose qu'il avait en tête. Il voulait simplement défier Patte de Brume. Si j'étais elle, je surveillerais mes arrières. Et ne me dis pas que tu n'es pas d'accord, ajouta-t-elle. Parce que je ne te croirais pas.

— Je sais, admit Nuage de Feuille. Mais tout de même, il n'a rien fait de mal.

— Pour l'instant », répondit la jeune guerrière, les yeux plissés.

Fatiguée d'avoir été réveillée si tôt, l'apprentie guérisseuse somnolait. Elle se redressa en sentant qu'on lui caressait l'oreille et reconnut son mentor à travers ses yeux mi-clos.

« Je vais aider les autres à enterrer Étoile Filante, déclara la chatte. Étoile de Feu s'apprête à donner le signal du départ. »

La novice se leva péniblement et s'éyroua pour faire tomber les feuilles mortes de sa fourrure.

« D-désolée, Museau Cendré ! bégaya-t-elle. Pourquoi ne m'as-tu pas réveillée plus tôt ?

— Tu avais besoin de repos. »

Les nuages s'étaient dispersés et un pâle et froid soleil brillait maintenant dans le ciel. Un groupe de chats s'était rassemblé autour d'Étoile de Feu près de la souche. Poil de Fougère avait passé sa queue autour des épaules de Longue Plume pour aider le matou aveugle à avancer, tandis que Fleur de Bruyère grondait gentiment Petit Frêne, qui sautait partout et traînait dans les pattes de tout le monde.

Nuage de Feuille se sentit soudain parfaitement réveillée. Ils allaient enfin voir leur nouveau foyer !

« Est-ce que je peux faire quelque chose ? s'enquit-elle.

— Oui, j'aimerais que tu retournes aux marécages pour chercher des prêles. Je ne sais pas si nous en trouverons ailleurs.

— D'accord ! Je peux d'abord aller dire au revoir à Papillon ?

— Tu la reverras aux Assemblées, lui rappela Museau Cendré. Bon, vas-y, mais ne traîne pas. »

Nuage de Feuille partit ventre à terre. À son grand soulagement, elle trouva tout de suite son amie, qui traversait le bosquet en portant dans la gueule une nouvelle fournée de mousse. Elle avait dû abreuver tous les chatons et les anciens des quatre Clans, depuis le temps, pensa-t-elle en se sentant coupable.

« Hé, Papillon ! » héla-t-elle, avant de s'immobiliser.

Elle fronça le nez en flairant l'odeur âcre de la fourrure de son amie.

« C'est de la bile de souris, expliqua la guérisseuse, l'air amusée. Gros Ventre a insisté pour que je m'occupe de ses tiques à la première heure, ce matin. Depuis, j'ai été si occupée à rapporter de la mousse que je n'ai pas eu le temps de me rincer. Pour être honnête, j'ai fini par m'habituer à l'odeur.

— Excuse-moi, répondit Nuage de Feuille qui se sentait plus mal encore. J'aurais dû venir t'aider. »

Papillon haussa les épaules.

« Ce n'est pas grave. J'ai presque fini. Tu veux apporter de l'eau aux anciens de ton Clan ? demanda-t-elle en poussant vers la novice le paquet de mousse.

— Oui, merci. »

Nuage de Feuille se dit qu'elle pourrait donner à boire à Longue Plume avant d'aller chercher les prêles.

Elle se pencha pour saisir la mousse entre ses mâchoires, avant de reculer d'un bond : une forte odeur lui emplit la bouche et les narines. Cette puanteur lui rappelait la chair à corbeau. Elle releva la tête et se passa la langue sur le museau.

« Qu'est-ce qui ne va pas ? s'enquit Papillon.

— Je ne sais pas trop… L'eau est bizarre, c'est tout. Où l'as-tu trouvée ?

— Il y a une mare là-bas… J'ai eu de la chance de la trouver, cela m'a évité de descendre jusqu'au lac.

— Montre-la-moi. »

Papillon l'entraîna par-delà la clairière, jusqu'aux marécages. Elle trottait avec assurance sur le sol boueux, sautant de touffes d'herbe en touffes d'herbe lorsque l'humidité était trop importante même pour un membre du Clan de la Rivière.

Papillon s'arrêta près d'une petite mare d'eau trouble, alimentée par un ruisseau qui traversait les marais pour se jeter dans le lac. Nuage de Feuille perçut aussitôt la même odeur pestilentielle. Elle s'avança prudemment. L'onde était noire et immobile. La jeune chatte tigrée se pencha le plus possible pour bien distinguer le fond sans être gênée par la lumière du jour. En plissant les yeux, elle discerna une boule de fourrure sombre échouée au fond de l'eau. À l'évidence, un lapin était tombé dans la mare et s'y était noyé.

Feulant de dégoût, elle s'empressa de reculer.

« Regarde », dit-elle à Papillon.

La guérisseuse écarquilla les yeux.

« La mare reflétait le ciel, quand je suis venue, murmura-t-elle. Je n'avais pas vu ce lapin. Et je ne sens plus rien à cause de cette fichue bile de souris. Tu crois que les anciens vont tomber malades ? » demanda-t-elle, inquiète.

Nuage de Feuille s'apprêtait à lui répondre qu'ils risquaient d'avoir des maux de ventre, mais devant l'expression anxieuse de son amie, elle en fut incapable.

« Je suis sûre que non », miaula-t-elle, mal à l'aise. Après tout, si l'eau était empoisonnée, Papillon ne pourrait de toute façon rien y faire. « Mais il vaut mieux ne pas leur en donner davantage.

— C'est sûr. » Contrariée, Papillon battit de la queue. « Maintenant, je suis bonne pour aller jusqu'au lac ! On se reverra à la prochaine Assemblée, Nuage de Feuille.

— Je l'espère, lança l'apprentie tandis que son amie dévalait la pente. Et lave-toi les pattes ! » ajouta-t-elle sans savoir si elle pouvait l'entendre.

Elle s'éloigna de la mare et s'essuya soigneusement les coussinets sur l'herbe au cas où le poison aurait imprégné la terre. Un peu plus loin, là où les racines des plantes ne risquaient pas d'absorber l'eau polluée, elle repéra une touffe de prêles.

*Tout ira bien une fois que nous serons dans notre nouveau territoire*, se dit-elle. Secouée par un frisson, elle jeta un coup d'œil vers Papillon.

Les intentions de la guérisseuse du Clan de la Rivière étaient bonnes, mais qu'arriverait-il à ceux qui avaient bu de cette eau ?

CHAPITRE 9

❧

GRIFFE DE RONCE se faufilait entre les arbres, la gueule ouverte pour repérer ses camarades de Clan parmi la foule des félins. Ce n'était pas facile : ils avaient voyagé ensemble si longtemps que les Clans avaient perdu leur odeur propre. Des guerriers couraient en tous sens pour aller saluer leurs amis des autres Clans avant le grand départ.

Le soleil était déjà à son zénith. Étoile de Feu était pressé de partir vers leur nouveau territoire. Il avait dépêché Griffe de Ronce pour s'assurer que personne n'était à la traîne.

Le jeune guerrier aperçut Poil de Souris, qui faisait ses adieux à Gros Ventre, du Clan de la Rivière. La guerrière du Clan du Tonnerre lui semblait amaigrie et épuisée.

« Hé, Poil de Souris ! lança-t-il. Étoile de Feu nous attend tous près de la souche. »

Il évita de lui donner un ordre direct. La vieille chatte avait un sale caractère, et il ne voulait pas lui donner l'occasion de s'en prendre à lui.

« D'accord, j'arrive. » Poil de Souris donna un coup de langue sur l'oreille de son ami. « Que le

Clan des Étoiles te garde, lui dit-elle. On se reverra à l'Assemblée.

— Au revoir », répondit Gros Ventre, qui la regarda s'éloigner avant de filer vers le bosquet où le Clan de la Rivière était réuni.

Griffe de Ronce faillit percuter Poil d'Écureuil, surgie de derrière un arbre.

« Je te cherchais, haleta-t-elle. Viens avec moi. »

Elle fit volte-face pour l'entraîner vers une petite fosse où Pelage d'Or et Plume de Jais les attendaient.

« Nous devons nous dire au revoir de façon solennelle, miaula-t-elle. La séparation des Clans marque pour de bon la fin de notre voyage. »

Le cœur de Griffe de Ronce se serra. Poil d'Écureuil avait raison. Leur quête avait pris fin. Ils avaient affronté le danger côte à côte et, au beau milieu de la peur, des ténèbres et du désespoir, ils avaient trouvé l'amitié véritable.

Le matou tacheté alla presser son museau contre les truffes de Plume de Jais et Pelage d'Or. Dans leurs yeux, il vit de la nostalgie.

« Nous n'oublierons jamais ce que nous avons accompli, murmura la guerrière écaille. Notre aventure nous a rendus plus forts. »

Les quatre guerriers restèrent un instant silencieux. Puis, la mine sombre, Plume de Jais déclara :

« On devrait être six. »

Griffe de Ronce se crispa en pensant aux deux félins qui ne rejoindraient jamais leur Clan : Jolie Plume, qui s'était sacrifiée, et Pelage d'Orage, resté dans les montagnes avec la Tribu de l'Eau Vive.

« Nous *sommes* six, murmura Poil d'Écureuil. Ils seront toujours avec nous, dans nos mémoires. »

Le regard de Plume de Jais se perdit au loin. D'une voix presque inaudible, il souffla :

« Parfois, les souvenirs ne suffisent pas. »

Pelage d'Or s'ébroua.

« Se lamenter ne sert à rien, dit-elle. Je ferais mieux d'y aller. On se reverra à l'Assemblée. »

Elle fila sans demander son reste tandis que les autres la saluaient de loin.

« Que le Clan des Étoiles vous accompagne, chuchota Plume de Jais, tête basse, avant de s'éloigner à son tour.

— Tu sais, on va faire un bout de chemin ensemble, lui rappela Griffe de Ronce. On doit traverser votre territoire pour atteindre le nôtre.

— Mais chacun de nous doit maintenant rester avec son Clan », rétorqua Plume de Jais avant de disparaître au sommet de la fosse.

Griffe de Ronce le regarda partir, impuissant. La perte de Jolie Plume semblait avoir convaincu le guerrier du Clan du Vent que l'amitié n'engendrait que du chagrin. En conséquence, il avait choisi la solitude.

Poil d'Écureuil fit glisser le bout de sa queue sur l'oreille du guerrier tacheté.

« Viens. Étoile de Feu va nous attendre. »

En chemin, ils croisèrent l'apprenti de Poil de Souris, Nuage d'Araignée, qui faisait ses adieux à deux apprentis du Clan de la Rivière. Poil d'Écureuil lui donna un petit coup de patte sur l'oreille pour lui indiquer de les suivre, sans quoi ils partiraient sans lui.

Le reste du Clan du Tonnerre, réparti en petits groupes, attendait déjà autour de la souche l'heure de se mettre en route.

Pelage de Poussière vérifiait que personne ne manquait à l'appel.

« On n'attend plus que Griffe de Ronce et Poil d'Écureuil, disait-il à Étoile de Feu au moment même où ces derniers arrivaient. Ainsi que Nuage d'Araignée... Oh, vous voilà ! Bien. Alors tout le monde est là, Étoile de Feu.

— Parfait. »

Le meneur bondit sur la souche, où Étoile de Jais se tenait déjà. Étoile du Léopard les rejoignit un instant plus tard, et Moustache traversa son Clan à toute vitesse pour s'asseoir entre les racines. Griffe de Ronce remarqua l'air satisfait de Griffe de Pierre, comme si l'ancien lieutenant se réjouissait que son rival n'ait pas pu prendre place à côté des autres chefs. Le guerrier tacheté frissonna. Les choses s'annonçaient mal pour le Clan du Vent.

Les autres félins s'agitaient nerveusement, trop impatients de découvrir leurs nouveaux territoires pour rester assis sagement à écouter leurs chefs.

« Tous les quatre, nous avons discuté des frontières possibles, lança Étoile de Jais. Nous allons vous faire part de nos décisions. »

Griffe de Ronce dressa les oreilles. N'était-il pas un peu tôt ? Après tout, sa patrouille n'avait pas eu la possibilité d'explorer les lieux en profondeur. Cependant, peut-être valait-il mieux définir à l'avance l'étendue de chaque territoire, pour éviter qu'un Clan réclame plus que sa part...

« Pelage d'Or nous a décrit un petit Chemin du

Tonnerre longeant la pinède, poursuivit Étoile de Jais. Il servira de frontière entre le Clan de l'Ombre et le Clan de la Rivière. De l'autre côté, la clairière traversée par une rivière nous séparera du Clan du Tonnerre.

— Nous ne savons pas jusqu'où remonte cette clairière, lui rappela Pelage d'Or. Il nous faudra marquer notre territoire dans la forêt même.

— Nous irons voir de quoi il retourne à notre arrivée, répondit Étoile de Jais.

— Alors cette clairière marquera également le début du territoire du Clan du Tonnerre, reprit Étoile de Feu. Et Griffe de Ronce nous a parlé d'un torrent qui serpentait au pied de la chaîne de collines, à l'orée des bois. Il fera une bonne frontière avec le Clan du Vent.

— Les terres du Clan de la Rivière commenceront ici, au territoire des chevaux, poursuivit Étoile du Léopard. Et s'étendront jusqu'au Chemin du Tonnerre à la lisière de la pinède.

— Le territoire du Clan du Vent partira donc d'ici, jusqu'au torrent mentionné par Étoile de Feu », miaula à son tour Moustache.

Voilà qui semblait juste. Chaque Clan posséderait un accès au lac et un vaste terrain de chasse abritant le gibier auquel il était le plus accoutumé.

« Ce n'est qu'une idée générale, ajouta Étoile de Feu. Nous devons nous familiariser avec cet endroit avant de marquer nos territoires. Nous annoncerons les frontières définitives à la prochaine Assemblée.

— Et essayons de le faire sans combattre, lança Écorce de Chêne. Avant d'arracher l'oreille d'un guerrier rival, n'oubliez pas que vos guérisseurs n'ont pas encore eu le temps de renouveler leurs réserves de remèdes. »

Une vague de murmures amusés parcourut l'assistance, et plus d'un félin acquiesça. Il leur semblait à présent inconcevable d'affronter les guerriers qui avaient vécu à leur côté la destruction de la forêt et le long périple à travers les montagnes.

« Allons-y, s'impatienta Étoile de Feu. Et que le Clan des Étoiles nous accompagne tous. » Il sauta sur le sol et se dirigea droit vers ses guerriers. « Griffe de Ronce, Poil d'Écureuil, ouvrez la voie, puisque vous connaissez le chemin. »

Le jeune félin s'inclina avant de prendre la tête du groupe, où il se sentit vraiment à sa place – après tout, il les avait menés jusque là. Ses camarades de Clan devaient lui être reconnaissants de tout ce qu'il avait fait pour eux. Et peut-être, oui, peut-être qu'Étoile de Feu comprendrait bientôt qu'il méritait d'être nommé lieutenant.

Peu après le départ, Moustache bondit vers eux.

« Je me disais qu'on pourrait faire route ensemble, proposa-t-il à Étoile de Feu. Après tout, nous allons dans la même direction.

— Bonne idée. »

Griffe de Ronce repéra Plume de Jais parmi les premiers guerriers du Clan du Vent, mais ce dernier ne lui accorda pas même un regard. Il allait d'un pas déterminé, droit vers la rive du lac en contrebas où ils prendraient un sentier menant jusqu'aux collines. Juste derrière son ami, il surprit le regard noir que Griffe de Pierre lançait à Moustache. Son hostilité venait-elle de sa jalousie ou de son déplaisir de cheminer avec le Clan du Tonnerre ? Impossible de le savoir.

Le Clan de la Rivière et le Clan de l'Ombre s'engagèrent dans la direction opposée. En plissant les yeux, Griffe de Ronce aperçut Plume de Faucon. Au même instant, ce dernier se tourna vers lui. Il murmura quelques paroles à son voisin et s'éloigna des siens pour venir voir son demi-frère.

« Griffe de Ronce. » Plume de Faucon inclina solennellement la tête comme le voulait la coutume, mais son regard bleu généralement glacé était pour une fois chaleureux. « Bonne chance pour la suite. Que le Clan des Étoiles te garde.

— Qu'il te garde aussi.

— J'ai hâte qu'on se revoie aux Assemblées. » Il dévisageait Griffe de Ronce comme s'il voulait en dire plus, mais le miaulement d'un de ses camarades lui fit tourner la tête. Les deux Clans avaient presque atteint la rive du lac et, s'il n'y prenait garde, il allait se laisser distancer. « Je dois y aller, ajouta-t-il. À la prochaine Assemblée. »

Il cligna des yeux avant de rejoindre son Clan à toute allure.

« À la prochaine Assemblée ! » répéta Griffe de Ronce.

Son cœur se serra : l'occasion de mieux connaître son demi-frère était passée.

« Ça y est, on peut y aller ? gémit Poil d'Écureuil. Ou bien comptes-tu passer la journée à papoter ?

— Il essayait juste de se montrer amical ! rétorqua Griffe de Ronce.

— Amical ? cracha-t-elle tandis que ses yeux lançaient des éclairs. On se passera très bien de son amitié. T'as vu la façon dont il a voulu s'approprier l'île ?

— Il n'a rien voulu s'approprier. Personne d'autre ne s'en servira. Il voulait simplement le meilleur pour son Clan.

— Si tu crois ça, c'est que tu es prêt à avaler n'importe quoi. »

Sur ces mots, Poil d'Écureuil lui tourna le dos, la queue bien haute, et reprit son chemin. Il la suivit. Le pelage de la rouquine s'était hérissé. Des crampes douloureuses nouèrent l'estomac du guerrier. De toutes les amitiés nées au cours de leur long voyage, celle-là aurait dû résister à la séparation des Clans, non ? Au lieu de quoi, elle s'était évanouie aussi vite que la rosée aux premiers rayons du soleil parce qu'elle ne supportait pas de le voir parler à son demi-frère. Si elle pensait qu'il préférait se lier avec Plume de Faucon plutôt qu'avec elle, elle se trompait. C'était d'elle dont il avait besoin plus que tout. Depuis leur querelle, elle lui manquait tant qu'il en aurait hurlé.

Le Clan du Tonnerre et le Clan du Vent, qui passèrent discrètement devant la clôture des chevaux, longèrent la rive et grimpèrent la colline jusqu'à mi-hauteur pour pouvoir admirer les eaux étincelantes du lac. Griffe de Ronce discerna en contrebas, près de l'île, deux groupes de petits points mouvants : les Clans de l'Ombre et de la Rivière. À cette distance, il ne pouvait identifier les félins, mais il savait que sa sœur, son demi-frère et sa demi-sœur étaient parmi eux. Malgré les problèmes que Plume de Faucon créait entre lui et Poil

172

d'Écureuil, il leur souhaita en son for intérieur bonne chance.

Les guerriers cheminèrent de concert à flanc de colline jusqu'à un étroit défilé où la roche affleurait entre les touffes d'herbe et où un filet d'eau s'écoulait sur les pierres.

Moustache rassembla son Clan autour de lui d'un signe de la queue.

« Nous vous laissons, dit-il à Étoile de Feu. En passant par là, nous devrions atteindre le camp que Plume de Jais nous a trouvé. Le Clan du Vent vous remercie sincèrement, ajouta-t-il en baissant la tête. Sans vous, nous n'aurions jamais vu la couleur de ces collines. »

Devant Griffe de Ronce, un guerrier du Clan du Vent feula. Il devina qu'il s'agissait de Griffe de Pierre : le matou brun ne supportait pas qu'on mentionne la dette du Clan du Vent envers le Clan du Tonnerre.

Étoile de Feu fit glisser le bout de sa queue sur l'épaule de Moustache et lui murmura à l'oreille :

« Sois tranquille. Maintenant, tout ira bien. En cas de problème, fais-moi signe. Le Clan du Tonnerre t'aidera avec plaisir. »

Griffe de Ronce l'entendit malgré lui. Il recula pour que son chef ne le soupçonne pas d'indiscrétion. Le guerrier tacheté fut saisi de frissons. Maintenant qu'il était chef, Moustache ne devait plus compter sur l'aide d'un Clan rival ! Pourtant, il savait qu'Étoile de Feu et Griffe de Ronce avaient été les deux seuls autres témoins des paroles d'Étoile Filante, et il comptait sur eux pour soutenir son autorité alors même qu'elle ne serait peut-être pas approuvée par le Clan des Étoiles.

Les deux meneurs se saluèrent, imités par bien des guerriers. Puis le Clan du Vent se lança dans l'ascension du défilé. Les chats du Clan du Tonnerre les regardèrent un instant. Griffe de Ronce remarqua que Nuage de Feuille, qui portait un ballot d'herbes dans la gueule, les contemplait la tête penchée de côté. Le Clan des Étoiles l'avait-il informée que des difficultés attendaient le Clan du Vent ? Avant qu'il ait pu l'interroger, Étoile de Feu appela au rassemblement.

À présent que le Clan du Tonnerre se retrouvait seul, le lac et ses alentours semblaient plus impressionnants encore, plus menaçants aussi. Le pelage hérissé, Griffe de Ronce scrutait le moindre rocher, la moindre souche susceptibles de dissimuler un ennemi. Sachant que sa patrouille pourrait se défendre, il n'avait pas éprouvé cette impression de danger permanent lors de l'exploration. Maintenant, il s'inquiétait pour la sécurité de son Clan tout entier.

Étoile de Feu partageait visiblement ses craintes.

« Que chaque guerrier reste sur ses gardes, lança-t-il, avant d'ajouter plus doucement : Poil de Fougère, Pelage de Poussière, surveillez le flanc côté lac. Flocon de Neige et Cœur Blanc, prenez l'autre côté. Tempête de Sable et Poil de Châtaigne, restez en arrière et assurez-vous que personne ne se laisse distancer. »

Les guerriers se mirent en position et le Clan reprit son chemin. Les miaulements joyeux et les bavardages cessèrent peu à peu. Les félins progressaient en silence, sur le qui-vive.

La lumière, froide et grise, commençait déjà à décliner lorsqu'ils parvinrent au torrent qui coulait au pied d'une pente douce. Sur l'autre rive, s'étendaient les bois où Poil d'Écureuil avait découvert la combe rocheuse. Nerveux, Griffe de Ronce agita les oreilles : que penseraient leurs camarades de leur nouveau camp ?

« On a traversé ce cours d'eau, la dernière fois, marmonna Poil d'Écureuil lorsqu'ils firent halte sur la berge. De l'autre côté, on sera vraiment sur le territoire du Clan du Tonnerre !

— Si nous décidons d'en faire notre frontière, lui rappela Griffe de Ronce. Rien n'est décidé. »

Le torrent était trop large pour être franchi d'un bond. Les félins hésitaient, cherchant des yeux des pierres émergées ou des branches susceptibles de les aider. Tandis que le crépuscule transformait peu à peu la forêt en une masse d'ombres bruissantes, Griffe de Ronce sentit monter l'anxiété de ses camarades. Fleur de Bruyère enroula sa queue autour de Petit Frêne pour l'empêcher de s'approcher de l'eau, et même les apprentis semblaient épouvantés.

« Tu as pensé à Longue Plume ? l'interpella Poil de Souris. Comment crois-tu qu'il va passer ?

— Crotte de souris ! grommela Poil d'Écureuil. On ferait mieux de remonter vers le gué. C'était plus facile.

— Non, attends », miaula Griffe de Ronce. Ils n'avaient pas le temps de faire un détour s'ils voulaient atteindre la combe avant la nuit. « L'eau n'a pas l'air profonde. Voyons un peu si on a pattes. »

Il plongea une patte dans l'eau, frémit aussitôt à son contact glacé, puis se força à avancer dans le courant. Le fond, tapissé de graviers, s'inclinait doucement. À l'endroit le plus profond, l'eau atteignait à peine son ventre.

« Venez ! lança-t-il en bondissant sur la rive opposée, avant de se secouer les pattes. C'est sans risque ! »

Quelques cris de protestations fusèrent.

« Si tu crois que je vais me mouiller les pattes, c'est que des abeilles te bourdonnent dans la tête ! » maugréa Poil de Souris.

Griffe de Ronce soupira. Atteindre le gué un peu plus haut sur la colline leur prendrait beaucoup de temps, et si le Clan devait tâtonner dans les ténèbres à la recherche de son nouveau camp, certains risquaient de le découvrir de la même façon que Poil d'Écureuil : en tombant de l'à-pic. À son grand soulagement, Étoile de Feu fit signe à ses guerriers.

« Allons, venez ! s'impatienta-t-il. Nous sommes arrivés jusqu'ici. Nous n'allons pas laisser un simple torrent nous arrêter, tout de même ? »

Un par un, les félins entamèrent la traversée. Flocon de Neige et Tempête de Sable passèrent les premiers, pataugeant doucement dans l'eau, leur queue dérivant de côté, emportée par le courant. Pelage de Poussière porta ensuite Petit Frêne, la tête basculée en arrière pour éviter de mouiller le chaton. Poil de Fougère et Poil de Châtaigne guidèrent Longue Plume dans l'eau. Poil d'Écureuil finit par persuader Poil de Souris de les suivre en lui promettant qu'elle dormirait bientôt au chaud dans une tanière garnie de mousse. La vieille guerrière ne cessa pas un instant de grommeler et, parvenue de l'autre côté, elle s'ébroua en décochant un regard assassin à Griffe de Ronce. Derrière elle, Poil d'Écureuil leva les yeux au ciel. Elle n'avait pas l'air pressée d'aller lui chercher la litière promise.

Étoile de Feu traversa le dernier.

« Bien, fit-il en rejoignant Griffe de Ronce. Où est-il, ce camp ? »

Le guerrier tacheté se tourna vers la rouquine. Ils n'étaient pas arrivés de ce côté et, dans le clair-obscur, tout semblait différent. La jeune guerrière n'était visiblement pas plus certaine que lui de la direction à prendre. Elle soutint son regard en secouant imperceptiblement la tête.

Le guerrier huma l'air. Il lui fallait établir leur position d'après le torrent et la pente de la colline.

« C'est par là », miaula-t-il, moins convaincu en fait qu'il voulait le paraître.

Le Clan le suivit entre les arbres. Griffe de Ronce vint se placer près de Poil d'Écureuil.

« Et si nous n'arrivons pas à le retrouver ? » demanda-t-il à voix basse.

Les yeux verts de la guerrière étincelèrent dans l'ombre.

« Alors nous aurons un paquet de chats furieux sur le dos. Arrête de t'en faire. Il est quelque part par là. La première fois, on l'a trouvé sans même le chercher ! »

C'était précisément ce qu'il redoutait : qu'ils ne trouvent la combe qu'après un accident. Il se sentit soudain très petit et vulnérable au milieu des troncs gris qui se dressaient de toute part. *Et si nous trouvons le camp, est-ce qu'il plaira aux autres ?* se demanda-t-il encore, proche soudain du désespoir.

Des grognements incertains lui parvenaient à mesure que les autres prenaient conscience qu'ils ne suivaient pas un chemin précis. Soudain, Poil d'Écureuil dressa les oreilles.

« Regarde ! s'écria-t-elle. Cette trouée entre les arbres, là-bas, avec la touffe de fougères mortes... Elle me dit quelque chose !

— Tu es sûre ? »

Sans lui répondre, elle bondit. Il la suivit dans une petite clairière et s'arrêta aussi sec devant le roncier où elle était tombée la première fois.

Cette fois, elle s'était arrêtée à temps.

« C'est ici ! » cria-t-elle, les yeux brillants. Elle se tourna vers le reste du Clan. « Venez, on est arrivés ! »

Nuage d'Araignée poussa un cri enthousiaste et se précipita vers les ronces. Griffe de Ronce le regarda faire, horrifié. Ils avaient retrouvé la combe, mais l'entrée était ailleurs !

« Reviens ! » ordonna Poil de Souris à son apprenti.

Pas de réponse. Apercevant la longue queue noire du jeune matou qui ondulait dans les buissons, Griffe de Ronce se rua vers lui mais Poil d'Écureuil fut plus rapide.

« Non ! » feula-t-elle en plongeant entre les épines.

Le guerrier tacheté se glissa entre les branches et les trouva au bord de l'à-pic. Elle avait cloué l'apprenti au sol, une patte sur son cou. Après un tel effort, ses flancs se soulevaient rapidement.

Couché sur le dos, l'apprenti jeta un coup d'œil en contrebas, et écarquilla les yeux.

« Stupide boule de poils ! s'exclama-t-elle. Tu veux te briser la nuque ?

— Désolé, marmonna Nuage d'Araignée. Tu as dit qu'on était arrivés, alors j'ai pensé... »

Poil d'Écureuil lui assena un coup de patte sur l'oreille, sans sortir les griffes.

« Retourne avec les autres, ordonna-t-elle d'une voix rauque. La prochaine fois, tu penseras un peu moins et tu écouteras un peu plus ! »

Griffe de Ronce faillit pouffer en entendant sa camarade répéter les remontrances qu'elle avait elle-même reçues si souvent. Il attendit qu'ils se soient extirpés des ronces pour sortir à son tour.

« Que se passe-t-il ? s'enquit Fleur de Bruyère, la mère de Nuage d'Araignée. Y a-t-il quelque chose de dangereux dans ces buissons ? Pourquoi ne pas nous avoir prévenus plus tôt ?

— Euh... nous avons trouvé le camp, miaula le jeune guerrier, embarrassé. Il se trouve dans une combe, derrière ces ronces. Ce n'est pas dangereux quand on sait où est le bord, se pressa-t-il d'ajouter. Venez voir. Hé, pas par là ! » gronda-t-il en voyant Nuage Ailé, curieuse, sautiller vers les buissons.

Poil d'Écureuil et lui guidèrent leur Clan en bas de la pente, serpentant entre les taillis et les noisetiers jusqu'à la brèche dans l'enceinte de pierre. Inquiet, Griffe de Ronce regarda ses camarades s'engager les uns après les autres à l'intérieur de la fosse et lever la tête vers les hautes parois. Le ciel était presque noir. Comme des nuages voilaient la lune, l'endroit semblait lugubre. Les ronces et les aubépines, plus nombreuses que dans son souvenir, rendaient l'atmosphère oppressante. Certains buissons seraient utiles comme cachettes, mais les autres devraient être dégagés.

Poil de Souris fut la première à s'exprimer.

« Ça, un camp, vous voulez rire ? Où sont les tanières ? Les taillis sont tellement denses que même un serpent ne pourrait y ramper !

— Hé ! protesta Poil d'Écureuil. Tu ne t'attendais tout de même pas à ce que le Clan des Étoiles ait fait tout le travail ? Je sais que nous avons une rude tâche à accomplir, mais le camp sera très facile à défendre, avec toutes ces parois.

— Moi, je le trouve extra, intervint Cœur d'Épines. On y installera facilement des tanières et une pouponnière.

— Je veux l'explorer ! s'exclama Nuage Ailé en sautillant sur place. On peut, Poil de Fougère ? S'il te plaît ?

— Attends demain. Il fera jour », répondit-il en lui donnant un petit coup de museau.

Bouton-d'Or avait passé sa queue autour des épaules de Longue Plume.

« C'est une grande clairière protégée par des murs de pierre, lui décrivit-elle. Il fait sombre, mais j'ai l'impression que ces murs sont couverts de fougères et de mousse. Entends-tu le clapotis ? C'est un filet d'eau qui ruisselle sur les rochers, sans doute dû aux eaux de pluie. Même si la combe regorge de ronces et d'aubépines, il y a largement la place pour le Clan.

— Dans ce cas, le Clan des Étoiles nous a choisi

un endroit formidable, miaula l'aveugle. Je m'imagine tout à fait vivre ici. »

Leur optimisme remonta le moral de Griffe de Ronce, même si tous ne le partageaient pas. Fleur de Bruyère inspectait l'endroit avec beaucoup de réticence et Pelage de Suie ne cachait pas son irritation tandis qu'il flairait le sol.

« Je suis sûre que ces buissons sont froids, humides et bourrés de tiques », râla Poil de Souris.

Poil d'Écureuil plissa les yeux, une réponse cinglante à la bouche, mais Tempête de Sable la retint en lui donnant du bout de la queue une pichenette sur l'oreille.

« Allez, cette combe est tout ce dont nous avons besoin, répondit la guerrière avec entrain. Ces parois nous protégeront du mauvais temps. Et comme tu l'as dit, Poil d'Écureuil, le camp sera facile à défendre.

— Il faudra d'abord qu'on s'occupe de ce trou, ajouta Pelage de Poussière en montrant l'entrée d'un signe de tête. Le Clan de l'Ombre tout entier pourrait débouler par là en moins de temps qu'il ne faut pour le dire. »

Si Griffe de Ronce s'était fait les mêmes réflexions quand il avait découvert la fosse, son agacement n'en était pas moins grand. Ses camarades s'attendaient-ils donc à trouver un camp parfait déjà aménagé ?

« Il est trop tard pour entreprendre quoi que ce soit, miaula Étoile de Feu. Et il fait bien trop sombre. Mais tu as raison, c'est l'emplacement idéal, dit-il à Griffe de Ronce. Attendons de le voir au grand jour pour nous décider. Pelage de Poussière,

Cœur d'Épines, vérifiez que l'endroit n'est pas occupé par des renards ou des blaireaux. Les autres, vous pouvez chercher un endroit où dormir. »

Les deux guerriers partirent chacun de son côté. Ils humaient l'air à chaque pas, et scrutaient la moindre fissure dans la pierre, le moindre buisson touffu.

« Et pour le gibier ? demanda Perle de Pluie. On ne va quand même pas se coucher le ventre vide ! »

Un ou deux félins reprirent sa question en chœur. Griffe de Ronce sentit que sa fourrure s'agitait sur sa nuque.

« Il n'y a pas si longtemps, on allait se coucher le ventre vide tous les soirs », marmonna Poil d'Écureuil à son oreille. Elle semblait aussi déçue que lui par la réaction de leurs camarades. « Pourquoi est-ce qu'ils se plaignent autant ?

— Nous avons mangé à volonté depuis notre arrivée au lac, lui rappela-t-il. Nos estomacs se sont réhabitués à être pleins. Mais cela ne tuera personne d'attendre demain matin pour chasser.

— Des patrouilles partiront à l'aube », promit Étoile de Feu.

Sa réponse fut accueillie par des grognements, qui cessèrent à mesure que les guerriers partaient se chercher une tanière pour la nuit.

« Griffe de Ronce, connais-tu un bon endroit pour Petit Frêne ? s'enquit Fleur de Bruyère, inquiète. J'ai peur qu'il attrape le mal blanc s'il ne dort pas au chaud.

— Je ne sais pas trop, admit-il, mais je vais t'aider. Peut-être parmi les ronces près de la muraille…

« — Et la mousse pour nos litières, elle est où ? renchérit Poil de Souris. On n'est quand même pas censés dormir à même le sol ? Poil d'Écureuil m'avait juré qu'une tanière confortable m'attendait de l'autre côté de ce fichu torrent.

— Je ne peux pas tout faire ! s'emporta le guerrier tacheté, à bout de patience. Il faudra te débrouiller avec ce qu'on a ici pour ce soir. »

Poil de Souris montra ses crocs, avant de lui tourner le dos. En levant les yeux, Griffe de Ronce vit qu'Étoile de Feu l'observait. Son regard ne trahissait aucune expression, mais le jeune guerrier savait que s'emporter contre l'un des membres les plus âgés de son Clan n'était pas le meilleur moyen de devenir lieutenant.

« Désolé, marmonna-t-il en suivant Poil de Souris. Je viendrai t'aider dès que je me serai occupé de Fleur de Bruyère, d'accord ?

— Non, je m'en charge, intervint Poil de Fougère en pressant son museau dans la fourrure de Poil de Souris. N'en veux pas à Griffe de Ronce, lui dit-il. Il fait tout son possible.

— C'est-à-dire pas grand-chose, soupira-t-elle.

— Tu te sentiras mieux après une bonne nuit de sommeil. Viens, allons voir les fougères, là-bas. »

Le matou au pelage brun doré l'entraîna vers le mur de pierre en jetant un regard plein de sympathie à Griffe de Ronce. Le guerrier tacheté fut pris de pitié pour la vieille guerrière. Elle n'était pas si désagréable, d'ordinaire ; le périple l'avait sans doute épuisée et, comme tous les autres, elle devait appréhender leur nouvelle vie sur ce territoire inconnu.

Alors qu'il aidait Fleur de Bruyère à chercher un nid pour son petit, il se remémora la façon dont Poil de Fougère avait traité Poil de Souris. Il avait gardé sa bonne humeur et son calme face à la vieille chatte acariâtre. Sans compter qu'il avait passé des lunes à servir son Clan ; cela signifiait-il qu'il méritait plus que lui d'être lieutenant ? Griffe de Ronce se dandina sur place, mal à l'aise. Il n'y avait pas que Poil de Fougère : bien d'autres avaient été faits guerriers avant lui, comme Pelage de Poussière et Flocon de Neige.

Mais un autre facteur pourrait empêcher Griffe de Ronce de devenir un jour lieutenant. Il portait un fardeau que nul autre guerrier du Clan du Tonnerre ne partageait : Étoile du Tigre. Le jour où les Clans avaient quitté la forêt pour de bon, Étoile de Feu avait déclaré que tous les enfants d'Étoile du Tigre avaient gagné leur place au sein de leurs Clans. À cet instant, il cherchait à convaincre Plume de Faucon et Papillon de rester dans le Clan de la Rivière plutôt que d'aller vivre avec Sacha, leur mère, qui était une chatte errante. Mais Griffe de Ronce savait que son chef pensait aussi à lui et à sa sœur, Pelage d'Or. Pourtant, personne ne pouvait oublier l'inimitié entre Étoile de Feu et Étoile du Tigre : le feu de leur haine réciproque avait failli se propager aux quatre Clans de la forêt et les détruire. Il doutait donc que son meneur pût un jour le regarder sans apercevoir en lui le fantôme de son pire ennemi.

Le temps qu'il trouve un endroit pour Fleur de Bruyère et son fils dans les ronces et aille leur chercher des fougères sèches pour leur litière, la plupart des membres du Clan s'étaient déjà installés pour la nuit. D'instinct, il chercha Poil d'Écureuil et la repéra en compagnie d'autres jeunes guerriers.

Il l'appela mais, si elle l'entendit, elle ne répondit pas. Elle se roula en boule près de Pelage de Granit, sa fourrure roux sombre se mêlant aux poils gris du jeune mâle. Le matou tacheté avança d'un pas, avant de se raviser. Si elle attendait qu'il s'excuse d'avoir parlé à Plume de Faucon, elle pouvait toujours courir.

Il passa près de sa mère, Bouton-d'Or, installée à côté de Longue Plume. Les yeux fermés, la queue posée sur le museau, l'aveugle semblait déjà endormi.

« Haut les cœurs ! lança la chatte. Tout va bien se passer, je le sais. »

Griffe de Ronce se laissa tomber près d'elle, trop épuisé pour feindre la bonne humeur.

« Ça irait déjà mieux si tout le monde montrait un peu plus d'enthousiasme », gémit-il.

Bouton-d'Or fourra sa truffe dans le pelage de son fils et émit un ronron affectueux.

« Nous sommes à bout de force. À quoi t'attendais-tu donc ? Nous savons tous ce que tu as fait pour nous. Si nous étions restés dans la forêt, nous serions morts à présent. Tu nous as menés jusqu'ici. Nous sommes enfin en sécurité.

— Je sais, mais…

— Ce n'est peut-être pas comme ça que tu imaginais la fin du voyage… Peu importe. »

Elle lui donna un petit coup de langue sur les oreilles. L'espace d'un instant, Griffe de Ronce se crut redevenu chaton ; il aurait voulu être de retour dans la pouponnière avec Pelage d'Or, à l'époque où les soucis n'existaient pas, où les seules questions concernaient l'heure du repas et le temps qui permettait ou non d'aller jouer dehors.

« Dors, lui conseilla sa mère qui, en s'éloignant, mit fin à l'illusion. À la lumière du jour, nous y verrons plus clair. »

## CHAPITRE 10

Nuage de Feuille et Museau Cendré s'étaient abritées sous un surplomb au fond de la combe.

« Nous devrons nous en contenter pour le moment, déclara la guérisseuse. Il nous faudrait une vraie caverne, où stocker nos réserves, comme dans notre ancienne forêt. »

La jeune chatte tigrée trouva un endroit sec pour les prêles qu'elle avait rapportées du marais.

« Repose-toi bien cette nuit, lui conseilla son mentor en se roulant en boule. Nous aurons fort à faire demain matin. »

L'apprentie savait que le sommeil ne viendrait pas tant qu'elle n'aurait pas posé la question qui la tourmentait.

« Museau Cendré ? Tu crois que nous sommes vraiment au bon endroit ? demanda-t-elle en s'armant de courage. C'est bien ici que le Clan des Étoiles nous attendait ?

— Nous le saurons lorsque les guerriers de jadis seront prêts à nous le dire, répondit la guérisseuse dans un bâillement. Maintenant, arrête de te tracasser, et dors. »

Elle enfouit sa truffe sous sa queue et sa

respiration se fit plus lente, plus régulière. Nuage de Feuille ne s'endormit pas si facilement. Les pattes repliées sous elle, elle contemplait la combe plongée dans les ténèbres. *Clan des Étoiles, êtes-vous là ?* gémit-elle en son for intérieur. Mais seules une ou deux étoiles solitaires perçaient la couche de nuages. L'apprentie avait l'impression que ses ancêtres étaient trop loin pour pouvoir veiller sur elle et les siens.

Elle dut s'assoupir, puisqu'elle rêva. Elle se trouvait sur le flanc d'une colline, les yeux rivés au reflet de la Toison Argentée sur la surface noire du lac. L'île aurait dû n'être qu'une tache sombre parmi d'autres, mais le clair de lune l'illuminait. Nuage de Feuille avait l'impression que cet endroit l'appelait. *Mais nous ne pouvons pas y aller,* se rappela-t-elle. *Tout le monde ne sait pas nager comme le Clan de la Rivière.*

Une brise légère se leva, sifflant doucement au-dessus du lac étoilé, et vint ébouriffer sa fourrure. Un nouvel espoir se leva en elle, malgré le silence des guerriers de jadis. Elle ne s'inquiétait pas. Ils ne s'étaient pas non plus manifestés durant leur long périple à travers les montagnes, et elle avait appris que, parfois, l'on ne peut compter que sur ses propres ressources. Tout se passerait bien si ses camarades et elle y mettaient tout leur cœur. Ils aménageraient le camp dans la combe et explore-raient chaque partie des bois jusqu'à ce que les coins les plus giboyeux, les points d'eau où la mousse abondait, les endroits les plus propices aux herbes médicinales, et les terrains où ils pourraient se pré-lasser au soleil n'aient plus de secrets pour eux.

Pour l'instant, ce territoire inconnu les intimidait, mais ils s'y sentiraient bien très vite.

« Museau Cendré ! Museau Cendré ! »

Nuage de Feuille se réveilla en sursaut. Il faisait encore sombre. Poil de Châtaigne avait passé la tête sous le surplomb pour appeler la guérisseuse. Dans la combe, résonnait la plainte déchirante d'un chat souffrant le martyre.

« Que se passe-t-il ? s'enquit l'apprentie qui se leva tant bien que mal pour réveiller Museau Cendré à petits coups de museau.

— C'est Poil de Souris. Elle dit qu'elle a mal au ventre.

— J'arrive, miaula Museau Cendré en bâillant.

— Nous aurons besoin de menthe aquatique ou de baies de genièvre, ajouta Nuage de Feuille. Il y en avait plein de l'autre côté du lac. Veux-tu que j'aille en chercher ?

— Il vaudrait mieux en trouver plus près, répondit son mentor, l'air grave. Mais s'il nous en faut avant le lever du jour, alors oui, tu devras y retourner. »

Elles suivirent Poil de Châtaigne dans la fosse, jusqu'au bouquet de fougères où Poil de Souris avait fait son nid. Nuage de Feuille flaira l'air, guettant l'odeur des plantes nécessaires, mais il lui était impossible de repérer leurs senteurs parmi toutes les autres, surtout dans la combe qui sentait le félin à présent.

La vieille guerrière était couchée sur le flanc, le corps tordu de douleur, les mâchoires entrouvertes qui laissaient échapper ses gémissements.

« Je suis là, la rassura la guérisseuse. Sais-tu ce qui t'a rendue malade ? As-tu mangé de la chair à corbeau ? »

La vieille chatte cligna ses yeux vitreux.

« De la chair à corbeau ? Bien sûr que non, articula-t-elle péniblement. Tu me prends pour une cervelle de souris ? Mon ventre... »

Ses paroles se perdirent dans une nouvelle plainte.

Une idée terrible s'insinua dans l'esprit de Nuage de Feuille. Elle fit signe à Museau Cendré de la rejoindre à l'écart et lui murmura :

« Poil de Souris a dû boire l'eau que Papillon avait rapportée. Je pense qu'elle était souillée. Elle sentait mauvais, et lorsque Papillon m'a montré la mare où elle l'avait puisée, j'y ai vu un cadavre de lapin. »

Museau Cendré poussa un soupir exaspéré.

« Et elle n'a pas pensé à... Bref, ce qui est fait est fait.

— Comment allons-nous la soigner ? s'inquiéta Nuage de Feuille.

— Bouton-d'Or et Longue Plume en ont peut-être bu eux aussi, répondit la guérisseuse. Poil de Châtaigne, peux-tu aller vérifier qu'ils vont bien ? »

La guerrière écaille hocha la tête et disparut dans la nuit.

« Reste immobile, Poil de Souris, ordonna Museau Cendré. Laisse-moi palper ton ventre. »

Elle la tapota doucement du bout des pattes : l'estomac de la vieille chatte était anormalement distendu.

« Tu n'as pas quelques plantes à me donner ? implora Poil de Souris.

— Malheureusement, nous n'avons pas eu le temps de reconstituer nos réserves. »

La malade ouvrit la bouche pour répondre, mais ce furent des vomissements qui s'en échappèrent.

« C'est peut-être bon signe, déclara la guérisseuse. Au moins, elle élimine le poison. »

Nuage de Feuille acquiesça. Elle se sentait parfaitement inutile. Poil de Souris souffrait parce que, privées de leurs remèdes, les guérisseuses demeuraient impuissantes.

« Nous devrons trouver des herbes dès les premières lueurs de l'aube, miaula-t-elle. Surtout de la menthe aquatique et des baies de genièvre. J'en porterai aux autres Clans, au cas où. »

Surprise, Museau Cendré écarquilla les yeux. Nuage de Feuille se crispa. Elle avait pris l'habitude de considérer les quatre Clans comme un seul, où l'on partageait problèmes et solutions. Il lui semblait naturel de les aider si leurs aînés souffraient du même mal que Poil de Souris. Mais, maintenant que les frontières entre les Clans étaient rétablies, sa générosité devenait-elle une marque de déloyauté ?

« On devrait au moins vérifier que le Clan du Vent se porte bien, insista-t-elle. Ce sont eux les plus faibles, ils courent le plus grand danger.

— Entendu. Tu pourras t'y rendre à l'aube, mais tu ferais mieux d'emmener un guerrier avec toi. Nous en parlerons à Étoile de Feu dès que possible. Alors ? lança-t-elle en voyant Poil de Châtaigne revenir.

— Bouton-d'Or dit qu'elle a eu mal au ventre, mais que tout va bien depuis qu'elle a vomi, rapporta la guerrière. Longue Plume dort encore. Il avait l'air normal, alors je ne l'ai pas réveillé.

— Merci. Longue Plume est plus jeune, il est donc plus fort. Je lui parlerai dès son réveil.

— Papillon pensait bien faire », murmura Nuage de Feuille, craignant que son amie ait des problèmes parce qu'elle n'avait pas repéré le lapin au fond de la mare.

À son grand soulagement, Museau Cendré ne semblait pas en vouloir à la jeune guérisseuse.

« Je sais. Tout le monde peut commettre une erreur. » Son expression s'assombrit lorsqu'elle poursuivit : « Papillon a moins d'expérience que les autres guérisseurs, et plus de mentor pour la guider depuis la mort de Patte de Pierre. J'espère pour le bien du Clan de la Rivière qu'elle ne répétera pas ce genre d'erreurs trop souvent. Elle aura besoin de toute l'aide du Clan des Étoiles, c'est certain. »

Affaiblie par ses vomissements, mais un peu soulagée, Poil de Souris parvint à s'endormir. Poil de Châtaigne resta près d'elle pour la veiller.

Le ciel virait déjà au gris derrière les arbres au sommet de l'à-pic. Museau Cendré et son apprentie partirent à la recherche d'Étoile de Feu.

Le vent faisait claquer les branches nues et effilochait les nuages. Abrités par l'enceinte de pierre, les buissons ne bougeaient pas dans la combe. Les félins qui n'avaient pas été réveillés par les cris de Poil de Souris émergèrent dans un endroit qui s'était métamorphosé durant la nuit. Nuage de

Feuille les entendit se saluer joyeusement. Petit Frêne surgit d'un roncier pour bondir sur une feuille morte. Voir le chaton jouer comme jadis remonta le moral de l'apprentie, qui remercia silencieusement le Clan des Étoiles.

Les deux chattes trouvèrent leur chef au milieu d'une petite clairière. Il avait déjà rassemblé quelques guerriers autour de lui.

« Nous devons marquer nos frontières sans attendre, déclara Pelage de Poussière. Sinon, les Clans du Vent et de l'Ombre revendiqueront nos terres et le gibier qui s'y trouve.

— Il faut aussi explorer le territoire, ajouta Tempête de Sable. Pour ce que nous en savons, ce bois grouille peut-être de renards et de blaireaux.

— Tu oublies les faucons, renchérit Cœur d'Épines.

— C'est vrai, reconnut la chatte. Je m'occupe d'organiser les patrouilles de chasse, si tu le souhaites », proposa-t-elle à Étoile de Feu.

Le meneur la remercia d'un hochement de tête. Nuage de Feuille se sentit toute fière que sa mère fût l'un des meilleurs chasseurs du Clan.

« Je me charge de la protection du camp, intervint Pelage de Poussière en agitant les oreilles. Cette entrée béante ne me dit rien qui vaille. Avec l'aide des apprentis, j'essayerai de la colmater avec des branchages.

— Et moi, j'emmènerai des patrouilles pour marquer les frontières, proposa Griffe de Ronce.

— C'est une lourde responsabilité, déclara Étoile de Feu. D'autant plus que nous ignorons où elles se situeront. Poil de Fougère, tu veux bien l'aider dans sa tâche ? »

Le guerrier au pelage brun doré acquiesça.

« Flocon de Neige, je veux que tu emmènes une patrouille pour inspecter les abords du camp, ordonna ensuite le rouquin. Au moindre doute, viens me faire un rapport. Nous ne devons pas penser qu'aux frontières, mais aussi à ce que nous trouverons à l'intérieur. »

Le guerrier blanc accepta la mission en faisant onduler sa queue.

« Et moi ? » demanda Cœur d'Épines.

Museau Cendré s'avança en boitillant.

« Excusez-moi de vous interrompre, miaula-t-elle. Mais nous avons un problème. » Elle évoqua en quelques mots le mal de Poil de Souris. « Je veux partir tout de suite à la recherche des remèdes appropriés, expliqua-t-elle, et en emporter un peu au Clan du Vent. Tous les Clans ont bu de cette eau, mais nos voisins des collines sont les plus faibles. »

Étoile de Feu réfléchit un instant avant de répondre. Nuage de Feuille se demanda s'il hésitait à consacrer du temps et de l'énergie à aider un Clan rival, alors qu'ils s'étaient installés sur leurs nouveaux territoires.

« Nous ne pouvons les laisser souffrir si nous avons les moyens de l'éviter, insista la guérisseuse.

— Tous les guérisseurs savent traiter ce genre de douleurs, lui rappela-t-il. Mais tu as raison, Museau Cendré. Le Clan du Vent a suffisamment souffert. Leurs chatons et leurs anciens seront les plus vulnérables. Cœur d'Épines t'accompagnera.

— Merci. Je vais juste examiner Poil de Souris et les autres avant de partir. »

Nuage de Feuille suivit son mentor jusqu'au nid de la malade. Elle dormait profondément, tandis que Poil de Châtaigne somnolait à son côté. Longue Plume et Bouton-d'Or les avaient rejoints. L'ancienne dormait elle aussi, mais l'aveugle releva la tête à leur approche et inclina les oreilles vers eux comme s'il avait recouvré la vue.

« Salutations, Museau Cendré, Nuage de Feuille. »

La novice savait qu'il les avait reconnues à leur odeur, mais cela ne l'empêcha pas d'avoir pitié de lui. Poil de Châtaigne ouvrit les yeux avant de se dresser sur ses pattes.

« Je crois que tout va bien, déclara-t-elle. Poil de Souris dort depuis votre départ.

— Son odeur est presque normale, ajouta Longue Plume. Celle de Bouton-d'Or aussi, mais je pense qu'elle avait de toute façon bu moins d'eau. »

Museau Cendré flaira les deux chattes endormies et écouta leur respiration.

« Elles sont tirées d'affaire, à présent, conclut-elle en se redressant. Tu ferais mieux d'y aller, Poil de Châtaigne. Les patrouilles vont bientôt partir. Merci d'avoir veillé Poil de Souris. »

La jeune guerrière fila ventre à terre, saluant au passage Nuage de Feuille d'un mouvement de la queue.

« Et toi, Longue Plume ? s'enquit Museau Cendré. As-tu été malade ?

— Un peu. Poil de Châtaigne m'a dit que c'était à cause de l'eau que Papillon nous avait donnée. Je lui trouvais bien une odeur bizarre, mais puisque c'était une guérisseuse qui me l'apportait...

— Nul n'est infaillible. Nuage de Feuille et moi, nous allons chercher des plantes pour reconstituer nos réserves au cas où d'autres souffriraient des mêmes symptômes.

— Bonne chance », lança-t-il sans entrain, comme s'il mourait d'envie d'aller explorer le territoire avec elles.

Museau Cendré regagna le centre du camp, où les guerriers se répartissaient dans les différentes patrouilles. Griffe de Ronce se dirigea droit vers Poil d'Écureuil, mais Pelage de Granit fut plus rapide.

« Hé, Poil d'Écureuil ! lança-t-il. Tempête de Sable veut que tu ailles chasser.

— D'accord. »

La frustration et la déception se lisaient dans le regard du guerrier tacheté, mais il ne tenta rien pour l'arrêter. Nuage de Feuille soupira. Il s'était forcément passé quelque chose entre lui et sa sœur. Quoi donc ? Elle l'ignorait.

« Ce n'est pas le moment de rêvasser, miaula Museau Cendré qui la secoua du bout de la patte. Cœur d'Épines est prêt. Allons-y. »

Impatiente, l'apprentie se dirigea aussitôt vers la brèche dans la paroi de pierre, où Pelage de Poussière donnait des instructions à Nuage d'Araignée et Nuage Ailé : les apprentis devaient défricher le camp et rapporter les ronces inutiles à l'entrée pour élever une barrière.

« Même un mulot ne doit pas pouvoir passer par là ! gronda-t-il.

— Hein, et nous alors ? fit Nuage d'Araignée d'un air effronté.

— On laissera un tunnel, cervelle de souris », soupira le guerrier.

La novice se fraya un passage entre des fougères, qui lui semblaient moins épineuses que les ronces toutes proches. À mi-chemin, elle marqua une pause pour humer la fragrance végétale. De l'autre côté, après la brèche, la forêt inconnue l'attendait.

Non. Pas la forêt inconnue. Mais le nouveau territoire du Clan du Tonnerre.

## CHAPITRE 11

« T'ES COINCÉE ? » demanda Cœur d'Épines qui, bondissant dans les fougères, avait failli percuter Nuage de Feuille.

D'un saut, l'apprentie s'écarta des tiges parfumées.

« Non, désolée », souffla-t-elle.

Le guerrier la suivit pas à pas.

« C'est bizarre, hein ? miaula-t-il. Mais ça va vite s'arranger. Dès que nous aurons exploré les lieux, nous nous y sentirons davantage chez nous. »

Rassurée, l'apprentie reprit son allure habituelle. Lorsqu'elle regarda en arrière un instant plus tard, l'enceinte rocheuse avait disparu derrière les arbres et elle ne voyait plus que des troncs lisses et gris, des branches qui ployaient sous le vent. Elle se réjouit à l'idée que ses camarades de Clan étaient en sécurité, invisibles au milieu des bois.

Des voix leur parvinrent d'un peu plus loin. Au détour d'un chêne robuste, ils aperçurent Flocon de Neige, Cœur Blanc et Poil de Châtaigne qui reniflaient avec méfiance un trou béant entre les racines. C'était la patrouille chargée d'explorer les alentours du camp.

« Une renardière », miaula Flocon de Neige.

Cœur Blanc leva la truffe et entrouvrit les mâchoires.

« L'odeur est très ancienne, déclara-t-elle. À mon avis, aucun renard n'a mis les pattes ici depuis des lunes.

— Et si j'allais jeter un coup d'œil à l'intérieur ? proposa Poil de Châtaigne.

— Ton mentor ne t'a jamais dit qu'on n'entre pas dans une tanière inconnue ? s'étonna l'autre guerrière. L'odeur nous suffit pour savoir qu'il n'y a rien, là-dedans. Poursuivons. »

Les trois guerriers s'enfoncèrent dans les bois.

Nuage de Feuille fit une halte pour laisser le temps à Museau Cendré de les rejoindre, elle et Cœur d'Épines. Tout autour, les arbres s'étendaient à perte de vue, et leurs branches enchevêtrées ne laissaient voir que des éclats de ciel. Les chênes et les hêtres n'étaient pas aussi hauts que ceux de leur ancienne forêt, mais la jeune chatte tigrée imaginait sans peine la voûte rafraîchissante que formerait leur frondaison à la saison des feuilles vertes. Une herbe courte parsemée de perce-neige recouvrait le sol. Les ronciers et les aubépines étaient rares. Le terrain était trop exposé à son goût ; elle espérait que des fougères et d'autres plantes pousseraient à la saison des feuilles nouvelles et constitueraient ainsi un habitat pour le gibier et des zones protégées où les guerriers pourraient patrouiller.

Museau Cendré la dépassa, attirée par le bruit d'un cours d'eau.

« On ne risque pas de trouver des baies de genièvre par ici, déclara-t-elle tandis que les trois félins avançaient de concert. Nuage de Feuille, quel autre remède peut-on utiliser contre les maux de ventre ?

— De la menthe aquatique ? Ou des racines de cerfeuil ?

— Les deux conviendraient, reconnut la guérisseuse. La menthe sera sans doute plus facile à trouver que le cerfeuil. »

Ils atteignirent un torrent, qui s'écoulait dans une profonde crevasse entre les racines entrelacées des arbres environnants. Sur la berge, Nuage de Feuille chercha du regard la plante feuillue, mais elle ne vit que de l'eau glissant sur des pierres grises ou des fougères d'un vert vif qui ondoyaient dans le courant.

« Essayons sur l'autre rive », suggéra Cœur d'Épines lorsqu'ils arrivèrent à un gué.

Museau Cendré acquiesça. Mais en face, le paysage était le même : des bois dégagés, pauvres en taillis. Soudain, Nuage de Feuille perçut une odeur de terre humide, un peu comme le marais de l'autre côté du lac. La menthe aquatique ne poussait pas forcément dans l'eau – parfois un terreau détrempé suffisait. Elle fila en éclaireur, se frayant un passage parmi des touffes d'herbe piquante, et repéra aussitôt les hautes tiges feuillues qu'elle cherchait, à demi dissimulées dans un bouquet de fougères.

« Bravo ! la félicita son mentor en arrivant à sa hauteur. Il en pousse assez pour que nous venions régulièrement nous servir. »

Tête penchée de côté, elles coupèrent plusieurs tiges avec leurs dents. De la sève coula sur le museau de la novice, qui eut aussitôt les larmes aux yeux.

« Je ferais mieux de retourner au camp, miaula Museau Cendré à la fin de leur récolte. Cœur d'Épines, tu veux bien escorter Nuage de Feuille jusqu'au Clan du Vent ?

— Je préfère te ramener d'abord au camp, répondit le guerrier. Personne ne devrait errer seul dans ces bois tant que nous ne les connaissons pas mieux. »

Il les entraîna dans un chemin nouveau, devinant, d'après la déclivité du sol, qu'il les conduirait plus vite à la combe rocheuse. Ils passèrent sous des hêtres, où l'odeur d'écureuil était si forte que Nuage de Feuille en eut l'eau à la bouche.

Cœur d'Épines huma l'air, l'œil brillant. L'apprentie devina qu'il mourait de faim, lui aussi.

« A-t-on le temps de chasser ? demanda-t-il à Museau Cendré.

— Si ce n'est pas trop long, répondit-elle en déposant la menthe au sol.

— Ce ne sera pas long du tout », promit-il.

Il inclina les oreilles vers l'arbre le plus proche, où un écureuil grignotait une graine entre les racines.

Le chasseur prit le temps de déterminer le sens du vent, avant de ramper doucement vers le rongeur en décrivant un arc de cercle pour avoir le vent de face. Prenant appui sur ses pattes arrière, il bondit. L'écureuil ne donna qu'un coup de patte spasmodique avant de tomber, inerte.

« Venez, appela-t-il. Il y en a assez pour nous trois. »

La viande était délicieuse. Nuage de Feuille adressa une courte prière au Clan des Étoiles pour le remercier de les avoir conduits à un endroit où le gibier était dodu… et peu réactif. Enivrée par l'odeur de l'écureuil, elle ne sentit pas venir les trois chats sortis de derrière un arbre qui s'immobilisèrent un instant en voyant les membres du Clan du Tonnerre, puis se ruèrent sur eux. L'apprentie reconnut bientôt une patrouille du Clan du Vent, comprenant Oreille Balafrée, Nuage de Hibou, son apprenti, et Aile Rousse.

Cœur d'Épines se leva en avalant sa dernière bouchée de viande, mais Oreille Balafrée les apostropha :

« Que faites-vous ici ? Vous êtes sur le territoire du Clan du Vent.

— Comment ça ? s'étonna Cœur d'Épines, les yeux écarquillés. Les frontières n'ont pas encore été marquées.

— Nous sommes en train de le faire, expliqua Aile Rousse, qui semblait un peu gênée. Étoile de Feu a dit que le torrent qui court au pied des collines servirait de frontière, et vous êtes sur notre rive.

— Étoile de Feu a aussi ajouté que ce n'était qu'une suggestion, rappela Cœur d'Épines. Regardez, ajouta-t-il en désignant les alentours du bout de sa queue. Des arbres. C'est sur ce terrain que le Clan du Tonnerre chasse le mieux. Vous, vous avez besoin de landes et de lapins, non ?

— Ici, la lande n'est pas aussi vaste que sur notre ancien territoire, répondit Oreille Balafrée. Nous devons étendre notre terrain de chasse à ces bois, ou bien nous n'aurons pas de quoi nourrir notre Clan.

— Eh bien, vous ne l'étendrez pas ici », rétorqua Cœur d'Épines.

Son ton avait beau être ferme, Nuage de Feuille devinait son embarras. Dans leur ancienne forêt, les griffes auraient été sorties depuis longtemps. Pour l'heure, ils n'avaient pas retrouvé l'instinct de défendre des terres à peine découvertes.

« Tu crois que le Clan des Étoiles nous enverra un signe pour nous montrer où marquer les frontières ? demanda la novice à son mentor.

— Non, le Clan des Étoiles ne favoriserait jamais un Clan par rapport à un autre, pas plus qu'il ne se mêlerait de nos querelles. C'est une question que les Clans devront régler eux-mêmes. »

Les guerriers se dévisagèrent un instant, tous aussi gênés les uns que les autres. Aile Rousse remarqua alors la botte de menthe aquatique.

« Cette plante soigne les maux de ventre, non ? s'enquit-elle.

— Oui, confirma Nuage de Feuille. Avez-vous des malades ? »

La guerrière coula un regard vers Oreille Balafrée avant de répondre :

« Oui. Belle-de-Jour et Patte Sombre.

— Belle-de-Jour ? » répéta l'apprentie guérisseuse, se rappelant que la reine avait toujours été l'amie du Clan du Tonnerre. « Et comment Écorce de Chêne l'a traitée ?

— Il ne peut pas faire grand-chose sans remèdes, répondit Oreille Balafrée. Il est parti en même temps que nous à la recherche de baies de genièvre.

J'espère qu'il ne sera pas long. Belle-de-Jour avait l'air de souffrir le martyre. »

Nuage de Feuille se tourna brusquement vers son mentor.

« Je pourrais peut-être leur apporter de la menthe aquatique tout de suite, miaula-t-elle. Ces guerriers me montreront le chemin. Ainsi, Cœur d'Épines pourra te raccompagner jusqu'au camp.

— Bien sûr. Fais aussi vite que possible. »

Tous semblèrent soulagés de la diversion. Cœur d'Épines et Museau Cendré s'élancèrent vers la combe rocheuse, tandis que Nuage de Feuille s'engageait dans la direction opposée, escortée par les membres du Clan du Vent. Ils l'entraînèrent jusqu'à la lisière de la forêt – ainsi qu'ils l'avaient dit, le torrent décrivait un méandre dans les bois, loin du pied des collines – puis dans la lande. Ils escaladèrent une pente raide près d'un autre cours d'eau qui se séparait en petites cascades écumantes. Quelques ronciers rabougris poussaient sur les rives, d'où provenait une forte odeur de lapin. Le Clan du Vent trouverait donc du gibier. Oreille Balafrée avait-il dit la vérité en affirmant que cela ne serait peut-être pas suffisant ?

Arrivés au sommet d'une colline cernée de buissons, ils contemplèrent enfin le camp du Clan du Vent, en contrebas. Les coteaux étaient moins abrupts que ceux de la combe rocheuse du Clan du Tonnerre, mais ils étaient si lisses et dénudés qu'aucun assaillant n'y serait à couvert.

Nuage de Feuille repéra aussitôt Moustache et Patte Cendrée, en grande conversation avec quelques guerriers près d'un champ de pierres au centre de la cuvette.

« Viens, je t'emmène auprès de Belle-de-Jour, miaula Aile Rousse.

— Je vais prévenir Moustache de ta venue », ajouta Oreille Balafrée avant de dévaler la pente en compagnie de Nuage de Hibou.

La guerrière conduisit l'apprentie guérisseuse jusqu'à un massif de buissons d'ajoncs de l'autre côté du camp. Nuage de Feuille sentait le poids des regards des membres du Clan du Vent, mais ils semblaient plus curieux qu'hostiles.

Patte Sombre était recroquevillé non loin, et Belle-de-Jour gisait, inerte, sur un nid de fougères à l'abri des feuillages. L'état de la reine inquiéta aussitôt Nuage de Feuille : sa respiration était rauque et saccadée, son ventre était distendu, et une odeur aigre de vomi flottait dans l'air. Ses paupières étaient closes, et seuls ses flancs, qui se soulevaient, prouvaient qu'elle respirait encore. Elle semblait bien près de rejoindre le Clan des Étoiles.

La novice mit la menthe de côté et se pencha sur la chatte. Lorsqu'elle posa doucement sa patte sur son ventre, un feulement furieux s'éleva.

« Qu'est-ce que tu fiches ici ? »

## CHAPITRE 12

Un renard !

Griffe de Ronce entrouvrit les mâchoires pour mieux localiser le prédateur. L'odeur venait du roncier devant lui, et s'intensifiait autour d'un tunnel de verdure qui semblait avoir été creusé par de multiples passages.

« La piste est fraîche, dit-il à Poil de Fougère. Il y a peut-être une renardière dans le coin. »

Leur patrouille avait pour mission de trouver des repères qui serviraient de frontière à leur nouveau territoire, et de commencer le marquage. Perle de Pluie les accompagnait, ainsi que Pelage de Poussière, qui avait laissé à Nuage Ailé et Nuage d'Araignée le soin de colmater la brèche avec des ronces.

« Allons avertir Étoile de Feu, déclara Poil de Fougère. Il faudra rester prudent tant qu'on ne saura pas s'il vit ici ou s'il ne faisait que passer. »

Griffe de Ronce approuva. L'excitation lui donnait des ailes. Ses doutes concernant la combe avaient été balayés à la lumière du jour : tous les membres du Clan avaient pu constater à quel point cet emplacement était idéal. Il avait été heureux qu'Étoile de Feu le choisisse pour cette patrouille : à chaque pas, il s'appropriait les bois et il se frottait délibérément aux buissons et aux troncs d'arbres pour marquer le territoire de son Clan.

Lorsqu'ils repartirent, il abandonna à Poil de Fougère la direction du groupe. Tandis qu'ils contournaient un noisetier, Pelage de Poussière s'arrêta pour renifler une branche basse. Il releva la tête avec un tel affolement que les trois autres vinrent examiner l'odeur. Ils échangèrent des regards inquiets en reconnaissant la trace d'un Bipède.

« Au moins, elle est ancienne, temporisa Poil de Fougère. Elle remonte à plusieurs jours, je dirais.

— Mais cela signifie qu'ils viennent jusqu'ici. » Pelage de Poussière montra les crocs. « J'aurais préféré ne jamais en revoir un de ma vie entière. »

Griffe de Ronce inspira profondément pour calmer les palpitations de son cœur. Lui aussi aurait voulu être débarrassé des Bipèdes, mais il cacha sa peur. Ils étaient ici chez eux, à présent, et ils ne pouvaient vivre dans la terreur perpétuelle. Il fit glisser le bout de sa queue sur l'épaule du guerrier brun.

« C'est la première trace de Bipède qu'on ait repérée depuis qu'on a quitté la combe, rappela-t-il. Et nous sommes bien loin du Chemin du Tonnerre le plus proche. Aucun monstre ne viendra par ici. »

Pelage de Poussière remua les oreilles et poursuivit son chemin sans rien dire, imité par les deux autres. Assailli par des images d'arbres qui s'écroulaient autour d'eux, Griffe de Ronce préféra fermer la marche de crainte que ses camarades ne devinent son effroi.

« Et si on chassait ? suggéra Poil de Fougère pour leur changer les idées.

— Pourquoi pas ? » miaula Perle de Pluie.

Ils se concentrèrent sur la traque du gibier comme s'ils n'avaient pas mangé depuis des lunes.

Griffe de Ronce ralentit pour respirer les fumets mêlés des écureuils, des lapins et des oiseaux. Il sursauta en entendant un cri d'alarme : Perle de Pluie venait d'attraper un étourneau. Il félicita le jeune chasseur d'un hochement de tête puis s'enfonça dans la forêt. Il aperçut une grive qui picorait la terre entre les racines noueuses d'un arbre mort. Tapi si près du sol que son ventre frôlait les feuilles, il rampa sur une courte distance avant de bondir sur l'oiseau, qu'il acheva d'un coup de patte.

Au moment où il baissait la tête pour le dévorer, une masse atterrit sur son dos et il sentit des griffes lui labourer les côtes. D'instinct, il se jeta de côté et roula sur lui-même pour déloger son assaillant. Une tache de fourrure dorée lui fit croire qu'il s'agissait de Poil de Fougère. Son camarade avait-il perdu la raison ? Mais, en se retournant, il comprit qu'il avait affaire à un guerrier du Clan de l'Ombre.

« Pelage Fauve ! Qu'est-ce que tu fiches ?

— À ton avis ? Je défends la frontière du Clan de l'Ombre, pardi !

— Hein ? »

Griffe de Ronce inspecta les alentours et constata que les hêtres et les chênes qui poussaient près du camp se mêlaient ici à des pins.

« Ne fais pas l'innocent ! Tu as franchi notre marquage.

— Quel marquage ? Je n'ai rien senti ! protesta Griffe de Ronce. Il doit être trop diffus. »

Il refusa de considérer l'autre explication : les odeurs des Clans s'étaient tellement mêlées que plus personne ne pouvait les distinguer les unes des autres. Dans ce cas, il serait impossible d'établir la moindre frontière.

« Trop diffus ? feula le guerrier doré. Crotte de souris ! Admets-le, tu essayais de nous voler notre territoire.

— C'est toi qui essaies de nous voler le nôtre ! rétorqua-t-il, furibond. La clairière qui borde la rivière devait servir de frontière. Tu l'as sans doute traversée, parce que moi je ne l'ai pas vue !

— Cette clairière ne remonte pas jusqu'ici, cervelle de souris. Le cours d'eau s'incurve dans notre territoire, et les arbres poussent sur les deux rives à cet endroit. Nous avons tracé la frontière en ligne droite, à partir du méandre. Cherche nos marques, la prochaine fois, et tu sauras exactement où commence le territoire du Clan de l'Ombre. »

Il sortit les griffes, prêt à bondir, et Griffe de Ronce se prépara à combattre. Mais avant que Pelage Fauve ait eu le temps de l'attaquer, un éclair de fourrure écaille surgit des buissons pour s'interposer. C'était Pelage d'Or.

« Qu'est-ce que vous faites ? feula-t-elle. Il est bien trop tôt pour se battre à cause des frontières. »

Pelage Fauve toisa sa camarade de Clan avec mépris.

« Quelle surprise, la guerrière clan-mêlée ! persifla-t-il. Nous savons tous que tu défendrais ton frère plutôt que ton Clan !

— C'est faux ! protesta la nouvelle venue.

— N'importe quoi. » Le guerrier tacheté se plaça près de sa sœur. « Pelage d'Or est une guerrière loyale. »

Le regard incrédule de Pelage Fauve le transperça comme un coup de griffes.

« Si vous voulez mon avis, reprit le guerrier du Clan de l'Ombre, tous ceux qui sont allés voir le blaireau ont oublié à quel Clan ils appartenaient. »

Griffe de Ronce gronda furieusement. Il allait l'attaquer lorsque trois autres membres du Clan de l'Ombre apparurent : Cœur de Cèdre, Bois de Chêne et Nuage Piquant. L'estomac du guerrier du Clan du Tonnerre se noua. Il n'était guère de taille à affronter toute une patrouille rivale ; et que ferait Pelage d'Or si les autres la forçaient à se battre contre lui ?

À son grand soulagement, ses trois camarades accoururent entre les arbres. Les guerriers du Clan de l'Ombre se tapirent, toutes griffes dehors, mais avant que l'affrontement ne commence, un ordre retentit dans les bois :

« Arrêtez ! »

Étoile de Feu surgit d'une roncière, les yeux plissés, furieux.

« Quelle bande de cervelles de souris ! Si nous ne pouvons établir nos frontières en paix, nous finirons par verser le sang de tous les chats de la forêt, jusqu'au dernier. »

Vexé, Griffe de Ronce recula d'un pas. Ses amis l'imitèrent, et la fourrure hérissée sur leur nuque retomba en place. Les guerriers du Clan de l'Ombre firent de même, pourtant leurs queues s'agitaient encore avec fureur.

« Ils ont franchi notre marquage, marmonna Pelage Fauve.

— Mensonge ! » se défendit Griffe de Ronce. Il attendait que son chef le soutienne, pourtant Étoile de Feu n'avait pas l'air de vouloir défendre son territoire. « Il nous faudra peut-être nous battre, poursuivit-il. Nous sommes ici chez nous, et nous devons être prêts...

— Assez ! » Le regard du meneur était froid. « Si le Clan de l'Ombre a déjà marqué cette zone, alors elle leur appartient.

— C'est bien la question, intervint Pelage de Poussière. Je n'ai pas senti leur odeur.

— Je refuse de traiter de menteurs les guerriers d'un autre Clan, feula Étoile de Feu. Pelage Fauve, où sont la rivière et la clairière qui devaient servir de frontière ? »

Le guerrier du Clan de l'Ombre tourna brusquement la tête vers son territoire.

« Le cours d'eau est là-bas, et la clairière ne remonte pas si loin du lac. » Avec mépris, il désigna Griffe de Ronce du bout de la queue. « C'est ce que j'ai essayé de lui expliquer, à lui.

— Alors le Clan de l'Ombre a le droit d'être ici, trancha Étoile de Feu. Le Clan du Tonnerre trouvera d'autres terrains de chasse. Venez, nous rentrons au camp. »

Griffe de Ronce n'en croyait pas ses oreilles. Il serra les dents pour s'empêcher de contester la décision de son chef. Lorsqu'il fit demi-tour pour le suivre, il foudroya du regard la patrouille du Clan de l'Ombre.

Alors qu'il s'approchait de l'arbre mort où il avait tué la grive, il repéra un léger fumet dans l'air. C'était la trace du Clan de l'Ombre, mais elle était si ténue qu'il la reconnut à peine tant les odeurs des Clans du Tonnerre, du Vent et de la Rivière s'y mêlaient. Savoir que le Clan de l'Ombre n'avait pas menti n'apaisa pas la colère du guerrier tacheté. Il n'en voulait pas au Clan rival, mais à Étoile de Feu.

Pourquoi son meneur avait-il si facilement admis que lui et ses camarades étaient dans leur tort ? Pourquoi ne pas avoir écouté leur explication ? Griffe de Ronce fronça le nez. S'il continuait ainsi, Étoile de Feu finirait par livrer le reste de la forêt aux autres Clans.

Lors de leur premier voyage, lui et les cinq autres élus avaient pris leurs décisions ensemble. Si Griffe de Ronce avait naturellement pris la tête du groupe, ils avaient continué à discuter des choix importants. Pourquoi Étoile de Feu ne pouvait-il accepter cela ? Chaque membre du Clan avait son opinion, et suivre les ordres aveuglément n'était pas toujours la meilleure solution.

Avant qu'ils n'atteignent la combe, Étoile de Feu fit halte.

« Poil de Fougère, tu iras par là. » Il lui montra du bout de la queue une zone qu'ils n'avaient pas encore explorée, où les arbres étaient plus denses. « Vois si on peut y établir une frontière. Ensuite, j'ai besoin que l'un d'entre vous m'accompagne au camp… Griffe de Ronce, tiens. »

Le guerrier tacheté regarda ses trois camarades disparaître dans les fougères avant d'interroger son chef :

« Que veux-tu que je fasse ?

— Nous avons besoin d'une grande quantité de mousse pour les nouvelles tanières. Tu devras en rapporter autant que possible avant la tombée de la nuit.

— Quoi ? » Le matou s'arrêta net, plus furieux que jamais. « Mais c'est un travail d'apprenti !

— Je sais. Nuage Ailé et Nuage d'Araignée installent une barrière de ronces dans l'entrée. Fais-le, Griffe de Ronce. Nul ne doit être avare d'efforts jusqu'à ce que le camp soit terminé.

— D'accord. »

Le guerrier laissa son chef poursuivre seul et s'arrêta au pied d'un arbre pour y décoller de la mousse à grands coups de griffes, passant ainsi sa colère sur les racines. Étoile de Feu avait beau exiger des efforts de tout le monde, Griffe de Ronce savait qu'il venait d'être puni pour son escarmouche avec le Clan de l'Ombre. Pourtant, il n'avait fait que défendre le territoire de son Clan. Il voulait qu'on lui confie des responsabilités… et il se retrouvait là, à gratter un tronc !

Tandis qu'il revenait vers le camp la gueule pleine de mousse, il croisa Poil d'Écureuil et le reste de la patrouille de chasseurs, qui rapportaient tous de nombreuses prises.

« Hé, Griffe de Ronce ! l'appela la rouquine en laissant tomber l'écureuil qu'elle tenait entre les dents. Cet endroit est génial pour la chasse ! »

Le matou ne pouvait guère partager son enthousiasme. La seule chose qu'on l'avait autorisé à « chasser », c'était de la litière pour son Clan. Sans prendre la peine de poser son fardeau pour répondre à la jeune chatte, il se fraya un passage parmi ses camarades et entra dans le camp.

## CHAPITRE 13

« JE T'AI DEMANDÉ ce que tu fichais ici ! »

Nuage de Feuille sentit ses poils se hérisser lorsqu'elle croisa le regard de Plume de Jais.

« Je suis venue pour vous aider ! feula-t-elle. Belle-de-Jour et Patte Sombre sont malades. J'ai apporté des plantes pour les soigner.

— Et comment sais-tu de quoi ils souffrent ? s'enquit le matou, méfiant.

— Parce que le même mal touche le Clan du Tonnerre », rétorqua-t-elle.

Inutile de lui parler de Papillon et de l'eau polluée. Elle ne voulait pas donner au guerrier du Clan du Vent la moindre raison d'accuser son amie d'avoir délibérément empoisonné les anciens.

« Recule, Plume de Jais, miaula Aile Rousse. C'est moi qui ai demandé à Nuage de Feuille de venir. »

Le guerrier gris sombre renifla avec mépris. Lorsque la novice commença à examiner Belle-de-Jour, il ne dit rien mais ne la quitta pas des yeux. La présence du matou la déstabilisait. Elle ne pouvait tout de même pas lui dire d'aller voir ailleurs, alors qu'il était dans son propre camp !

217

Une fois qu'elle fut certaine que l'ancienne souffrait du même mal que Poil de Souris et les autres, elle mâchouilla quelques feuilles de menthe et se servit de ses griffes pour entrouvrir la gueule de la chatte. Elle déposa la pulpe dans sa bouche et lui massa la gorge pour la forcer à avaler.

Aile Rousse s'allongea tout près.

« Va-t-elle mourir ? demanda-t-elle.

— Je ne sais pas », dut admettre Nuage de Feuille.

Elle pria silencieusement le Clan des Étoiles : *Pitié, faites qu'elle guérisse.*

Tandis qu'elle attendait que le remède fasse effet, elle entendit Patte Sombre remuer. Le vieux matou leva la tête et regarda autour de lui, les yeux vitreux.

« Par le Clan des Étoiles, j'ai mal au ventre, gémit-il. Où est donc Écorce de Chêne, avec ses baies de genièvre ?

— Il n'est pas encore revenu, répondit Aile Rousse. Mais Nuage de Feuille nous a apporté de la menthe.

— Nuage de Feuille ? répéta l'ancien en clignant les yeux. Elle vient du Clan du Tonnerre, non ? » Avant que l'apprentie puisse s'expliquer, il ajouta : « Clan du Tonnerre, Clan du Vent, peu importe tant qu'elle sait ce qu'elle fait. »

Il mâcha les feuilles vertes qu'elle avait placées devant lui et remit la tête sur ses pattes. Derrière l'apprentie, Belle-de-Jour émit un drôle de gargouillis. L'ancienne vomissait, et ses pattes affaiblies tressaillaient sous l'effort.

« Qu'est-ce que tu lui as fait ? feula Plume de Jais. Elle va encore plus mal ! »

Il chassa l'apprentie à coups de museau, la forçant à reculer d'un bond, et fit le gros dos lorsqu'elle voulut le contourner pour s'approcher de la malade.

« Ça suffit ! » Moustache sortit des buissons, suivi d'Oreille Balafrée. « Plume de Jais, qu'est-ce qui te prend ? Nuage de Feuille est venue nous aider.

— Elle n'a rien à faire ici.

— Es-tu en train de dire qu'elle ne devrait pas nous faire une faveur ? Qu'elle ne devrait pas essayer de sauver la vie de l'une des nôtres ? » Le nouveau meneur ne haussa pas le ton, mais sa voix tendue trahissait sa colère. Comme Plume de Jais ne répondait pas, il ajouta : « Puisque tu as l'air de t'inquiéter, tu peux rester là pour la surveiller. Si elle a besoin de quoi que ce soit, tu le lui apporteras. Nuage de Feuille, n'hésite pas à demander. »

L'apprentie hocha la tête.

« Merci, Moustache. Je pense qu'Aile Rousse et moi, nous nous débrouillerons.

— J'ai veux qu'Aile Rousse parte avec la prochaine équipe de chasseurs. Mais Plume de Jais n'a rien de mieux à faire. »

Il fit signe à Aile Rousse de le suivre et s'éloigna.

Plume de Jais foudroya Nuage de Feuille du regard.

« Ne t'avise pas de me traiter comme un apprenti, ou je t'arrache la fourrure », cracha-t-il.

Même s'il l'avait exaspérée, elle trouva que Moustache avait été un peu dur avec le jeune guerrier.

« Contentons-nous d'aider Belle-de-Jour, répondit-elle. Il faut qu'on lui fasse avaler encore un peu de menthe. »

Elle mâchouilla quelques feuilles supplémentaires et demanda à Plume de Jais de maintenir ouvertes les mâchoires de l'ancienne pendant qu'elle lui faisait ingérer la pulpe en priant pour qu'elle ne la vomisse pas de nouveau. Elle se crispa en sentant la fourrure du matou la frôler. Il s'écarta aussitôt, avant de se rapprocher de nouveau sans la regarder, comme gêné.

Elle s'assit près de Belle-de-Jour, massant doucement son ventre du bout de la queue. La présence de Plume de Jais la mettait mal à l'aise et elle pria pour qu'il s'en aille.

Au bout d'un moment, la respiration de l'ancienne se fit plus profonde. De son côté, Patte Sombre somnolait de nouveau. De temps en temps, un ronronnement rauque s'échappait de sa gorge.

« Est-ce qu'ils vont mieux ? s'enquit Plume de Jais.

— Je pense. Je suis certaine que Patte Sombre s'en remettra. Mais je m'inquiète pour Belle-de-Jour.

— Nuage de Feuille ? »

Une ombre glissa sur le sol. En levant la tête, l'apprentie vit qu'Écorce de Chêne était revenu, un ballot de feuilles dans la gueule.

« Quel plaisir de te revoir ! » fit le guérisseur.

Lorsqu'il posa son paquet, les feuilles s'écartèrent et quelques baies de genièvre fripées s'en échappèrent.

« Écorce de Chêne, j'espère que tu ne m'en voudras pas... balbutia Nuage de Feuille. J'ai croisé des guerriers du Clan du Vent dans les bois, et ils m'ont dit que Belle-de-Jour était malade. Comme nous avons eu le même souci, je... »

Écorce de Chêne l'interrompit d'un coup de queue.

« Tu as très bien fait. Je ne sais pas encore où trouver les remèdes... Je n'ai découvert qu'un seul genévrier, et les oiseaux ont dû passer avant moi car les baies étaient rares. » Il renifla la malade avec attention avant d'ajouter : « Elle va mieux qu'à mon départ. Que lui as-tu donné ? De la menthe aquatique ? Bonne idée, même si moi j'utilise plutôt le genièvre, lorsque j'en trouve suffisamment.

— Je peux y aller maintenant ? demanda Plume de Jais avec arrogance.

— Oh, oui, oui, bien sûr. Je vais prendre le relais. »

La novice regarda le guerrier s'éloigner et se demanda pourquoi elle se sentait si déçue. Elle ne voulait pas se brouiller avec qui que ce soit, d'autant plus que Plume de Jais était un ami de sa sœur – même si elle se demandait ce que Poil d'Écureuil pouvait bien apprécier chez lui.

« Nuage de Feuille, toi aussi, tu ferais mieux de rentrer, miaula le guérisseur. Tu as fait du bon travail ici, et ton propre Clan aura sans doute besoin de toi. »

Laissant derrière elle ce qui restait de menthe, l'apprentie guérisseuse se leva et sortit des buissons. Moustache se tenait au milieu du camp, entouré de quelques guerriers. Elle décida de l'informer de son départ. Mais elle ralentit l'allure lorsqu'elle reconnut Griffe de Pierre dans le groupe.

Moustache la vit venir.

« Alors, comment va Belle-de-Jour ? s'enquit-il.

— Mieux, je pense. Écorce de Chêne est auprès d'elle.

— Nous ne pourrons jamais te remercier assez pour ce que tu as fait, poursuivit-il, le regard chaleureux. Oreille Balafrée m'a dit que Cœur d'Épines et lui s'étaient querellés à propos de la frontière dans les bois. J'ai décidé de laisser cette portion au Clan du Tonnerre. Nous poserons nos marques territoriales à la lisière de la forêt, près du pied des collines.

— C'est très généreux de ta part ! s'écria Nuage de Feuille, mais le grognement de Griffe de Pierre l'interrompit.

— Voilà une décision digne d'une cervelle de souris ! s'indigna l'ancien lieutenant. Tu abandonnes une partie du territoire du Clan du Vent en échange de quelques herbes ? Écorce de Chêne était parfaitement capable de soigner les malades sans que cette apprentie ne vienne mettre la truffe dans nos affaires.

— Griffe de Pierre, tu n'es qu'un imbécile ! Il ne s'agit pas que de quelques plantes. Pense à tout ce que le Clan du Tonnerre a fait pour nous. Combien de vies nous faudrait-il pour payer notre dette ? Sans leur amitié, nous serions tous de la chair à corbeau aujourd'hui. »

Griffe de Pierre fronça le nez, révélant ses crocs jaunes acérés. Nuage de Feuille dut planter ses griffes dans le sol pour s'empêcher de reculer. Quelques autres avaient l'air mal à l'aise, dont Plume de Jais. Elle crut qu'il allait, lui aussi, lui reprocher sa venue, mais il ne dit rien.

« Je ne veux pas entendre parler de querelles de frontière avec le Clan du Tonnerre, gronda Moustache. Cette bande de forêt ne nous est pas d'une grande utilité de toute façon. Depuis quand le Clan du Vent chasse-t-il parmi les arbres ?

— Il n'y a pas que du gibier, sous les arbres, rétorqua Plume Noire en venant se placer à côté de Griffe de Pierre. Il y a aussi des plantes médicinales, par exemple. Écorce de Chêne aura besoin d'herbes qu'il ne trouvera jamais dans la lande.

— Assez ! Il nous reste un vaste territoire, et Écorce de Chêne n'a jamais eu de difficultés pour s'approvisionner. »

Les guerriers s'inclinèrent, mais aucun n'avait l'air d'approuver les mesures de leur chef. Griffe de Pierre se détourna en marmonnant : « Sale traître ! » juste assez fort pour que tous l'entendent.

L'estomac de Nuage de Feuille se noua. Elle savait que certains, à l'instar de Griffe de Pierre, considéraient que Moustache faisait du tort à son Clan en évoquant sans cesse leur ancienne alliance avec le Clan du Tonnerre. Elle se demanda ce qui se passerait si l'ancien lieutenant le défiait pour devenir chef à sa place... Combien seraient prêts à le soutenir de leurs crocs et leurs griffes ?

« Tu ferais mieux de rentrer, miaula Moustache à la novice. Plume de Jais, s'il te plaît, raccompagne-la jusqu'à son camp, et annonce ma décision à Étoile de Feu.

— Moi ? » miaula le matou, les yeux écarquillés.

*Oh, non...* pensa-t-elle, avant de répondre :

« Ce n'est pas la peine, je suis parfaitement capable de rentrer toute seule. Ce n'est pas parce que je suis une guérisseuse que je ne sais pas me défendre. »

Moustache inclina les oreilles vers elle.

« Plume de Jais, c'est un ordre », insista-t-il.

Le jeune guerrier semblait toujours aussi horrifié. De guerre lasse, il poussa un soupir exagéré.

« Viens. Je ne ferais que m'attirer des ennuis si je ne te raccompagnais pas. »

Nuage de Feuille n'avait donc pas le choix. Elle salua Moustache d'un rapide signe de tête et partit en bondissant derrière le matou au pelage charbonneux. Il progressait à toute allure sans se soucier de savoir si elle le suivait. Manifestement, l'idée qu'un membre du Clan du Tonnerre ait pu faire une faveur à son Clan l'horripilait. Il était si malpoli qu'elle ne s'embêta pas à lui faire la conversation. La tension était palpable dans l'air, comme avant un orage de la saison des feuilles vertes.

En tant que guérisseuse, les rivalités claniques ne concernaient pas Nuage de Feuille, et elle se félicitait de ne pas avoir à traiter les autres en ennemis. Au contraire de Plume de Jais. Même si celui-ci avait été l'un des élus, il était retombé plus vite que quiconque dans les vieilles rivalités. Avec sa fourrure sans cesse hérissée et ses regards obliques, il ne semblait que trop pressé de raviver les anciennes querelles.

La novice poussa un soupir de soulagement lorsqu'ils arrivèrent au torrent. D'un pas leste, Plume de Jais traversa le gué et ils se retrouvèrent sur le territoire du Clan du Tonnerre. Peu après, elle reconnut les taillis qui annonçaient le sommet de la combe rocheuse. Nuage de Feuille dévala en premier la pente jusqu'à la brèche. Arrivée devant l'entrée, elle constata qu'une barrière de ronces avait été en partie dressée et que du gibier attendait au centre d'une petite clairière.

Étoile de Feu se tenait près des fourrés où Fleur de Bruyère et Petit Frêne avaient passé la nuit. Poil d'Écureuil aidait la reine à en extirper de longues vrilles de ronces.

« Cet endroit ferait une pouponnière idéale, haleta Fleur de Bruyère en se débarrassant d'un coup de patte d'une épine plantée dans son flanc. On est tout contre la paroi, à l'abri des intempéries. En revanche, il faut faire de la place à l'intérieur.

— Ce sera vite fait », répondit la rouquine en tirant sur une ronce deux fois plus grande qu'elle, tandis que Petit Frêne bondissait joyeusement sur l'autre bout.

Griffe de Ronce apparut avec une boule de mousse dans la gueule et la porta dans la nouvelle pouponnière. Nuage de Feuille fut impressionnée qu'un guerrier daigne accomplir des tâches d'apprenti. Le matou tacheté était manifestement prêt à tout pour que ses camarades se sentent au plus vite chez eux. Fleur de Bruyère le suivit pour l'aider à disposer la mousse. Petit Frêne abandonna la ronce de Poil d'Écureuil pour se précipiter à la suite de sa mère.

« Étoile de Feu, Plume de Jais est ici, annonça Nuage de Feuille, tête basse. Il m'a raccompagnée depuis le Clan du Vent.

— Merci. » Le meneur vint se placer devant le jeune guerrier. « Tout s'est bien passé ?

— Nuage de Feuille a soigné Belle-de-Jour, rapporta Plume de Jais d'un ton sec qui trahissait son ingratitude. Et Moustache m'a demandé de te dire que le Clan du Tonnerre pouvait marquer son territoire dans les bois de l'autre côté du ruisseau. Le territoire du Clan du Vent s'arrêtera à l'orée de la forêt. »

Étoile de Feu écarquilla les yeux. Il ne pensait visiblement pas gagner ce terrain si facilement.

« C'est très généreux de sa part, répondit-il. Transmets-lui mes remerciements.

— Et merci de m'avoir raccompagnée », ajouta Nuage de Feuille.

Si Plume de Jais se comportait comme un renard avec une épine dans la patte, elle ne devait pas se montrer aussi grossière que lui.

Le matou au pelage sombre la regarda longuement, ses yeux chargés d'hostilité, et d'un autre sentiment plus ambigu. Il fit mine de parler, mais se contenta de hocher la tête avant de sortir du camp.

« Hé ! l'interpella Poil d'Écureuil. Vas-y, ignore tes vieux amis ! »

Le guerrier du Clan du Vent disparut dans les fougères sans se retourner.

« Moustache fait preuve d'une grande bonté », déclara Étoile de Feu en contemplant les sous-bois où le visiteur s'était faufilé. Le chef n'avait pas l'air aussi content que ce à quoi Nuage de Feuille s'attendait. « Ça change du Clan de l'Ombre.

— Le Clan de l'Ombre ? répéta l'apprentie.

— Ils ont failli se battre ! s'écria Poil d'Écureuil, tout excitée. Griffe de Ronce a franchi leur marquage, et une patrouille du Clan de l'Ombre a essayé de le chasser.

« — On aurait pu s'occuper d'eux, miaula le guerrier incriminé en sortant de la pouponnière. Enfin, ils pensaient sans doute défendre les intérêts de leur Clan. Je me demande si on peut en dire de même de Moustache. Il vient de renoncer à un grand terrain de chasse. »

Il semblait plus étonné que critique. Pourtant, Poil d'Écureuil se tourna brusquement vers lui, la queue gonflée.

« Au moins, il reste loyal envers ses vieux amis ! feula-t-elle. Une chose dont toi, tu es apparemment incapable. »

La colère brilla dans le regard de Griffe de Ronce. Au lieu de répondre, il serra les dents et s'en alla. Étoile de Feu secoua la tête et le suivit sur quelques pas, avant de bifurquer vers la réserve de gibier pour aller parler à Cœur d'Épines.

« Il y a un problème ? demanda Nuage de Feuille à sa sœur. Tout semble aller de travers entre toi et Griffe de Ronce. »

La rouquine haussa les épaules.

« Aucune idée. Il est de mauvais poil depuis qu'on est arrivés ici. » Elle n'essayait même plus de feindre l'indifférence et son regard trahissait sa douleur et son incompréhension. « Je crois qu'il ne m'aime plus. »

L'apprentie guérisseuse fut incapable de la réconforter. Elle savait soigner les blessures et les maux de ventre, mais ce qui se passait entre sa sœur et Griffe de Ronce était au-delà de ses compétences. C'était un aspect de la vie qu'un guérisseur ne connaîtrait jamais. Elle aurait sans doute dû se réjouir de ne jamais avoir à souffrir ainsi. Cependant, elle vit le regard passionné que Poil d'Écureuil lança à Griffe de Ronce tandis que ce dernier quittait le camp, et se souvint de la profonde affection qui liait les deux félins. Un petit vide se fit en elle lorsqu'elle prit conscience que personne n'éprouverait jamais ce genre de sentiments à son égard.

Pelage de Poussière sortit du fourré en traînant une autre vrille de ronce, et faillit trébucher sur Petit Frêne.

« Petit Frêne ! Tu es plus casse-pattes qu'un renard en pétard.

— Ne le gronde pas, murmura Fleur de Bruyère en suivant son compagnon à l'extérieur. C'est merveilleux qu'il soit de nouveau d'humeur à jouer. »

Le matou lui donna raison d'un ronronnement, les yeux brillants. Les deux parents attendris observèrent leur rejeton qui grognait férocement après la ronce, l'agrippant entre ses dents et secouant la tête en tout sens.

Devant cette scène, Nuage de Feuille devint franchement triste. Elle avait mis sa vie au service de son Clan et suivi la voie solitaire des guérisseurs sans jamais douter de sa vocation. À présent, elle se demandait malgré elle si elle n'allait pas passer à côté de quelque chose.

## CHAPITRE 14

**D**E L'HERBE DOUCE caressait le ventre de Griffe de Ronce tandis qu'il rampait dans les fourrés. Des petits rongeurs frétillaient sous les buissons, et l'odeur de gibier était enivrante.

Il se retrouva à découvert avant d'avoir attrapé la moindre proie. Une lune presque pleine brillait dans un ciel dégagé, nimbant de ses rayons argentés chaque brin d'herbe, chaque feuille morte. Devant lui, le sol se dérobait pour former un fossé aux flancs parsemés de rochers pointus.

Griffe de Ronce n'en croyait pas ses yeux. C'était le ravin de l'ancien camp du Clan du Tonnerre. Il leva la truffe pour humer l'air. Aucune trace de l'âcre puanteur des monstres des Bipèdes, pas le moindre bruit couvrant le doux frémissement des arbres balayés par le vent. Leur foyer était indemne ! La destruction de la forêt, la peur et la faim, le long périple à travers les montagnes, tout cela n'avait été qu'un cauchemar !

Il dévala le ravin jusqu'au tunnel d'ajoncs, son cœur manquant d'éclater de joie. Il allait revoir tous ses camarades : Plume Grise n'avait pas été capturé, tous les petits de Fleur de Bruyère étaient encore en vie et, depuis leur tanière, les anciens ordonnaient toujours aux apprentis de les débarrasser de leurs tiques.

Tremblant d'impatience, il enfila le tunnel et déb300la dans le camp, les mâchoires entrouvertes pour pousser un cri de joie. Puis il s'arrêta net. La clairière était totalement déserte, à l'exception d'un seul chat assis au centre.

Ce dernier leva la tête et dévisagea Griffe de Ronce de ses yeux d'ambre.

Étoile du Tigre.

Choqué, incrédule, le jeune guerrier faillit s'étrangler. La capture de Plume Grise, la mort des petits de Fleur de Bruyère, le périple sans fin... c'était ça, et rien d'autre, la réalité.

D'une ondulation de la queue, Étoile du Tigre l'invita à s'approcher. Griffe de Ronce se crispa, avant d'avancer. Son père lui apparaissait plus nettement à chaque pas, ses épaules musculeuses, sa large tête, son regard brûlant.

« Bienvenue, le salua-t-il d'une voix rauque. Voilà bien des lunes que j'attends de te parler. »

Griffe de Ronce s'arrêta à quelques longueurs de queue, ne sachant que répondre. Une seule chose l'obsédait : il se rendait compte qu'il était le sosie de son père. Même stature, même forme de visage, même regard. Comme s'il contemplait son reflet à la surface d'une mare.

« J'ai observé ton courage et ta force, poursuivit l'ancien chef du Clan de l'Ombre. Et je suis fier que tu sois de mon sang.

— M... merci. » Griffe de Ronce pétrit le sol.

« Que fais-tu là ? C'est le Clan des Étoiles qui t'envoie ?

— Je ne chasse pas avec le Clan des Étoiles, cracha-t-il. Le ciel ne se limite pas à la Toison Argentée, et il existe d'autres cieux dont le Clan des Étoiles n'a pas idée. »

Étoile du Tigre se détourna soudain.

« Bienvenue à toi aussi, ajouta-t-il. J'espérais que tu viendrais. J'avais hâte de faire ta connaissance. »

Griffe de Ronce fit volte-face et vit Plume de Faucon déboucher du tunnel d'ajoncs. Stupéfait, il regarda sans mot dire le guerrier du Clan de la Rivière traverser la clairière pour venir s'asseoir près de lui. Le clair de lune projetait deux ombres identiques sur le sol compact à leurs pieds. Un chaton même à demi aveugle aurait compris tout de suite leurs liens de parenté.

Il s'étonna de ne ressentir ni peur ni colère. Après tout, Étoile du Tigre avait assassiné bien des chats et trahi ses propres camarades de Clan pour assouvir sa soif de pouvoir. Pourtant Griffe de Ronce ne pouvait nier qu'il eût attendu longtemps ce moment. Il avait hâte de mieux connaître son père et son demi-frère. Malgré toutes leurs différences, le même sang coulait dans leurs veines.

« Tu es Étoile du Tigre ? demanda Plume de Faucon, ce qui rappela à Griffe de Ronce que son demi-frère ne l'avait pas connu. Mon père ?

— En effet. Alors, vos nouveaux territoires vous conviennent-ils ?

— Il est difficile de s'habituer à un endroit si différent, reconnut Plume de Faucon.

« — La forêt nous manque à tous, ajouta Griffe de Ronce.

— Vous vous sentirez bientôt chez vous, promit Étoile du Tigre. Établissez vos frontières et gardez-les de vos griffes et de vos crocs, car le territoire, c'est ce qui donne de l'unité à un Clan.

— Oui ! s'écria Plume de Faucon, les yeux ardents. Le Clan de la Rivière a déjà marqué son territoire. Hier, Griffe Noire et moi avons chassé un blaireau qui vivait sur nos terres.

— Bien, très bien. » L'ancien meneur dressa les oreilles, avant de lever la tête comme s'il entendait un appel. Très loin, au-delà du rideau des arbres, les premières lueurs de l'aurore s'étendaient dans le ciel. « Je dois m'en aller, reprit-il. Au revoir, Griffe de Ronce, Plume de Faucon. Nous nous reverrons sur les sentiers des rêves, j'en suis certain. »

Il se mit sur ses pattes. Au même instant, un nuage voila la lune et obscurcit un instant la clairière. Lorsqu'il s'éloigna, Étoile du Tigre avait disparu.

« Je dois y aller, moi aussi. »

Plume de Faucon pressa sa truffe contre celle de son demi-frère avant de se diriger vers la sortie.

« Non... attends. Ne t'en va pas ! lança Griffe de Ronce.

— Qu'est-ce que tu racontes ? Je dois partir avec la patrouille de l'aube ! »

Le jeune guerrier cligna les yeux, puis se leva d'un bond. Flocon de Neige, qui chassait à petits coups de langue des brins de mousse de sa fourrure, le contemplait avec étonnement.

« Quelque chose ne va pas ? demanda-t-il. Tu veux que je dise à Poil de Fougère que je dois rester là ? »

Confus, Griffe de Ronce secoua la tête.

« Non, tout va bien. »

Il se rallongea et ferma les yeux très fort comme pour évacuer la peine qui lui transperçait le cœur. Le rêve s'était évanoui, et il était de retour dans la combe rocheuse. Étoile du Tigre, Plume de Faucon et l'ancien camp du Clan du Tonnerre n'étaient plus qu'un souvenir.

Griffe de Ronce dormit d'un sommeil sans rêves, avant de se réveiller de meilleure humeur. Il s'extirpa des fougères et arrondit le dos pour s'étirer. À présent, les branches nues au sommet de la combe se découpaient sur un ciel clair. Un frisson d'impatience le saisit lorsqu'il se rappela que, ce soir-là, la lune serait pleine et que les Clans se réuniraient pour l'Assemblée.

La combe n'avait désormais plus rien à voir avec la clairière envahie par les fourrés des premiers jours. La plupart des ronces avaient été arrachées pour former une barrière devant l'entrée. La plus grosse roncière avait été aménagée en pouponnière. Les apprentis s'étaient installés dans une crevasse peu profonde, tandis que les guerriers dormaient sous les branches déployées d'un buisson d'aubépine presque aussi large que leur gîte de l'ancien camp. Les anciens ne s'étaient toujours pas mis d'accord sur une tanière définitive ; chaque nuit, ils choisissaient un endroit différent et se réveillaient en se plaignant de l'humidité ou des courants d'air.

Griffe de Ronce soupçonnait Bouton-d'Or et Longue Plume de prendre plaisir à cette quête du repaire idéal, car cela leur permettait d'inspecter la combe jusque dans ses moindres recoins. Ainsi, ils avaient pu indiquer aux autres où ils pouvaient se prélasser au soleil ou manger à l'abri de la pluie.

Peu à peu, le camp prenait forme. Pourtant, Griffe de Ronce était toujours hanté par sa vision. Certes, l'ancien camp lui manquait horriblement, mais ce n'était pas tout : il ne cessait de penser à son père et à son demi-frère. Qu'avait voulu dire Étoile du Tigre en affirmant qu'il ne chassait pas avec le Clan des Étoiles ? Surveillait-il Étoile de Feu et le Clan du Tonnerre dans son ensemble depuis d'autres cieux ?

Griffe de Ronce secoua violemment la tête, comme si son rêve était une toile d'araignée collée à sa fourrure. Leur ancien foyer n'était plus, et il ne gagnerait rien à ressasser ses souvenirs. Pour se changer les idées, il chercha à s'occuper utilement et vit que la réserve de gibier près de l'entrée était bien maigre. Au même instant, Pelage de Poussière sortit de la pouponnière et vint à sa rencontre.

« Bonjour, le salua Griffe de Ronce. Tu veux venir chasser ?

— Bien sûr ! répondit le guerrier, les yeux luisant de convoitise. Qui d'autre pourrait venir avec nous ? »

Le guerrier tacheté se demanda s'il devait aller chercher Poil d'Écureuil. Soudain, un félin appela Pelage de Poussière : c'était Poil de Fougère qui courait vers eux.

« Pelage de Poussière ! haleta-t-il en s'arrêtant net. Hier, à ta demande, Nuage Ailé a passé la journée à ramasser de la mousse pour les litières. Est-ce que je peux reprendre son entraînement aujourd'hui ? Il est grand temps de rétablir la routine des apprentis.

— Bien sûr. Vous voulez venir chasser avec nous ?

— Amène aussi Nuage d'Araignée, suggéra Griffe de Ronce. Poil de Souris n'est pas assez en forme pour l'emmener en patrouille.

— Bonne idée », fit une voix derrière Griffe de Ronce.

En se retournant, celui-ci vit qu'Étoile de Feu venait dans leur direction.

« Je viens justement de parler à Poil de Souris, poursuivit le meneur. Hier, Nuage d'Araignée a chassé un jeune renard qui reniflait l'entrée du camp. Nous pensons tous deux qu'il a mérité son baptême de guerrier. La cérémonie aura lieu à midi. Vous pourrez lui dire que ce sera sa dernière partie de chasse en tant qu'apprenti. »

Griffe de Ronce émit un ronronnement satisfait. Le baptême du guerrier était l'un des rituels les plus importants de la vie des Clans. Avec l'intronisation de Nuage d'Araignée, le Clan prendrait pleinement possession de la combe Et ce serait une bonne nouvelle à annoncer lors de l'Assemblée.

Étoile de Feu leur souhaita bonne chance avant de s'éloigner, tandis que Poil de Fougère allait chercher les deux apprentis. Bientôt, les cinq félins grimpèrent la côte qui bordait la combe avant de filer entre les arbres. Ils avaient presque atteint le sommet de l'à-pic lorsqu'ils entendirent un miaulement plaintif derrière eux :

« Attendez-moi ! »

Griffe de Ronce regarda par-dessus son épaule : Petit Frêne s'efforçait de les suivre, trébuchant sur des touffes d'herbe dans son effort.

« Petit Frêne ! s'écria Pelage de Poussière. Qu'est-ce que tu fabriques ? »

Le chaton leva vers son père des yeux implorants.

« Je veux aller chasser avec vous. S'il te plaît ! »

Poil de Fougère coula un regard oblique vers Griffe de Ronce.

« Ah, ces chatons... » soupira-t-il.

Pelage de Poussière n'était, quant à lui, guère amusé.

« Non, c'est hors de question, le rabroua-t-il. Tu ne peux pas chasser tant que tu n'es pas un apprenti.

— Mais je suis déjà fort à la chasse ! se vanta Petit Frêne. Regarde, je vais te montrer. Je vais attraper cet oiseau. »

Il désigna d'un petit signe de tête un rouge-gorge perché sur l'un des buissons au sommet de la combe. Avant que quiconque ait le temps de l'en empêcher, il bondit vers l'oiseau.

« Non ! » crièrent Pelage de Poussière et Griffe de Ronce en se jetant sur lui.

Griffe de Ronce fut le plus rapide. Il l'attrapa par la peau du cou, au moment même où le buisson ployait sous le poids du chaton et commençait à pencher vers le vide. Un instant plus tard, il serait tombé dans la combe comme Poil d'Écureuil, sauf

236

qu'à cet endroit la paroi était deux fois plus haute. Aucun chat ne pourrait survivre à une telle chute.

Reculant tant bien que mal, le guerrier tacheté laissa tomber Petit Frêne sur la terre ferme, loin du bord. Le chaton resta tapi là, tout tremblant. Pelage de Poussière se dressa au-dessus de lui, la fourrure hérissée par la colère.

« Espèce de cervelle de souris ! feula-t-il. Tu ne crois pas qu'il y a une bonne raison pour que les petits restent avec leurs mères dans la pouponnière jusqu'à ce qu'ils aient l'âge de devenir apprentis ? »

Petit Frêne hocha la tête, effrayé, les yeux écarquillés.

« Je suis désolé, gémit-il.

— Ne sois pas trop dur avec lui, déclara Poil de Fougère. Il ne pensait pas à mal. »

Pelage de Poussière virevolta vers lui.

« Et alors ? Qu'est-ce que ça change ? Sans Griffe de Ronce, il serait mort ! » Il tapota Petit Frêne du bout de la queue. « D'ailleurs, je ne t'ai pas entendu le remercier. »

Les oreilles rabattues, tête basse, Petit Frêne miaula :

« M-merci, Griffe de Ronce. Je suis vraiment désolé.

— Ce n'est rien », le rassura le guerrier tacheté.

Il avait pitié du chaton épouvanté : après une frousse pareille, il ne quitterait sans doute plus le camp pendant des lunes.

« Allez, lève-toi, tu n'as rien. » Pelage de Poussière se pencha sur son fils pour lui donner quelques coups de langue vigoureux. Griffe de Ronce savait qu'il s'était mis en colère car il avait bien cru perdre le dernier de sa portée. « Retourne voir maman, et que cela ne se reproduise pas. »

Petit Frêne hocha la tête et son père pressa son museau contre son flanc pour le réconforter. Puis le chaton rebroussa chemin vers l'entrée du camp. Pelage de Poussière le suivit du regard jusqu'à ce qu'il disparaisse de sa vue.

« Il faudra établir une règle, déclara-t-il. Aucun chaton n'aura le droit de s'approcher du bord. Et aucun apprenti non plus », ajouta-t-il en inclinant les oreilles vers Nuage Ailé et Nuage d'Araignée, qui avaient regardé la scène sans mot dire, les yeux écarquillés.

Nuage Ailé acquiesça. Nuage d'Araignée releva la queue, comme s'il se rappelait que cette règle ne le concernerait plus après midi. Il semblait avoir oublié qu'il avait lui-même failli basculer dans le vide le soir où le Clan avait débarqué au camp.

« On pourrait marquer le bord, suggéra Griffe de Ronce. Comme ça, tout le monde s'en souviendra.

— Bonne idée, miaula Pelage de Poussière. Parles-en à Étoile de Feu à notre retour. Venez, allons chasser avant que Nuage d'Araignée ne rate l'heure de son baptême ! »

Griffe de Ronce prit sa place à l'arrière du groupe, encore sous le choc du drame évité de justesse. Il regarda une dernière fois le buisson épineux et s'imagina le corps minuscule de Petit Frêne, brisé et meurtri, au fond de la combe. *Ai-je vraiment mené mon Clan en lieu sûr ?* se demanda-t-il.

Depuis leur arrivée, près d'une demi-lune plus tôt, nul signe du Clan des Étoiles n'avait suggéré que leurs ancêtres veillaient sur eux. S'étaient-ils vraiment installés au bon endroit ?

Griffe de Ronce conduisit la patrouille de l'autre côté du torrent, vers la bande de territoire que Moustache avait cédée au Clan du Tonnerre. Il repéra bientôt un écureuil au pied d'un arbre. Griffe de Ronce rampa vers lui, bondit et lui brisa aussitôt la nuque d'un coup de patte d'expert.

« Bien joué ! » lança Pelage de Poussière.

Griffe de Ronce, qui avait commencé à recouvrir de terre le corps du rongeur, s'arrêta en voyant Nuage Ailé venir à lui.

« Tu es certain que l'on peut vraiment prendre cet écureuil ? demanda-t-elle, nerveuse. Ce terrain de chasse était censé revenir au Clan du Vent.

— Mais Moustache nous l'a donné, répondit Griffe de Ronce en finissant d'enfouir sa prise. C'est notre gibier. »

Il ne put cacher son irritation : une apprentie insinuait qu'il volait les proies d'un autre Clan ! Ce n'était pas son problème si le Clan du Vent prenait de mauvaises décisions.

Nuage Ailé ne protesta plus lorsqu'il entraîna la patrouille un peu plus loin entre les arbres.

Lorsque midi arriva, le Clan était repu, et la réserve comptait de nombreux restes. Après le repas, les guerriers s'attardèrent dans la clairière, où les buissons avaient été arrachés pour que tous puissent se réunir. L'heure du baptême de Nuage d'Araignée était venue.

Dans la combe, il n'y avait pas de Promontoire. À la place, Étoile de Feu avait trouvé une corniche à quelques longueurs de queue au-dessus du sol, qu'il atteignait en escaladant un amas rocheux. Juste au-dessous, une étroite crevasse débouchait sur une caverne où le meneur avait élu domicile. Avec son rideau de lierre qui dissimulait l'entrée et son sol sablonneux, le nouveau gîte du chef ressemblait beaucoup à l'ancien.

Étoile de Feu poussa un cri de ralliement. Son pelage couleur de flamme se détachait nettement sur la pierre gris-bleu.

« Que tous ceux qui sont en âge de chasser s'approchent de la Corniche pour une assemblée du Clan. »

Griffe de Ronce fut pris de frissons en entendant les paroles familières. La silhouette tout en pattes de Nuage d'Araignée s'approcha. L'apprenti avait si bien lustré sa fourrure qu'on aurait dit le plumage d'un corbeau. Il traversa la clairière jusqu'à son mentor, Poil de Souris. Fragile, amaigrie, elle ne semblait pas tout à fait remise de sa maladie, mais ses yeux brillaient de fierté.

Espérant trouver une place près de Poil d'Écureuil, Griffe de Ronce se fraya un passage parmi ses camarades. Il constata qu'elle s'était assise à côté de Pelage de Granit, Pelage de Suie et Perle de Pluie. Leurs têtes étaient rapprochées et leurs épaules secouées de tremblements comme s'ils riaient de bon cœur. Griffe de Ronce fit le gros dos. Il se sentait soudain transi, et vide. Déçu, il resta à l'endroit même où il se trouvait, juste à côté de Flocon de Neige, et s'efforça de se concentrer.

« Des soucis ? s'enquit le guerrier blanc dans un murmure, en inclinant les oreilles vers Poil d'Écureuil. Qu'est-ce que t'as fait pour lui ébouriffer le poil ?

— Rien », répondit sèchement le guerrier tacheté.

Les raisons de leur dispute étaient bien trop intimes et trop compliquées pour qu'il les confie à un tiers.

« Hé, ne t'en fais pas, lâcha Flocon de Neige en lui donnant une pichenette du bout de la queue. Ça va s'arranger.

— Peut-être. »

Pour le moment, il n'avait aucune envie d'en discuter.

« Nous avons une cérémonie à accomplir, reprit Étoile de Feu dès qu'ils furent tous installés. Poil de Souris, considères-tu que Nuage d'Araignée est prêt à recevoir son nom de guerrier ?

— Oui », répondit la vieille chatte.

Étoile de Feu descendit des rochers d'un pas léger et fit signe au novice de s'approcher. Ce dernier obéit, secoué de tremblements de la tête aux pattes.

« Moi, Étoile de Feu, chef du Clan du Tonnerre, j'en appelle à nos ancêtres pour qu'ils se penchent sur cet apprenti. » La voix claire du chef couvrait le sifflement du vent et le craquement des branches. « Il s'est entraîné dur pour comprendre les lois de votre noble code. Il est maintenant digne de devenir un chasseur à son tour. » Il se tourna vers le jeune mâle et poursuivit : « Nuage d'Araignée, promets-tu de respecter le code du guerrier, de protéger et de défendre le Clan, même au péril de ta vie ?

— Oui, répondit-il avec conviction.

— Alors, par les pouvoirs qui me sont conférés par le Clan des Étoiles, je te donne ton nom de chasseur : Nuage d'Araignée, à partir de maintenant, tu t'appelleras Patte d'Araignée. Nos ancêtres rendent honneur à ton courage et à ton enthousiasme, et nous t'accueillons dans nos rangs en tant que guerrier à part entière. »

Le meneur vint poser son museau sur le sommet du crâne de Patte d'Araignée. Le jeune chasseur donna un coup de langue respectueux sur l'épaule d'Étoile de Feu, puis rejoignit les autres guerriers.

« Patte d'Araignée ! Patte d'Araignée ! »

Le Clan l'acclama, scandant son nouveau nom. Pelage de Poussière était fier comme un paon et les yeux de Fleur de Bruyère reflétaient sa joie de voir leur fils aîné devenir enfin guerrier. Petit Frêne sauta dans les pattes de son frère, manifestement remis de ses émotions de la matinée.

Étoile de Feu leva la queue afin de demander le silence. Tous se turent pour le regarder avec curiosité.

« Avant que nous retournions à nos devoirs, j'ai une autre cérémonie à accomplir, annonça le rouquin. Poil de Souris et moi avons longuement discuté, et elle a pris une décision. Poil de Souris, es-tu toujours sûre de toi ? »

Celle-ci acquiesça avant de rejoindre le matou.

« Poil de Souris, poursuivit-il, est-ce bien ta volonté de renoncer à ton statut de guerrière pour aller rejoindre les anciens ?

— Oui », répondit-elle, la voix tremblante.

Griffe de Ronce imaginait sans peine à quel point il était difficile pour la combattante jadis si fière d'accepter qu'elle se faisait vieille. Sa maladie récente, ajoutée à la fatigue du voyage, lui avait prouvé qu'elle n'était plus aussi forte qu'autrefois. Ce constat plongea le guerrier dans une profonde tristesse.

« Ton Clan t'honore et rend hommage à tout ce que tu as accompli. J'en appelle au Clan des Étoiles pour qu'il t'accorde de nombreuses saisons de repos. »

Il enroula sa queue autour des épaules de Poil de Souris. La vieille chatte baissa alors la tête avant d'aller prendre place près de Longue Plume et Bouton-d'Or.

« Je ne suis pas si fatiguée que ça, Étoile de Feu, déclara-t-elle. Je continuerai à m'aiguiser les griffes et, en cas de besoin, je serai toujours prête à me battre. »

Des murmures à la fois amusés et admiratifs s'élevèrent de l'assemblée, et certains scandèrent son nom : « Poil de Souris ! Poil de Souris ! », comme s'ils saluaient un nouveau guerrier. Bouton-d'Or lui donna un coup de langue amical sur les oreilles.

Le rassemblement se dispersa peu à peu. Tandis que Griffe de Ronce s'apprêtait à féliciter Patte d'Araignée, il vit qu'Étoile de Feu lui faisait signe.

« Je sais où tu as attrapé cet écureuil, ce matin », dit le chef.

Griffe de Ronce sentit sa fourrure se gonfler. Il avait délibérément évité le territoire du Clan de l'Ombre en emmenant la patrouille dans la direction opposée ; Étoile de Feu allait-il maintenant lui reprocher d'avoir envahi le Clan du Vent ?

« Moustache a déclaré que nous pouvions prendre cette zone, répondit-il en essayant de dissimuler sa colère.

— Je sais, fit le meneur d'une voix douce. Tu n'as rien fait de mal. Mais évite ce coin pour le moment. Nous finirons par régler la question ; en attendant, je ne veux pas profiter de la générosité de Moustache.

— Ce n'était pas mon intention, avoua le jeune guerrier, soulagé. Mais c'est à lui de défendre ses frontières... À moins qu'il n'attende de nous que nous défendions son territoire en plus du nôtre, simplement parce que nous avons voyagé ensemble pendant une lune ?

— Ne t'en fais pas, Griffe de Ronce, miaula le rouquin en plissant les yeux. Le temps où les Clans se défendront toutes griffes dehors reviendra bien assez tôt. Mais ce n'est pas pour tout de suite. » Il fit mine de partir, avant de lancer par-dessus son épaule : « Va te reposer, Griffe de Ronce. Tu m'accompagnes à l'Assemblée ce soir. »

Le matou tacheté cligna les yeux sans répondre, espérant que son chef ne devinait pas son excitation. *Je vais revoir Plume de Faucon ! Je pourrai lui parler du rêve !* Il avait hâte de savoir si son demi-frère avait lui aussi rencontré Étoile du Tigre en songe. Est-ce que les membres d'une même famille partageaient leurs rêves ? Pas toujours... Pourtant, sa vision de l'ancien camp lui avait paru si vraisemblable qu'il en avait oublié un instant la réalité. Si

Étoile du Tigre veillait bel et bien sur ses deux fils, alors il voudrait sûrement leur rendre visite à tous les deux, non ?

Lorsqu'il alla s'installer dans le repaire des guerriers, il fut incapable de dormir, trop impatient qu'il était de revoir son demi-frère.

## CHAPITRE 15

❧

Lorsque les guerriers du Clan du Tonnerre se mirent en route pour rejoindre l'Assemblée, une lueur pourpre baignait encore l'horizon crépusculaire. Griffe de Ronce attendait derrière Poil de Fougère pour traverser le tunnel de ronces. Soudain, Poil d'Écureuil se glissa près de lui.

« Coucou », fit-elle. Elle semblait amicale mais hésitante, comme si elle craignait la réaction du guerrier. « Tout va bien ? Depuis ce matin, on dirait que tu rêves tout éveillé. »

Griffe de Ronce se crispa. Le souvenir de sa vision était si vivace que, s'il fermait les yeux, il pouvait sentir le frôlement du pelage de son demi-frère contre son propre flanc. Il aurait tant voulu répondre à l'affection qu'il voyait dans les yeux verts de la guerrière, mais elle était bien la dernière à qui il se confierait, étant donné l'aversion qu'elle éprouvait à l'égard de Plume de Faucon.

« Je n'ai pas très bien dormi, cette nuit », répondit-il en tapotant le sol du bout de la patte.

Le regard de la rouquine s'embrasa.

« Garde donc tes secrets, si ça te chante. » Elle

soupira avant d'ajouter : « De toute façon, je m'en fiche. »

Sur ces mots, elle s'engouffra dans le tunnel derrière Poil de Fougère.

« Poil d'Écureuil, attends ! »

Il se lança à sa poursuite, furieux contre lui-même. Lorsqu'il sortit du tunnel, elle s'éloignait déjà en compagnie de Nuage de Feuille. Les têtes des deux sœurs se touchaient presque. Il eut beau l'appeler de nouveau, Poil d'Écureuil ne se retourna pas.

Poil de Châtaigne fut la dernière à émerger du tunnel. Poil de Fougère attendait devant la sortie pour s'assurer qu'ils n'avaient oublié personne. Lorsqu'elle passa devant lui, le guerrier au pelage brun doré tendit le museau pour lui toucher la pointe de l'oreille.

« Hé, Poil de Châtaigne, murmura-t-il, je suis content que tu viennes. »

La jeune chatte écaille lui lança une œillade en ronronnant.

Étoile de Feu les entraîna à flanc de colline jusqu'au gué, puis ils redescendirent le long du torrent pour atteindre le lac.

« Si nous continuons à nous retrouver près du territoire des chevaux, déclara-t-il, le Clan du Vent devra accepter que nous traversions son territoire à chaque pleine lune.

— Ça ne devrait pas poser de problèmes, marmonna Flocon de Neige à Pelage de Poussière.

— C'est vrai, grommela le guerrier brun. On pourrait sans doute débouler dans leur camp sans qu'un seul de leur guerrier ne lève la patte.

— Vous êtes injustes ! s'indigna Poil de Châtaigne. Moustache défendrait son camp aussi férocement que n'importe quel combattant. »

Pelage de Poussière et Flocon de Neige échangèrent un regard sceptique.

Le groupe de félins longea la rive du lac ; l'eau virait au noir à mesure que les nuages rosés disparaissaient à l'horizon. Plus d'une fois, Griffe de Ronce se surprit à tourner la tête vers Poil d'Écureuil et Nuage de Feuille, qui fermaient la marche. Au moins, se dit-il, elle n'était pas avec Pelage de Granit. Griffe de Ronce trouvait que le jeune guerrier gris, qui discutait avec Perle de Pluie et Museau Cendré, tournait un peu trop autour de Poil d'Écureuil.

Lorsqu'ils approchèrent enfin du territoire des chevaux, la lune pleine dominait les volutes de nuages, et le lac et ses berges avaient pris une teinte argent. Alors qu'ils atteignaient la clôture, Moustache apparut au sommet de la colline, entouré de plusieurs guerriers. Griffe de Ronce fut surpris de reconnaître Griffe de Pierre, et chercha en vain Patte Cendrée, le nouveau lieutenant.

Étoile de Feu s'arrêta pour laisser le temps au Clan du Vent de les rejoindre. Il salua Moustache d'un ronron amical. Alors que les deux chefs marchaient côte à côte, les guerriers qui les suivaient ne se mélangèrent pas. Griffe de Ronce agita la queue pour attirer l'attention de Plume de Jais, mais au lieu de venir vers lui, le petit guerrier se contenta de le saluer d'un hochement de la tête.

Soudain, Étoile de Feu leur fit signe de s'arrêter. Griffe de Ronce s'avança à petits pas pour découvrir la raison de cette halte. Il huma profondément et sa fourrure se dressa aussitôt sur son échine : il avait repéré une odeur de chats inconnus.

« Encore des chats domestiques ? » marmonna-t-il à Plume de Jais.

Le guerrier du Clan du Vent feula, les oreilles rabattues. Griffe de Ronce suivit son regard : quelque chose se déplaçait dans l'herbe de l'autre côté de la clôture. Deux félins apparurent. Un matou gris et blanc athlétique, suivi d'une chatte à la longue fourrure soyeuse couleur crème. Le mâle les foudroya du regard en montrant les crocs.

« Qui êtes-vous et que voulez-vous ? » lança-t-il.

Griffe de Pierre et Flocon de Neige bondirent dans un même élan, prêts à se battre, mais Étoile de Feu les fit reculer d'un mouvement de la queue.

« Nous ne cherchons pas la bagarre, répondit le meneur. Nous sommes venus vivre dans les environs.

— Mais vous êtes si nombreux ! » s'exclama la femelle, les yeux écarquillés.

Son ventre rond et lourd révélait qu'elle attendait des petits.

« En fait, nous sommes beaucoup plus nombreux, ajouta Moustache. Mais Étoile de Feu a raison. Nous vous laisserons tranquilles.

— Tant que vous aussi, vous nous laissez tranquilles », feula Griffe de Pierre.

La fourrure du mâle gris et blanc enfla démesurément sur sa nuque.

« Si vous faites un seul pas de ce côté de la clôture...

— Et pourquoi ferait-on ça ? demanda Poil d'Écureuil qui, poussée par la curiosité, s'était faufilée au premier rang. Nous ne sommes pas des chats à Bipèdes, nous !

— Les Bipèdes ? répéta la reine, perplexe.

— Les créatures roses qui marchent sur leurs pattes arrière », précisa Griffe de Ronce. Lors de leur voyage jusqu'à Minuit, ils avaient découvert que tous les chats n'utilisaient pas les mêmes mots. « Ils vivent dans des nids rouges, comme celui-là, là-bas, ajouta-t-il en pointant la queue vers le nid de Bipèdes derrière le territoire des chevaux.

— Oh, vous parlez des Sans-Fourrure, miaula la chatte. Nous non plus, nous ne vivons pas avec eux. Mais dans l'écurie, avec les chevaux. »

Étonné, Griffe de Ronce pencha la tête de côté. Ces deux-là semblaient être des solitaires, comme Gerboise et Nuage de Jais, les deux mâles qui habitaient dans une grange près de leur ancien territoire. Il avait pourtant du mal à imaginer qu'on puisse vivre si près d'un nid de Bipèdes, et au milieu des chevaux et de leurs gros pieds.

Le matou inconnu agita le bout de sa queue.

« Partez d'ici, ordonna-t-il. On ne veut pas de vous chez nous.

— Inutile d'être si agressif », protesta Poil d'Écureuil.

À côté d'elle, Griffe de Pierre faisait le gros dos, tandis que Griffe de Ronce se préparait à bondir. Si ce malotru ne changeait pas de ton avec eux, il y aurait du grabuge.

Une petite reine blanche du Clan du Vent tendit la queue pour barrer la route à Griffe de Pierre.

« Calme-toi, miaula-t-elle. Tu ne sens pas la présence de chatons ? Il ne fait que défendre sa pouponnière. »

Griffe de Ronce entrouvrit la gueule pour imprégner ses glandes olfactives des odeurs des environs. Aile Rousse avait raison : ces deux solitaires n'étaient pas seuls ici. Il y en avait d'autres, y compris des petits.

La reine au pelage crème parut impressionnée.

« Une autre chatte habite ici, en effet, reconnut-elle. Câline a mis bas hier. Ces félins ne nous veulent pas de mal, ajouta-t-elle en donnant un coup de tête dans l'épaule de son compagnon. Nous n'avons pas à nous inquiéter.

— Aucun d'entre nous ne s'en prendrait à un chaton », promit Étoile de Feu.

Le matou recula d'un pas, sa fourrure de nouveau raplatie sur sa nuque.

« Il y a intérêt », cracha-t-il d'une voix rauque. Il se tourna à demi pour partir, avant d'ajouter : « Moi, c'est Pacha, et elle, Chipie. Je vous préviens, il y a un chien dans le nid des Sans-Fourrure. Un petit animal noir et blanc qui aboie sans cesse. La plupart du temps, ils le gardent à l'intérieur, mais il parvient parfois à s'échapper.

— Merci, répondit le meneur. Nous resterons sur nos gardes. »

Pacha le salua d'un bref hochement de tête avant de s'éloigner en faisant signe à Chipie de le suivre. Elle hésita un instant, puis obéit. Sa pâle fourrure disparut rapidement dans les ténèbres.

« Au revoir ! lança Poil d'Écureuil. À un de ces jours ! »

Les guerriers des Clans reprirent leur chemin, longeant la clôture pour suivre la rive jusqu'au bosquet où ils avaient établi un camp de fortune à leur arrivée. Les Clans de l'Ombre et de la Rivière étaient déjà là. Griffe de Ronce aperçut presque aussitôt Pelage d'Or. Alors qu'il se dirigeait vers elle, Perle de Pluie le précéda pour aller saluer une jeune guerrière du Clan de la Rivière.

« Salutations, Plume d'Hirondelle ! La pêche est bonne en ce moment ? »

La chatte au pelage sombre et tigré coula un regard ambigu vers son chef, Étoile du Léopard, assise à quelques longueurs de queue de là.

« Oui, merci », murmura-t-elle.

Perle de Pluie se pencha pour lécher les oreilles de la guerrière, avant d'avoir un mouvement de recul. Gêné, il préféra se lécher la patte et la fit glisser sur son museau.

« Désolé, marmonna-t-il. J'oublie tout le temps que les choses sont différentes, maintenant. »

Pelage d'Or s'approcha. Après un tel rappel des coutumes, son frère resta à une longueur de queue d'elle et la salua d'un signe de tête solennel.

« Je suis content de te revoir, miaula-t-il.

— Tu parles, cervelle de souris… » Elle vint se frotter tout contre son frère. « C'est ridicule ! Nous avons traversé trop d'épreuves ensemble pour pouvoir oublier le passé. Partager nos souvenirs et nous montrer affectueux l'un envers l'autre ne fait pas de nous des traîtres ! »

Griffe de Ronce ne sut que répondre. Elle avait raison, mais il savait que tous n'étaient pas de cet avis. Un peu à l'écart, un groupe de guerriers du Clan de l'Ombre leur lançait des regards peu amènes. Pelage Fauve, le matou qui l'avait attaqué lorsqu'il avait par mégarde franchi le marquage du Clan rival, était parmi eux. Il se tourna vers son voisin pour lui glisser une remarque acerbe à l'oreille. Le matou tacheté était trop éloigné pour l'entendre, mais il devinait que ce n'était guère flatteur.

Tandis qu'il se dirigeait vers la souche pour s'assurer une bonne place, Plume de Faucon apparut à son côté et le regarda avec insistance comme s'il attendait que son demi-frère s'exprime en premier.

« Euh... salut », miaula Griffe de Ronce en se rappelant soudain son rêve. « L'installation se passe bien ? »

Le guerrier au regard bleu s'inclina avant de répondre d'un ton froid :

« Très bien, merci. »

Griffe de Ronce recula. Plume de Faucon pensait-il qu'il trahissait son Clan en lui parlant ?

« Désolé, marmonna-t-il. Je croyais...

— Ne t'en fais pas. Je ne suis pas de ceux qui pensent que les membres des Clans ne devraient pas se mêler. À présent, nous avons tous des amis dans les autres Clans, et pourtant, nous devons faire comme si seule la rivalité importait. »

Le guerrier du Clan du Tonnerre aurait voulu s'écrier : « Oui ! C'est exactement ce que je ressens ! » Mais, devinant des regards curieux braqués sur lui, il se contenta de répondre :

« Comment pourrions-nous oublier tout ce que nous avons traversé ?

— C'est précisément ce que je disais à Griffe de Pierre, répondit le guerrier du Clan de la Rivière dans un battement de queue. Il m'a parlé des problèmes du Clan du Vent.

— Quels problèmes ? s'enquit Griffe de Ronce, soudain tendu.

— Tu n'es pas au courant ? Moustache refuse d'établir des frontières nettes, pour commencer. Selon Griffe de Pierre, il a cédé toute une bande de territoire au Clan du Tonnerre en échange de quelques plantes médicinales. »

Griffe de Ronce plissa les yeux. Apparemment, Griffe de Pierre comptait saisir la moindre opportunité pour saper l'autorité de Moustache.

« Étoile Filante a peut-être commis une erreur en choisissant Moustache pour lui succéder, poursuivit Plume de Faucon. Il serait dommage pour le Clan du Vent que son meneur ne soit pas à la hauteur.

— Je suis certain que Moustache fera un grand chef, rétorqua le jeune guerrier en repoussant dans un coin de son esprit le souvenir de la cérémonie escamotée. Il n'y a aucune raison pour que le Clan du Vent, une fois bien installé, soit plus faible que les autres Clans.

— Il faut un meneur fort pour faire un Clan fort. Moustache n'a pas encore reçu son nom de chef ni ses neuf vies. Est-ce un signe que le Clan des Étoiles n'approuve pas sa nomination ? »

Sa voix était neutre, plus curieuse qu'hostile. Griffe de Ronce ne pouvait le contredire. Et si le

Clan des Étoiles refusait de reconnaître l'autorité de Moustache ? En tout cas, les guerriers de jadis n'avaient envoyé aucun signe lui expliquant comment il pourrait recevoir ses neuf vies.

« Griffe de Pierre pense la même chose, poursuivit le guerrier du Clan de la Rivière. Il sait que ses camarades ont besoin d'être guidés avec fermeté, aujourd'hui plus que jamais. Bien sûr, il est difficile d'établir de nouvelles frontières quand on a vécu tous ensemble si longtemps, mais si nous ne le faisons pas, comment les Clans survivront-ils ? Les décisions que nous prenons maintenant affecteront chacun d'entre nous pour les saisons à venir. Le Clan du Vent pourrait mourir de faim si Moustache ne revendique pas un territoire suffisamment grand. »

Cette vision inédite de Griffe de Pierre fut comme une révélation pour Griffe de Ronce. Il avait fini par croire que l'ancien lieutenant ne pensait qu'à son ambition. Pendant le voyage, il s'était pourtant montré aussi courageux et déterminé que les autres. Ferait-il vraiment un chef plus efficace ?

« Griffe de Pierre était un très bon lieutenant, déclara-t-il, pensif.

— En parlant de lieutenant, qu'attend Étoile de Feu pour te nommer à la place de Plume Grise ? »

Gêné, Griffe de Ronce gratta la terre sous les feuilles mortes.

« Il y a des guerriers plus expérimentés… »

Plume de Faucon l'interrompit d'un battement de queue.

« Plus *âgés*, d'accord, corrigea-t-il. Mais plus expérimentés ? Je ne pense pas. Combien d'entre

256

eux auraient pu accomplir le périple jusqu'à Minuit, puis nous conduire ici ? Tu es robuste, et habile, et tu respectes le code du guerrier. Pourquoi ne serais-tu pas nommé lieutenant ?

— Étoile de Feu a de bonnes raisons pour ne désigner personne...

— Mais *tout le monde* sait que Plume Grise est mort ! Il aurait préféré périr au combat plutôt que de laisser les Bipèdes le transformer en chat domestique. Il n'y a qu'une seule et unique raison pour laquelle Étoile de Feu refuse de te nommer lieutenant, et tu la connais aussi bien que moi. C'est à cause de l'identité de ton père. De *notre* père. »

En dévisageant son demi-frère, Griffe de Ronce eut une fois de plus l'impression de regarder son reflet. Ils partageaient le même pelage sombre et tacheté, les mêmes épaules puissantes, le même regard intense, qui ne différait que par la couleur : bleu d'un côté, ambre de l'autre.

« Tu connais des problèmes similaires au sein du Clan de la Rivière ? s'enquit-il à voix basse.

— Non. Étoile du Tigre n'a jamais été l'ennemi juré de mon Clan. Si on m'a reproché quelque chose, c'était surtout de ne pas être né dans le Clan. Jadis, cela me contrariait, mais aujourd'hui, je n'ai qu'à regarder Étoile de Feu pour me rassurer. Si un chat domestique peut devenir chef de Clan, alors moi aussi. »

Du coin de l'œil, Griffe de Ronce aperçut un éclair de fourrure rousse : Poil d'Écureuil fonçait vers la souche sans regarder où elle allait. Elle faillit les percuter, lui et Plume de Faucon, et s'arrêta de justesse.

« Désolée, je cherchais... » Elle laissa sa phrase en suspens en reconnaissant les deux mâles. « Ah, c'est toi, miaula-t-elle avec dégoût à l'intention de Plume de Faucon.

— Salutations, Poil d'Écureuil. » Le guerrier du Clan de la Rivière s'inclina poliment. « Griffe de Ronce et moi, nous parlions du Clan du Vent. Nous craignons qu'il y ait des problèmes si Moustache ne reçoit pas bientôt ses neuf vies. »

Griffe de Ronce fut soulagé qu'il n'évoque pas leur échange sur la nomination d'un éventuel nouveau lieutenant. Mais cela n'empêcha pas Poil d'Écureuil de lorgner son demi-frère avec une hostilité non dissimulée, sa fourrure dressée sur son échine.

« En quoi ça regarde le Clan de la Rivière ? » lança-t-elle.

Le matou ouvrit grand les yeux, mais il ne répondit pas.

« Évidemment que ça regarde le Clan de la Rivière, rétorqua Griffe de Ronce. Une autorité incontestée est importante pour le bien de tous les Clans. »

La guerrière répondit par un reniflement de mépris. L'arrivée de Patte de Brume l'empêcha d'ajouter quoi que ce soit.

« Étoile du Léopard te demande, Plume de Faucon, annonça le lieutenant. Nous devons décider de ce que nous allons annoncer à l'Assemblée.

— La position des frontières définitives, expliqua Plume de Faucon à Griffe de Ronce.

— Pas seulement. Étoile du Léopard veut

rapporter aux autres Clans que Griffe Noire et toi avez fait fuir un blaireau. »

Le jeune guerrier haussa les épaules.

« N'importe qui aurait fait la même chose », dit-il humblement, mais son ton trahissait sa fierté.

Les deux guerriers du Clan de la Rivière s'éloignèrent, sous le regard choqué de Griffe de Ronce. Plume de Faucon avait parlé d'un blaireau dans son rêve ! Ce qui signifiait que cette vision était réelle, et que, mystérieusement, les trois matous s'étaient bel et bien rencontrés. Il fut pris de frissons.

Il voulait rappeler Plume de Faucon, mais une pression sur son épaule lui fit tourner la tête. Poil d'Écureuil se tenait toujours près de lui, l'air à la fois furieuse et consternée.

« Tu cherches les problèmes ou quoi ? crachat-elle. Tu as pris la défense de cette... boule de poils puante contre moi !

— Pas du tout, répliqua-t-il, agacé. Plume de Faucon est un guerrier honorable. C'est toi qui lui as cherché des puces dans la fourrure.

— Parce que, à chaque fois que je tourne la tête, je te trouve en train de lui parler !

— Et alors ? s'impatienta-t-il. C'est mon frère. Tu devrais comprendre que j'aie envie de mieux le connaître. De plus, nous sommes à l'Assemblée, au cas où tu l'aurais oublié. Nous sommes là précisément pour parler les uns avec les autres. Je n'arrive pas à croire que tu te sois montrée aussi grossière envers lui.

— Et moi je n'arrive pas à croire que tu puisses critiquer l'autorité de Moustache avec lui ! Moustache a toujours été l'ami du Clan du Tonnerre.

— Es-tu en train de me dire que Plume de Faucon est notre ennemi ? »

La rouquine ne répondit pas tout de suite. La colère disparut de son regard, remplacée par une profonde tristesse.

« D'accord, j'abandonne, miaula-t-elle. Ça ne va pas marcher, toi et moi, pas vrai ?

— Qu'est-ce que tu veux dire ? demanda-t-il, éberlué. Pourquoi pas ?

— Parce que je vois très bien que je ne compte pas tant que ça pour toi. En tout cas moins que d'autres… comme Plume de Faucon. »

Griffe de Ronce ouvrit la gueule pour répondre, mais une autre voix l'interrompit.

« Hé, Poil d'Écureuil ! Je t'ai gardé une place juste ici. »

C'était Pelage de Granit, assis à quelques longueurs de queue de là. La jeune guerrière jeta au matou tacheté un ultime regard où la fureur le disputait au chagrin, avant de rejoindre le mâle gris.

Griffe de Ronce bondit à sa poursuite.

« Poil d'Écureuil, attends ! Jamais personne ne comptera plus que toi ! »

Elle ne se retourna pas et il refusa de la poursuivre jusqu'à Pelage de Granit. Il n'allait pas donner au jeune guerrier gris la satisfaction de les voir se disputer.

Derrière lui, Étoile de Jais sauta sur la souche et réclama le silence. Tandis que tous les félins se rassemblaient, Griffe de Ronce surprit le regard de Plume de Faucon : son demi-frère le dévisageait avec curiosité. Pourtant, il ne voulait pas lui parler du rêve tout de suite. Quoi que Poil d'Écureuil ait pu dire, personne n'était plus important qu'elle. À cet instant, une seule chose l'obsédait : la façon dont elle s'était assise tout près de Pelage de Granit, qui se penchait vers elle pour lui murmurer un mot à l'oreille.

## CHAPITRE 16

Assise à l'orée de la clairière, Nuage de Feuille regardait les guerriers des quatre Clans aller de-ci de-là, saluant leurs vieux amis et cherchant une bonne place pour écouter les débats de l'Assemblée. Elle guettait Plume de Jais, pour lui demander des nouvelles de Belle-de-Jour. Elle l'avait bien aperçu une première fois, lorsque les Clans du Tonnerre et du Vent s'étaient retrouvés devant le territoire des chevaux, mais il avançait tête basse, comme s'il ne voulait parler ni à elle ni à personne. À présent, il restait introuvable. *À croire qu'il le fait exprès !* songea-t-elle, frustrée.

« Nuage de Feuille ! Nuage de Feuille, tu rêves ? » l'appela Museau Cendré en la secouant par l'épaule.

L'apprentie sursauta. Au même instant, elle repéra enfin Plume de Jais de l'autre côté de la clairière.

« Désolée, Museau Cendré.

— À la fin de l'Assemblée, les guérisseurs se réuniront.

— Est-ce que le Clan des Étoiles a parlé ? s'enquit-elle, les oreilles dressées.

— Je ne sais pas. Peut-être. » Elle ajouta d'un

ton plus sec : « Viens, allons nous trouver une place. L'Assemblée ne va pas tarder à commencer. »

Nuage de Feuille jeta un coup d'œil vers Plume de Jais, se demandant si elle aurait le temps d'aller le voir. Son mentor suivit son regard.

« Méfie-toi de tes sentiments, déclara-t-elle d'une voix douce. N'oublie pas que tu t'es engagée sur la voie des guérisseurs.

— Je ne l'ai pas oublié ! protesta l'apprentie. Tu ne crois tout de même pas que j'éprouve quoi que ce soit pour cette boule de poils mal embouchée ? Chaque fois qu'on se voit, il me cherche des tiques dans la fourrure. Je voulais simplement savoir si Belle-de-Jour allait mieux. C'est tout. »

La guérisseuse la dévisagea d'un air dubitatif, avant de l'entraîner vers les autres félins. L'apprentie la suivit, ruminant sa colère à l'encontre du guerrier du Clan du Vent. Quels sentiments ? Elle le détestait jusqu'au bout des moustaches !

Son mentor s'assit près de la souche, repliant sa patte blessée sous elle. La jeune chatte tigrée allait s'installer près d'elle lorsqu'elle aperçut Poil d'Écureuil qui se dirigeait vers Pelage de Granit. Des ondes de détresse émanaient de sa sœur – Nuage de Feuille les ressentait aussi douloureusement que s'il s'agissait d'elle-même.

Tandis qu'Étoile de Jais demandait le silence, Nuage de Feuille fila s'asseoir près de sa sœur.

« Que se passe-t-il ? s'enquit-elle. Tu t'es encore disputée avec Griffe de Ronce ?

— Ne me parle plus de lui ! Tout est fini entre nous !

— Hein ? Qu'est-il arrivé ?

— Il a parlé à Plume de Faucon. Il a même pris sa défense contre moi – alors que c'est un guerrier d'un autre Clan ! Pourquoi refuse-t-il de me croire quand je lui dis qu'il faut se méfier de lui ?

— C'est tout ?

— Comment ça, "c'est tout" ? » Poil d'Écureuil battit furieusement de la queue. « Je lui ai dit que tu *savais* que Plume de Faucon était dangereux, mais il s'en moque. C'est une question de confiance, et à l'évidence, Griffe de Ronce fait davantage confiance à Plume de Faucon qu'à moi. Comment peut-on rester ensemble, dans ces conditions ? »

Nuage de Feuille se sentit totalement impuissante. Elle était guérisseuse… que connaissait-elle à l'amour ? Elle comprenait que sa sœur se vexe parce que Griffe de Ronce préférait passer du temps avec Plume de Faucon plutôt qu'avec elle, mais la façon dont Poil d'Écureuil rejetait totalement son compagnon la laissait perplexe. Elle pressa son museau contre celui de sa sœur pour la réconforter.

« N'oublie pas qu'ils sont demi-frères. Il est normal qu'ils apprécient de se voir de temps en temps. »

Les yeux verts de la jeune guerrière brillèrent d'un froid éclat.

« C'est une question de *confiance*, je te dis ! Je me fiche bien qu'ils aient le même père. Tout cela dépasse de loin les questions de parenté ! »

Étoile de Feu, Étoile de Jais et Étoile du Léopard se tenaient à présent sur la souche, prêts à commencer. Nuage de Feuille s'efforça d'envoyer des pensées réconfortantes à sa sœur.

Moustache courut à son tour vers la souche, rata son saut et s'étala de tout son long. Étoile de Feu et Étoile du Léopard échangèrent un regard embarrassé, mais Étoile de Jais ne se gêna pas pour miauler sèchement :

« Reste en bas, Moustache. Il n'y a pas assez de place pour tout le monde sur la souche et l'Assemblée doit commencer. »

Le chef malheureux s'assit entre les racines et lécha la fourrure ébouriffée de son poitrail.

« Pour un meneur, il manque franchement de dignité, murmura Poil d'Écureuil.

— C'est vrai. Le plus tôt nous trouverons une autre Pierre de Lune, le mieux ce sera. Il lui faut absolument ses neuf vies et son nom de chef. »

Étoile de Jais prit la parole en premier.

« Comme nous l'avions décidé la dernière fois, nous avons marqué notre frontière le long du petit Chemin du Tonnerre menant au lac, annonça-t-il. Étoile du Léopard, j'espère que cela te convient. »

Son regard se planta dans la fourrure du chef du Clan de la Rivière comme s'il la mettait au défi de protester. Contre toute attente, la chatte s'inclina.

« Tout à fait, merci, Étoile de Jais. »

Le meneur blanc aux pattes noires sembla surpris. Nuage de Feuille se demanda elle aussi pourquoi Étoile du Léopard se montrait si coopérative. Comme le petit Chemin du Tonnerre n'était pas si loin du camp du Clan de la Rivière, Étoile du Léopard aurait pu essayer d'étendre son territoire. Puis la novice comprit que, de cette façon, le demi-pont et le petit nid de Bipèdes décrits par Poil d'Écureuil se trouveraient dans le territoire du Clan de l'Ombre. Ainsi, si les Bipèdes causaient de nouveaux problèmes, ce serait à ce Clan de les régler.

« Notre frontière avec le Clan du Tonnerre a elle aussi été marquée, poursuivit le meneur. Nous revendiquons tout le territoire jusqu'à la rivière qui se jette dans le lac et jusqu'à l'arbre mort de l'autre côté de cette rivière.

— Il serait plus logique de suivre le cours d'eau jusqu'en haut, miaula Étoile de Feu avec calme.

— Pour le Clan du Tonnerre, peut-être. Mais dans la partie élevée de la clairière, la rivière dessine un méandre qui s'enfonce profondément sur nos terres. Sans compter qu'il y a des pins sur les deux rives. Le marquage est fait, Étoile de Feu. Si cette frontière ne te plaît pas, tant pis. Il fallait être plus rapide que nous. »

Le chef du Clan du Tonnerre le dévisagea longuement. Il finit par hocher la tête.

« Très bien, fit-il. De notre côté, nous avons délimité nos terres le long d'une ligne passant par l'arbre mort, un grand buisson de houx et une renardière abandonnée au pied d'un rocher blanc. Si vous posez une patte au-delà, tant pis pour vous.

— Voilà qui me semble équitable, murmura Pelage de Granit aux deux sœurs. Étoile de Feu connaît bien le nouveau territoire...

— Quant à la frontière qui nous sépare du Clan du Vent, poursuivit le rouquin en baissant les yeux vers Moustache, je suggère que nous nous en tenions à notre première idée : le torrent qui court au pied des collines. Ainsi, les deux Clans auront accès à l'eau vive.

— Bonne idée, murmura Nuage de Feuille.

— Je ne vois pas pourquoi Étoile de Feu s'inquiète pour l'eau, répondit Poil d'Écureuil en remuant les moustaches. Avec le lac juste devant nos camps, on ne risque pas d'avoir soif !

— Tu n'as pas compris. Si Étoile de Feu accepte le torrent comme frontière, cela signifie que le Clan du Vent récupère l'étendue de territoire que Moustache nous a donnée.

— Alors, c'est l'astuce qu'a trouvée notre père pour refuser l'offre de Moustache sans le froisser ? »

Nuage de Feuille acquiesça.

« Merci, Étoile de Feu. » Moustache semblait soulagé. « Cela nous convient. Et nous prendrons la clôture au bout du territoire des chevaux comme autre frontière.

— Ce qui laisse le reste au Clan de la Rivière, coupa Étoile du Léopard.

— À l'exception de ce bosquet, contra Étoile de Feu. Cet endroit ne devrait appartenir à aucun Clan.

— Tu es bien pressé de me délester d'une partie de mes terres », protesta Étoile du Léopard, les yeux plissés.

Pour une fois, Étoile de Jais soutint Étoile de Feu :

« Il faut bien que nous nous réunissions quelque part. Et c'est la seule clairière assez grande pour nous contenir tous.

— Nous sommes à l'évidence sur le territoire du Clan de la Rivière, insista Étoile du Léopard. Il y a des plantes médicinales vitales qui poussent dans ces marais. »

Étoile de Feu posa le bout de sa queue sur son épaule.

« Étoile du Léopard, nos guérisseurs espèrent que le Clan des Étoiles nous montrera bientôt un autre endroit. Renonce à ce bosquet pour le moment ; tu pourras sans doute le récupérer à la prochaine pleine lune. »

Étoile du Léopard hésita, avant de répondre :

« Entendu. Le Clan de la Rivière tolérera que les quatre Clans se réunissent ici. Mais s'il n'y a aucun signe du Clan des Étoiles d'ici deux lunes, il faudra trouver une autre solution. »

Étoile de Feu reprit la parole pour donner des nouvelles du Clan du Tonnerre. Il annonça fièrement que le Clan comptait déjà un nouveau guerrier.

« Patte d'Araignée est en train d'accomplir sa veillée », conclut-il.

Une ombre glissa sur la clairière. En haussant la tête, Nuage de Feuille constata que la lune se voilait : la nuit leur sembla soudain ténébreuse et inquiétante. Un vent froid, humide, qui fit claquer les branches des arbres, se leva sur le lac et leur ébouriffa la fourrure. Certains félins s'agitèrent autour d'elle et jetèrent partout des regards inquiets.

« Ce n'est pas comme aux Quatre Chênes, marmonna Pelage de Granit. Au moins, on se sentait en sécurité, là-bas.

— Le Clan des Étoiles nous accompagne, où que nous soyons, lui rappela l'apprentie guérisseuse, mais ses paroles ne semblèrent pas le rassurer, ni lui ni les autres.

— Moustache ? fit Étoile de Feu. As-tu quelque chose à dire ? Monte ici que tous puissent t'entendre. »

Il sauta à terre pour laisser sa place à son ami.

« Nous nous installons petit à petit dans notre camp, annonça-t-il.

— Parle plus fort ! On n'entend rien ! »

Cette remarque irrespectueuse venait de Gros Ventre, un guerrier âgé du Clan de la Rivière.

« Normal, si tu ne la boucles pas. » À sa grande surprise, Nuage de Feuille vit que c'était Griffe de Pierre qui avait bondi pour défendre Moustache. « Écoute ce que notre chef a à dire. »

Gros Ventre lui décocha un regard mauvais sans répondre. Moustache reprit :

« Deux de nos anciens ont été malades, mais ils se remettent bien. Nous remercions le Clan du Tonnerre pour nous avoir envoyé de l'aide.

— Il n'aurait pas dû parler de ça, souffla Nuage de Feuille à l'oreille de sa sœur. À l'entendre, son Clan ne peut pas se débrouiller sans nous.

— C'est peut-être bien le cas », rétorqua sèchement Poil d'Écureuil.

Du coin de l'œil, la novice surprit soudain des formes qui se glissaient sous les arbres. Son sixième sens l'avertit d'un danger tout proche. D'autres guerriers les remarquèrent, et la moitié de l'assistance bondit, toutes griffes dehors, vers les deux silhouettes allongées qui émergèrent des ténèbres : des renards !

Les animaux s'approchèrent, nullement impressionnés par le nombre de félins rassemblés dans la clairière. Les babines retroussées, leurs crocs luisaient sous la lune. Poussant un cri féroce, Pelage de Poussière se jeta sur l'un d'eux. Le renard tourna, cherchant à le mordre, mais le guerrier, plus rapide, lui griffa les flancs avant d'esquiver le museau pointu.

Perle de Pluie, Plume de Faucon et Feuille Rousse vinrent aussitôt en renfort. Derrière eux, d'autres guerriers formèrent une ligne de défense tout en griffes et en crocs.

Vaincus, les deux renards détalèrent, pourchassés par Pelage de Poussière et quelques autres. Le cœur battant, Nuage de Feuille regarda les combattants se fondre dans la nuit. À son grand soulagement, ils reparurent l'un après l'autre, indemnes.

Pelage de Poussière revint vers la souche, les griffes toujours sorties.

« Ils seront moins curieux, la prochaine fois.

— Bien, fit Étoile de Jais. Mettons fin à cette Assemblée avant qu'il n'arrive autre chose. À moins que quelqu'un veuille prendre la parole ? »

Pas de réponse. Les félins se regroupèrent par Clans, oubliant de saluer leurs amis, renonçant aux conversations qui suivaient habituellement les Assemblées. Tout le monde voulait partir au plus vite.

« Je dois rester là, annonça Nuage de Feuille à Poil d'Écureuil. Les guérisseurs se réunissent.

— Ça ira ? s'inquiéta la rouquine. Ces renards pourraient revenir.

— Tu reviendrais, toi, si Pelage de Poussière t'avait griffé le museau ? »

La jeune guerrière caressa l'oreille de sa sœur du bout de la queue.

« Bien vu, mais fais quand même attention. »

Pelage de Granit l'attendait. Les deux félins s'élancèrent côte à côte vers le lac. Pour une fois, Poil d'Écureuil ne chercha pas Griffe de Ronce du regard. Nuage de Feuille le vit un instant plus tard. Il s'était arrêté pour regarder Plume de Faucon rassembler quelques membres du Clan de la Rivière. Saisie de frissons, elle se demanda soudain si sa sœur avait raison lorsqu'elle affirmait qu'il était complètement obsédé par son demi-frère.

Papillon surgit tout à coup à son côté.

« Viens, les autres sont là-bas. »

Nuage de Feuille la retint un instant.

« Comment vont les anciens de ton Clan ? s'enquit l'apprentie à voix basse.

— Bien, répondit la guérisseuse, l'air coupable. Je suis vraiment désolée, Nuage de Feuille. J'aurais dû inspecter cette eau avec plus de rigueur.

— Ce n'est pas ta faute. Tu ne pouvais rien sentir, avec toute cette bile de souris ! Tout va bien, à présent. Cet incident nous a obligés à renouveler nos réserves de remèdes plus rapidement que prévu. Tant mieux. »

Papillon se semblait guère convaincue. Elle entraîna Nuage de Feuille jusqu'aux ronces où les guérisseurs s'étaient réunis la première fois, lors de leur arrivée au lac. Museau Cendré et Écorce de Chêne s'étaient installés sur une litière de feuilles mortes. Les deux jeunes chattes se faufilèrent entre les épines pour les rejoindre, puis Petit Orage apparut à son tour.

« S'il y a d'autres prédateurs dans les parages, ils auront du mal à nous atteindre ici », déclara-t-il en venant s'asseoir à côté de Museau Cendré.

Écorce de Chêne, le doyen des guérisseurs, débuta la réunion par ces paroles :

« L'attaque des renards prouve qu'il nous faut un endroit plus sûr pour les Assemblées. Nous devons également découvrir une autre Pierre de Lune où nous pourrons partager les rêves du Clan des Étoiles. L'un d'entre vous a-t-il reçu le moindre signe ? »

Tous firent non de la tête.

« La Pierre de Lune est le plus urgent, répondit Museau Cendré. À moins qu'Étoile du Léopard ne change d'avis, nous pourrons nous inquiéter de trouver un autre lieu de réunion lors de la prochaine lune. Mais Moustache, lui, a besoin de son nom et de ses neuf vies au plus vite.

— Le Clan des Étoiles le sait bien, murmura Petit Orage. Et s'il essayait de nous parler, mais que nous ne reconnaissions pas les signes ?

— Et si les merles avaient des dents ?! rétorqua Écorce de Chêne. Tu crois vraiment que nous passerions tous à côté d'un signe d'une telle importance ?

— Peut-être qu'il n'y a pas de Pierre de Lune dans la région », hasarda Papillon.

Nuage de Feuille se crispa en voyant Écorce de Chêne foudroyer son amie du regard.

« Si c'est le cas, alors ce n'est pas le territoire que les guerriers de jadis nous destinaient. Veux-tu annoncer à tous les Clans qu'ils vont devoir repartir ? »

La jeune guérisseuse baissa les yeux.

« Il faudra pourtant s'y résoudre, si nous ne recevons pas de signe bientôt, remarqua Museau Cendré. Coupés du Clan des Étoiles, les Clans ne survivront pas longtemps.

— Alors nous ne sommes peut-être pas au bon endroit, soupira Petit Orage.

— De toute façon, beaucoup refuseraient de repartir, le coupa Écorce de Chêne. Et alors, que ferions-nous ?

— Le Clan des Étoiles attend peut-être de nous que nous cherchions leurs signes… suggéra Nuage de Feuille.

— Tu as sans doute raison, répondit son mentor. Nous devons rester attentifs jusqu'à notre prochaine réunion, à la demi-lune.

— Demandons aux patrouilles de guetter le moindre tunnel ressemblant à la Grotte de la Vie, ajouta Écorce de Chêne. Ainsi, si nos guerriers trouvent quoi que ce soit, tous les guérisseurs pourront en être avertis.

— Bonne idée, miaula Museau Cendré.

— Si personne n'a plus rien à dire, nous ferions mieux de rentrer, déclara le doyen. Avant cela, je tiens à remercier Nuage de Feuille d'être venue soigner nos anciens. Ils se portent bien, à présent. »

Gênée, la novice regarda ses pattes.

« Vos anciens ont été malades ? Quelques-uns des miens aussi, s'étonna Petit Orage. Ils ont dû attraper quelque chose avant la séparation des Clans. Papillon, le Clan de la Rivière a-t-il connu les mêmes problèmes ?

— Oui, fit la jeune chatte en coulant un regard vers Nuage de Feuille.

— Eh bien, surtout, ne nous donne pas de détail ! feula Écorce de Chêne. Tes anciens vont bien, ou quoi ? Que leur as-tu donné ?

— Des baies de genièvre. Et oui, ils vont bien, merci, Écorce de Chêne. »

Le vieux guérisseur hocha la tête avant de se lever. Lorsque les cinq félins s'extirpèrent des ronces, Papillon, d'un mouvement de la queue, invita son amie à la rejoindre à l'écart.

« Merci d'avoir gardé mon secret, miaula-t-elle.

— Ce n'est rien. »

L'apprentie n'imaginait que trop bien la réaction de Poil de Souris si elle apprenait qu'elle avait été malade parce qu'un autre chat lui avait donné de l'eau souillée.

Papillon la contempla longuement, l'air troublée.

« Nous sommes amies, n'est-ce pas, Nuage de Feuille ?

— Évidemment ! » répondit cette dernière, surprise.

La jeune guérisseuse hésita à poursuivre, pétrissant le sol de ses griffes. Elle finit par respirer un grand coup avant de se lancer :

« Museau Cendré a dit qu'il nous fallait guetter les signes du Clan des Étoiles... Mais tu sais bien que je n'en recevrai aucun, pas vrai ?

— De quoi parles-tu ? Tu es la guérisseuse du Clan de la Rivière ! À qui d'autre le Clan des Étoiles s'adresserait-il ?

— Arrête de faire semblant, tu veux ? répondit son amie avec impatience. Pour moi, le Clan des

Étoiles, les guerriers de jadis, ces signes que nous sommes censé interpréter : tout ça, ce ne sont que des histoires pour faire plaisir aux Clans. »

Horrifiée, Nuage de Feuille dévisagea son amie. *Comment peux-tu être guérisseuse sans croire au Clan des Étoiles ?* songea-t-elle.

« Mais... mais tu as partagé les rêves de nos ancêtres à la Pierre de Lune le jour où tu es devenue guérisseuse ! bégaya-t-elle.

— J'ai fait un rêve, c'est tout, répondit l'autre en haussant les épaules. Ne prends pas cet air choqué. Ce n'est pas la fin du monde. Je peux soigner mes camarades aussi bien que n'importe quel guérisseur. Je n'ai pas besoin du Clan des Étoiles pour savoir quelle plante utiliser. »

Nuage de Feuille voulut parler à son amie des signes qu'elle avait reçus et de ses précieuses rencontres avec Petite Feuille, l'ancienne guérisseuse du Clan du Tonnerre, pendant son sommeil, mais elle comprit que Papillon n'y verrait une fois de plus que des songes.

« Reconnais-le, Nuage de Feuille, insista-t-elle. Tu viens de dire que nous devions aller à la recherche des signes. À quoi bon, si le Clan des Étoiles est censé nous les envoyer ?

— Certes... Mais ce n'est pas la question. Chercher les signes ne signifie pas les inventer.

— Je ne vois pas vraiment la différence », bougonna Papillon, les oreilles frémissantes.

La chatte tigrée crut que la terre se dérobait sous ses pattes. Son amie remettait en question tout ce à quoi elle-même croyait depuis l'enfance. Pourtant, elle ne pouvait lui expliquer sa foi, puisque tout ce qu'elle savait sur le Clan des Étoiles, ses rencontres avec leurs ancêtres, elle l'avait vécu en rêve ou en pensées.

« Ce n'est pas du tout la même chose, protesta-t-elle. C'est une question de foi : continuer à chercher, à croire, alors qu'il n'y a aucun signe. Nous ne serons jamais certains qu'ils veillent vraiment sur nous avant que notre tour vienne de les rejoindre dans la Toison Argentée.

— Je suis désolée, fit Papillon en secouant la tête. Mais ça ne marche pas pour moi. Peu importe, je peux être une membre loyale du Clan de la Rivière sans croire aux mythes concernant vos ancêtres.

— Et le signe qu'a reçu Patte de Pierre, alors ? L'aile de papillon ? » renchérit l'apprentie. Certains guerriers du Clan de la Rivière avaient refusé qu'elle devienne apprentie guérisseuse car sa mère était une chatte errante. Puis Patte de Pierre, l'ancien guérisseur du Clan de la Rivière, avait découvert une aile de papillon devant sa tanière. Il y avait vu le signe que le Clan des Étoiles la reconnaissait comme celle qui lui succéderait. « Tu ne peux quand même pas le nier !

— L'aile de papillon ? répéta-t-elle, tandis qu'une lueur apeurée traversait son regard. C'était...

— Nuage de Feuille ! Tu viens ? » lança Museau Cendré.

L'apprentie lui répondit en agitant la queue. Elle voulait d'abord entendre la réponse de Papillon. Mais la guérisseuse du Clan de la Rivière s'était détournée.

« Ton mentor t'appelle, dit-elle. On se reverra à la prochaine demi-lune. »

Elle disparut avant que la novice ait pu répondre.

Papillon ne croyait pas au Clan des Étoiles ! La jeune chatte tigrée avait toujours su que son amie n'était pas à l'aise avec certains aspects de la vie de guérisseur, mais elle pensait qu'elle avait simplement du mal à mémoriser les propriétés de toutes les herbes.

Cette révélation la mit dans tous ses états. Devait-elle en parler à Museau Cendré ? Cela changerait-il quoi que ce soit ? La peur lui enserra le cœur comme les mâchoires d'un renard lorsqu'une idée plus terrible encore surgit en elle : les guerriers de jadis étaient-ils restés silencieux parce que l'un des guérisseurs ne croyait pas en eux ? L'hérésie de Papillon mettait-elle les quatre Clans en danger de perdre leurs nouveaux foyers ?

Nuage de Feuille poussa un long soupir.

« Tout va bien ? » s'enquit Museau Cendré.

La jeune chatte avait la gorge nouée. Elle ne voulait pas que son mentor commence à l'interroger à propos de Papillon.

« Oui, très bien.

— Ce soupir ne concernait-il pas un certain guerrier du Clan du Vent ?

— Non, pas du tout ! s'indigna-t-elle. Aucun risque ! »

Les yeux de la guérisseuse brillèrent, mais elle ne dit rien de plus. Nuage de Feuille observa le reflet des étoiles sur le lac en se forçant à le considérer du même regard que Papillon, comme de simples petites lumières. *Non !* Elle devait continuer à croire que leurs ancêtres les avaient bien guidés jusqu'ici.

*Guerriers de jadis, montrez-nous que nous sommes arrivés au bon endroit*, pria-t-elle. Pourtant, si l'un des esprits lumineux répondit, elle ne l'entendit pas.

## CHAPITRE 17

Durant les jours qui suivirent l'Assemblée, Nuage de Feuille guetta désespérément le moindre signe du Clan des Étoiles. Elle arpenta les bois, découvrit près du torrent des pieds de glouteron et de souci, et des bottes touffues de cerfeuil tout près du camp. En revanche, elle ne trouva rien qui ressemble à un sanctuaire où les Clans pourraient communier avec leurs ancêtres. Qu'adviendrait-il si la demi-lune arrivait sans que le Clan des Étoiles ne leur ait envoyé un signe ? Les Clans devraient-ils vraiment songer à repartir ?

Deux jours avant la demi-lune, Nuage de Feuille revint de l'une de ses expéditions la gueule chargée de mille-feuille. Le fort parfum de la plante lui embuait les yeux. En approchant du tunnel de ronces, elle reconnut tout de même Poil de Fougère. Il bondit vers Poil de Châtaigne, qui montait la garde.

« Salut, fit-il en pressant sa truffe contre celle de la guerrière écaille. Ça te dirait qu'on aille chasser tout à l'heure ? Juste toi et moi ?

— Bien sûr, répondit la chatte en ronronnant. Je finis ma garde à midi.

« — Super ! On se revoit tout à l'heure alors. »

Il lui donna un petit coup de langue sur l'oreille avant de s'engouffrer dans le tunnel.

Nuage de Feuille rejoignit son amie et déposa la mille-feuille au sol.

« T'as bien piégé ta proie, on dirait ! » la taquina-t-elle.

Poil de Châtaigne se tourna brusquement vers elle.

« Je ne vois pas du tout de quoi tu parles ! protesta la guerrière.

— Ce n'est pas parce que je suis guérisseuse que je suis aveugle ! Poil de Fougère t'apprécie beaucoup, on dirait, répondit l'apprentie, amusée, la queue battant la mesure.

— Eh bien… » Poil de Châtaigne se mit à pétrir le sol. « Il est fabuleux, pas vrai ? miaula-t-elle, à la fois fière et gênée.

— C'est sûr. » Nuage de Feuille enfouit son museau dans le flanc de son amie. « Je suis vraiment heureuse pour toi. »

Elle souhaita une bonne chasse à Poil de Châtaigne avant de ramasser les plantes et de se faufiler entre les épines qui gardaient le camp.

« Te voilà enfin ! lança Museau Cendré, qui traversa la combe en claudiquant. Viens voir ça. »

L'apprentie la suivit vers le mur le plus haut. Des ronces avaient poussé dans une fissure à quelques longueurs de queue de hauteur, leurs longues vrilles retombant comme un rideau.

« Ces ronces étaient vraiment trop denses, expliqua Museau Cendré. On ne pouvait pas s'y abriter. Alors ce matin, j'ai demandé à Perle de

Pluie et Pelage de Suie d'en arracher une partie. Regarde ce qu'ils ont trouvé. »

Lui faisant signe de la suivre, elle se glissa derrière le rideau piquant. Nuage de Feuille jeta un coup d'œil prudent derrière les branches et s'immobilisa, stupéfaite. Une large caverne s'ouvrait devant elle, si profonde que les recoins se perdaient dans les ombres. Sur une paroi, un filet d'eau s'écoulait avant de former une petite vasque. Pour le reste, le sol était couvert de fragments de roc, avec çà et là quelques zones sablonneuses, fraîches et sèches, où l'on pourrait s'allonger.

Les yeux de Museau Cendré brillèrent dans la pénombre.

« L'antre rêvé pour un guérisseur ! s'écria-t-elle. Qu'en penses-tu ? »

Nuage de Feuille inspecta l'endroit. C'était bien mieux que leur nid provisoire sous le surplomb. Les malades pourraient se désaltérer dans la petite mare, et les nombreuses alcôves leur permettraient de stocker les remèdes. Elle-même pourrait dormir juste devant, à l'abri des ronces restantes, pour que Museau Cendré garde son intimité.

« C'est génial ! conclut-elle. Je vais dégager les pierres et chercher de la mousse pour faire un nid. »

Lorsque Museau Cendré invita Étoile de Feu à voir sa découverte, le chef ordonna à Flocon de Neige et Cœur Blanc de les aider à déblayer la crevasse. À la tombée de la nuit, tout était prêt, et de confortables litières de mousse et de fougères attendaient les deux chattes.

Nuage de Feuille se roula en boule dans son nid bien chaud et enfouit sa truffe sous sa queue.

L'antre de Museau Cendré n'était qu'à une longueur de queue, de sorte qu'elle pourrait accourir en un rien de temps auprès d'un malade en cas de besoin. Éreintée après avoir poussé des cailloux tout l'après-midi, elle ferma les yeux.

Presque aussitôt, elle se retrouva à longer la rive du lac baigné par la lueur des étoiles. Sur un rocher un peu plus loin, un félin au pelage gris charbonneux contemplait l'eau étincelante. C'était Plume de Jais.

« Jolie Plume ? l'entendit-elle murmurer en approchant. Jolie Plume, où es-tu ? »

D'un bond, Nuage de Feuille le rejoignit sur la pierre, sa fourrure frôlant la sienne. Il leva la tête, accablé.

« Jolie Plume est là, parmi les étoiles, lui dit-elle avec douceur. Elle accompagne le moindre de tes pas, Plume de Jais. Elle veille sur toi.

— Pourquoi a-t-il fallu qu'elle meure ? » geignit-il.

Son regard la transperçait telle une épine plantée dans le cœur.

« Je ne sais pas », admit-elle.

Une odeur merveilleuse enveloppa l'apprentie. En se tournant, elle vit que Petite Feuille l'attendait.

« Je dois y aller », miaula-t-elle en s'éloignant.

Le guerrier ne répondit pas. Il observait de nouveau la surface du lac comme pour découvrir parmi toutes ces étoiles celle qui abritait l'esprit lumineux de Jolie Plume.

Nuage de Feuille courut le long de la berge jusqu'à la guérisseuse.

« Petite Feuille ! » s'écria-t-elle en s'arrêtant dans un dérapage qui projeta quelques graviers alentour. Elle dévisagea la chatte du Clan des Étoiles avec tant d'insistance qu'elle crut se perdre dans son regard brillant. « Je craignais ne jamais te revoir.

— Je suis là, à présent. »

La guérisseuse fit glisser son museau, doux comme des pétales de fleur, sur les oreilles de la novice.

Nuage de Feuille ferma les yeux et se laissa bercer par le parfum familier. Puis elle recula d'un pas et prit une profonde inspiration.

« Pourquoi le Clan des Étoiles est-il resté silencieux ? s'enquit-elle, animée d'une colère inhabituelle née de jours et de jours d'inquiétude. « Nous avons cherché sans relâche une nouvelle Pierre de Lune, en vain. Que ferons-nous si nous ne pouvons communier avec vous ? Serons-nous obligés de repartir ?

— Calme-toi, jeune guérisseuse. N'oublie pas que le Clan des Étoiles a dû lui aussi cheminer jusqu'ici. Ce territoire est tout aussi nouveau pour nous, et il nous faudra du temps pour l'explorer. Mais le reflet des étoiles sur l'eau te guidera.

— Tu parles du lac ?

— Non. Tu dois chercher un autre chemin, cette fois-ci.

— Lequel ? Je t'en prie, montre-moi ! »

Petite Feuille partit ventre à terre.

« Attends ! » lança l'apprentie, mais la jolie chatte avait déjà disparu dans les ombres.

Nuage de Feuille s'élança à sa suite. Soudain, le lac disparut. Elle courait maintenant à flanc de colline, près d'un torrent où se reflétait la nuit étoilée. Elle ne pouvait voir la guérisseuse, mais sa douce fragrance la guidait. Le grondement du torrent lumineux bourdonnait dans ses oreilles. En y plongeant les yeux, elle crut se noyer dans la nuit étoilée.

« Petite Feuille, où es-tu ? »

Son appel, répercuté par les rochers, résonna autour d'elle et couvrit le chant de l'eau vive. Nuage de Feuille se réveilla, haletante, dans son nid de mousse. Une chouette hulula sur une branche au-dessus d'elle. L'apprentie feula de frustration. Elle avait perdu la trace de Petite Feuille et ne découvrirait jamais ce qu'elle avait voulu lui montrer. L'envie de reprendre la course, de grimper dans les collines jusqu'au torrent lumineux fut telle que son cœur palpita.

Dans la crevasse, le dos arrondi de Museau Cendré se soulevait en rythme. Nuage de Feuille se faufila hors des ronces et s'arrêta un instant pour chasser d'une secousse les brins de mousse de sa fourrure. Après les pluies abondantes de la nuit, des gouttes d'eau étincelantes perlaient sur les parois de la combe. À présent, les nuages s'étaient dissipés. La lune trônait au-dessus des arbres et la voûte nocturne brillait de mille feux. Un vent frais balaya la forêt ; Nuage de Feuille discerna dans le frémissement des branches la voix de Petite Feuille.

« Je suis là. Viens à moi. »

*J'arrive, Petite Feuille,* songea-t-elle. *Attends-moi.*

Elle se dirigea à pas menus vers la sortie du camp. À mi-chemin, une silhouette écaille de tortue surgit d'un bouquet de fougères. Nuage de Feuille retint son souffle.

« Petite Feuille ? C'est toi ?

— Nuage de Feuille ? » C'était Poil de Châtaigne, qui semblait bien surprise de croiser son amie à cette heure. « Où vas-tu ?

— Je... je ne sais pas vraiment. J'ai reçu un message du Clan des Étoiles. Je dois trouver notre nouvelle Pierre de Lune.

— Maintenant ? Ça ne peut pas attendre le lever du jour ?

— Non. » Nuage de Feuille sortit ses griffes. « Je dois suivre un torrent baigné par la lumière des étoiles.

— Quel torrent ? s'enquit la guerrière en agitant nerveusement la queue. Il faut sortir de notre territoire ? Comment le trouveras-tu ?

— Je le trouverai, c'est tout.

— Alors je viens avec toi. »

La jeune chatte tigrée hésita. Le Clan des Étoiles s'offusquerait-il qu'elle emmène une guerrière avec elle plutôt qu'un autre guérisseur ? Elle se rappela alors que tous les félins, y compris les combattants, devaient se rendre au moins une fois à la Pierre de Lune. De plus, la présence de son amie la rassurerait. Après tout, elle ignorait où elles devraient se rendre.

« Alors viens ! lança-t-elle en se précipitant vers le tunnel de ronces, où Poil de Fougère montait la garde, la queue sagement enroulée autour de ses pattes.

— Où est-ce que vous allez, toutes les deux ? demanda-t-il en se levant à leur approche.

— On va juste faire un tour, répondit Poil de Châtaigne.

— J'ai reçu un signe du Clan des Étoiles, corrigea Nuage de Feuille, qui estimait que, s'il devait les laisser partir au beau milieu de la nuit, il avait droit à une explication. Je dois trouver la nouvelle Pierre de Lune. »

Au grand étonnement de la novice, le matou ne sembla guère convaincu.

« C'est trop dangereux. Je ne peux pas vous laisser partir avant le lever du jour. Nous connaissons à peine le territoire.

— Tu peux nous faire confiance, non ? minauda Poil de Châtaigne. Tu peux *me* faire confiance ? Je la ramènerai saine et sauve, j'en fais le serment. »

Les deux chasseurs échangèrent un long regard ; le mâle au pelage brun doré finit par acquiescer.

« Bon, d'accord, mais soyez prudentes.

— Tu nous crois incapables de nous défendre ? » s'indigna la guerrière en lui assenant du bout de la queue une petite pichenette sur l'oreille.

Poil de Fougère émit un ronron amusé.

« Poil de Châtaigne, si quelqu'un sait se défendre, c'est bien toi. »

Nuage de Feuille fut la première à s'élancer vers le cœur de la forêt et ne s'arrêta qu'une fois arrivée au torrent marquant la frontière entre les territoires des Clans du Tonnerre et du Vent. Ses eaux sombres s'écoulaient discrètement, à moitié dissimulées par les taillis couvrant les hautes rives. Il ne ressemblait en rien au cours d'eau lumineux de son rêve.

L'apprentie remonta la pente et marqua une halte à la lisière de la forêt. Dans sa vision, elle courait à découvert ; elle savait donc qu'elles devaient s'éloigner des arbres.

« Et maintenant ? s'enquit Poil de Châtaigne.

— On monte. »

Elles reprirent leur chemin, longeant le torrent à flanc de colline. Lorsque Nuage de Feuille ferma les yeux, elle sentit qu'elle n'avait pas une mais deux compagnes de voyage : sa meilleure amie d'un côté, et Petite Feuille de l'autre. Seuls le léger frôlement de sa fourrure contre le flanc de l'apprentie et une touche de son doux parfum dans l'air trahissaient sa présence. En rouvrant les yeux, elle aurait juré entendre ses bruits de pas près d'elle.

Tandis qu'elles s'enfonçaient dans les collines, Nuage de Feuille décida de raconter son rêve à son amie.

« J'ai retrouvé Petite Feuille au bord du lac. Elle m'a dit que le reflet de la nuit étoilée serait mon guide, que je devais chercher un cours d'eau. Puis je me suis retrouvée à courir dans les collines près d'un torrent, et des étoiles scintillaient sur l'eau.

— Tu savais où tu étais ?

— Non. Il n'y avait pas le moindre arbre et l'air était froid et pur, comme si j'étais montée très haut.

— Alors on ferait mieux de continuer à grimper. »

Le grondement du torrent que Petite Feuille lui avait montré résonnait encore dans la tête de Nuage de Feuille. Elle avait l'impression que le bruit enflait à chacun de ses pas, même une fois qu'elles eurent dépassé la source du cours d'eau qui servait de frontière.

« J'arrive, Petite Feuille », murmura Nuage de Feuille.

Elles atteignirent une crevasse entre deux collines, si profonde qu'elle semblait creusée par une griffe géante. Des buissons d'ajoncs et des fougères poussaient sur chaque versant. Pour descendre dans la faille, les deux chattes empruntèrent un sentier semé de pierres, de plus en plus étroit et abrupt. Nuage de Feuille arriva la première au bout de la fondrière, qui débouchait sur un raidillon. Elle attendit au pied de la montée que la guerrière, qui continuait courageusement à avancer malgré la fatigue, l'eût rejointe. De son côté, la novice se sentait capable de courir jusqu'à la fin des temps. Le tumulte qu'elle entendait dans sa tête lui rappelait la cascade de la Tribu de l'Eau Vive. Elle s'y était tant habituée qu'elle ne prit pas conscience dans l'instant qu'il s'élevait à présent autour d'elles.

« Viens ! cria-t-elle à son amie. On y est presque ! »

Toutes griffes dehors, elle se lança à l'assaut des rochers glissants. Malgré les premières lueurs de l'aurore qui caressaient les montagnes au loin, les étoiles brillaient toujours dans le ciel indigo.

*Attendez-moi !* implora-t-elle, priant pour que les guerriers-étoiles ne disparaissent pas tout de suite. Puis, tournant la tête vers Poil de Châtaigne, elle ajouta à haute voix :

« Dépêche-toi ! Le jour se lève ! »

Elle s'apprêta à reprendre sa course, avant de s'immobiliser. Un félin se tenait un peu plus haut, les oreilles dressées et la queue bien droite. Est-ce qu'un autre guérisseur avait lui aussi été guidé jusque là ? Non, il s'agissait de Petite Feuille, qui l'attendait patiemment.

En courant à sa rencontre, Nuage de Feuille vit que la guérisseuse se tenait au bord d'un profond torrent. La nuit étoilée scintillait à la surface de l'eau.

« Nous y sommes ! souffla Nuage de Feuille. Nous l'avons trouvé !

— Suivez-moi », la pressa Petite Feuille.

L'apprentie fit signe à son amie.

« Vite ! Petite Feuille est là ! »

La guerrière écaille rejoignit l'apprentie en quelques bonds et scruta les rochers.

« Où ça ?

— Là ! fit-elle en désignant la silhouette étoilée au bord du torrent.

— Je ne la vois pas. C'est grave ? »

La jeune chatte tigrée fit glisser sa queue sur les yeux de Poil de Châtaigne.

« Mais non, voyons. Elle, elle te voit. C'est tout ce qui compte. Crois-moi, elle est avec nous. »

Petite Feuille leur tourna le dos pour suivre le torrent à contre-courant, aussitôt imitée par Nuage de Feuille. La pente était plus raide que jamais, et le torrent lumineux disparut derrière une barrière de buissons épineux, où la guérisseuse plongea comme un poisson dans l'eau.

Nuage de Feuille s'arrêta un instant, tête penchée, pour observer les taillis. Elle devait suivre la guérisseuse, mais elle se ferait lacérer par les épines si elle essayait de forcer le passage. Elle remarqua alors une petite trouée entre les branches et se faufila à l'intérieur. La brèche était juste assez large pour qu'un chat s'y faufile sans y laisser la moitié de sa fourrure. Elle entendit derrière elle la respiration rauque de Poil de Châtaigne, qui peinait dans la dernière ligne droite.

La novice émergea au bord d'une cuvette aux parois abruptes. Derrière la barrière de buisson, le terrain descendait brusquement. Elle dut lutter un instant pour ne pas perdre l'équilibre. Cette fosse, bien plus petite que la combe rocheuse du Clan du Tonnerre, était dépourvue d'ajoncs et de ronces, et bordée de rochers mousseux. La paroi opposée, couverte de fougères, était presque verticale. Une source jaillissait d'une faille à mi-hauteur et se jetait dans un bassin au centre de la combe. La surface de l'eau dansante reflétait la nuit étoilée. Jamais Nuage de Feuille n'avait vu endroit d'une pareille beauté.

Petite Feuille se tenait au bord de l'eau.

« Viens. »

Un étroit sentier partait des ronciers et serpentait jusqu'au bassin. Derrière elle, Poil de Châtaigne s'extirpa enfin de la barrière végétale.

« Ouah ! s'exclama-t-elle. C'est là ?

— Oui, je crois. Petite Feuille veut que je descende à la source.

— Tu veux que je t'accompagne ?

— Non, merci. Je ferais mieux d'y aller seule, d'abord. »

Elle s'engagea prudemment sur le chemin. La roche portait les marques anciennes d'innombrables empreintes de chats. À chaque pas, elle avait l'impression de suivre la voie tracée par d'autres, bien des saisons plus tôt. Certes, ils étaient partis depuis longtemps, mais Nuage de Feuille tressaillit à l'idée qu'ils l'aient précédée un jour.

« Regarde l'eau, Nuage de Feuille », murmura la guérisseuse lorsqu'elle l'eut rejointe.

Confuse, la jeune chatte obéit, et sentit le sol se dérober sous ses pattes. Au lieu de voir des étoiles, elle contemplait les reflets de nombreux félins, dont la fourrure brillait comme de la poussière d'astre. Tous étaient tournés vers elle, comme s'ils attendaient sa venue.

Osant à peine respirer, Nuage de Feuille leva les yeux. À présent, elle était entourée par les membres du Clan des Étoiles au grand complet. Ils étaient si nombreux qu'ils remplissaient la combe. Leurs yeux luisaient comme des petites lunes et leur fourrure était nimbée d'argent.

« N'aie pas peur, lui murmura Petite Feuille. Tu le vois, nous t'attendions. »

L'apprentie n'avait pas peur. Elle ne percevait dans ces regards étincelants que chaleur et amitié. La plupart des guerriers lui étaient inconnus, mais elle identifia au premier rang Plume Cendrée, la chatte qui avait péri après avoir mangé un lapin empoisonné par les Bipèdes. L'ancienne du Clan du Tonnerre avait retrouvé sa beauté et sa grâce d'antan. Elle n'avait plus rien de la créature amaigrie et désespérée dont se souvenait Nuage de Feuille. Ses yeux brillants reflétaient sa joie de la revoir. Elle inclina discrètement la tête vers deux petites silhouettes près de l'eau, qui se bagarraient gentiment en pourchassant un rayon de lune. Leur jeu les conduisit à côté de Nuage de Feuille, qui huma leur doux parfum de chaton. Son cœur bondit lorsqu'elle reconnut les odeurs de Petit Sapin et Petit Laurier, mortes de faim pendant la destruction de la forêt. Un jeune matou tendit la patte pour écarter les petites du bord de l'eau : c'était leur frère, Nuage de Musaraigne, l'apprenti fauché par un monstre de Bipèdes tandis qu'il chassait pour son Clan.

*Il faudra que je raconte ça à Fleur de Bruyère*, se dit-elle, sachant à quel point leur mère serait heureuse d'apprendre que ses trois petits avaient rejoint les rangs du Clan des Étoiles.

Une idée la frappa soudain : un chat manquait à l'appel. Elle balaya l'assemblée du regard pour s'en assurer. Aucun signe de Plume Grise. Son cœur bondit dans sa poitrine. Cela signifiait-il qu'Étoile de Feu avait raison de croire que son ami était encore en vie ?

De l'autre côté du bassin, une guerrière à la robe bleu-gris se dressa sur ses pattes. Elle ressemblait à quelqu'un que Nuage de Feuille connaissait... *Bien sûr, c'est l'image même de Patte de Brume !* Ce devait donc être Étoile Bleue, mère du lieutenant du Clan de la Rivière, et ancien chef du Clan du Tonnerre.

« Bienvenue, Nuage de Feuille, miaula Étoile Bleue. Nous sommes ravis de t'accueillir. C'est ici que les guérisseurs viendront partager les rêves du Clan des Étoiles, ici que les meneurs recevront leurs neuf vies et leur nom de chef.

— C'est un endroit magnifique, Étoile Bleue. Merci d'avoir envoyé Petite Feuille pour me guider.

— Tu dois repartir, maintenant, pour avertir les

Clans. Mais avant toute chose, une amie souhaite te parler. »

Une jolie chatte au pelage gris argenté se leva et contourna le bassin jusqu'à Nuage de Feuille.

« Jolie Plume ! »

La guerrière rayonnante la salua d'un frottement de truffe, caresse aussi légère que la brise qui soufflait sur son museau.

« Je pensais que nous t'avions laissée auprès de la Tribu de la Chasse Éternelle », miaula la jeune chatte.

Jolie Plume secoua la tête.

« Je chasse dans deux firmaments différents, désormais. Auprès des ancêtres de la Tribu, et des miens. Mais où que je sois, je n'oublierai jamais les Clans. » Elle hésita avant d'ajouter : « Surtout Plume de Jais.

— Tu lui manques terriblement. Il a choisi son nom de guerrier à ta mémoire.

— Je sais, j'ai tout vu, ronronna-t-elle. J'étais si fière de lui ! Il fera un grand guerrier. » Elle se pencha vers Nuage de Feuille, son souffle chaud frôlant le pelage de l'apprentie. « Dis-lui de ne pas me pleurer. Je l'aimerai toujours, mais nous ne nous reverrons pas avant de nombreuses lunes. Pour l'instant, il doit vivre avec ses camarades dans leur nouveau camp. Il ne doit pas se détourner des vivants.

— Je le lui dirai », promit la novice.

Jolie Plume s'inclina avant de s'éloigner, sa fourrure poudrée de poussière d'étoile. Les guerriers commencèrent à disparaître. Ils ne furent bientôt plus qu'un reflet argenté sur les parois, avant de s'évanouir pour de bon. Nuage de Feuille respira une dernière fois le doux parfum de Petite Feuille avant que lui aussi ne s'estompe.

Levant la tête, elle constata que le ciel s'éclaircissait. Poil de Châtaigne se tenait toujours au sommet de la combe. Nuage de Feuille cavala le long du sentier pour la rattraper.

« Tu les as vus ? s'enquit-elle, tout excitée.

— Qui ça ?

— Nos ancêtres ! Le Clan des Étoiles était là, en bas ! J'ai parlé à Étoile Bleue, et à Jolie Plume ! »

Nuage de Feuille s'interrompit, voyant l'expression stupéfaite et un peu inquiète de son amie.

« J'ai vu une brume lumineuse se lever sur le bassin, miaula-t-elle, prudente.

— C'était sans doute eux. » L'apprentie balaya la cuvette du regard, le grondement de l'eau retentissant toujours dans ces oreilles. « En tout cas, c'est bien ici.

— Tu en es sûre ? »

À cet instant, les rayons de la lune frappèrent la surface de l'eau, et une lumière blanche, pure, baigna la combe.

« Sûre et certaine. Je n'ai pas trouvé une Pierre de Lune, mais une Source de Lune. C'est ici que nous communierons avec le Clan des Étoiles. » Elle se tourna vers Poil de Châtaigne, avec l'impression que sa propre fourrure étincelait sous les étoiles, et dit encore : « Nous l'avons trouvé ! C'est bien ici que le Clan des Étoiles nous attendait. »

## CHAPITRE 18

GRIFFE DE RONCE se faufilait dans les sous-bois, à l'affût de la moindre proie. Cœur d'Épines et Pelage de Poussière rampaient juste derrière lui, le ventre au ras du sol, pour franchir le barrage de fougères. Le guerrier tacheté essayait de se convaincre qu'il se moquait de l'absence de Poil d'Écureuil. Nourrir le Clan et explorer le nouveau territoire était plus important. Si la rouquine avait décidé de se quereller avec lui, c'était son problème. Elle n'avait jamais fait d'histoires à propos de Pelage d'Or, alors pourquoi était-elle tellement remontée contre Plume de Faucon ?

La patrouille sortit des sous-bois et longea un large sentier de Bipèdes. Jamais personne ne s'était aventuré aussi loin du camp. Jusqu'à maintenant, les félins avaient été trop occupés à choisir les tanières et installer des barrières dans la combe, et le bois était si giboyeux qu'ils pouvaient chasser sans s'éloigner beaucoup. À présent, ils avaient enfin l'occasion d'explorer les zones les plus reculées du territoire.

Le sentier ne disait rien qui vaille à Griffe de Ronce.

« Ça ne me plaît pas, marmonna-t-il. On dirait presque un Chemin du Tonnerre. »

Cœur d'Épines huma soigneusement l'air.

« Impossible, miaula-t-il. Je ne sens pas la moindre odeur de Bipèdes ou de monstres. »

Le guerrier tacheté entrouvrit la gueule et inspira longuement. Son camarade avait raison : aucune trace de Bipèdes, même ancienne. Il n'en fut pas pour autant rassuré.

« C'est peut-être un ancien Chemin du Tonnerre, hasarda-t-il. Les Bipèdes ont pu laisser l'herbe repousser dessus.

— Pourquoi feraient-ils une chose pareille ? s'enquit Cœur d'Épines.

— Parce que ce sont des cervelles de souris », rétorqua Pelage de Poussière.

Le guerrier brun aperçut un campagnol sous un buisson tout proche et se mit à progresser vers lui avec précaution, les pattes repliées.

Griffe de Ronce le regardait manœuvrer et continuait à s'interroger sur ce sentier. Si les Bipèdes avaient découpé de la pierre dans la combe, ils avaient peut-être eu besoin d'un Chemin du Tonnerre pour l'emporter. Il remua les oreilles, perplexe. *Peu importe*, se dit-il, *tant que les Bipèdes ne reviennent pas*.

Pelage de Poussière bondit, acheva le rongeur d'un coup de patte et le couvrit de terre, puis la patrouille repartit le long du sentier. Griffe de Ronce n'avait aucune envie de poser les pattes sur une chose fabriquée par les Bipèdes, même abandonnée, et il devinait qu'il n'était pas le seul.

Soudain, Pelage de Poussière cracha férocement.

Griffe de Ronce se figea, la fourrure hérissée. En suivant le regard du guerrier, il aperçut les murs de pierre d'un nid de Bipèdes.

« On ne sent toujours rien, déclara Cœur d'Épines. Qu'est-ce qu'on fait ? »

D'un côté, Griffe de Ronce voulait retourner à la combe aussi vite que possible. Il repensait au nid découvert sur le territoire du Clan de l'Ombre au cours de l'exploration du lac, et aux deux chats domestiques féroces qu'ils avaient dû affronter. Mais de l'autre, le Clan devait tout connaître des dangers présents sur leur nouveau territoire.

« Allons jeter un coup d'œil. »

Il ignora un autre sentier, plus étroit, qui menait jusqu'au nid, et coupa à travers les arbres, camouflé dans les fourrés.

La construction était bien différente de celles de la ville des Bipèdes. La porte en bois, pourrie, délabrée, penchait d'un côté. Les grandes ouvertures carrées dans les murs étaient dépourvues de protections, si bien que le vent et la pluie pouvaient s'engouffrer à l'intérieur. Dans le nid lugubre, empli d'ombres et d'odeurs inconnues, le silence régnait.

Griffe de Ronce frémit. Il aurait voulu faire demi-tour sur-le-champ, mais il entendait déjà la remarque de Poil d'Écureuil : « Tu n'es pas rentré ?! T'es quoi, une souris, ou un chat ? »

« Attendez là ! » ordonna-t-il à ses compagnons, avant de s'avancer vers la porte d'un pas décidé.

Cœur d'Épines et Pelage de Poussière n'obéirent pas. *Et pourquoi le feraient-ils ?* songea le guerrier tacheté en se rappelant qu'il n'était pas encore lieutenant. Ils le suivirent de près lorsqu'il grimpa quelques marches avant de se faufiler à l'intérieur.

Le faible rayon de lumière qui filtrait par la porte éclairait à peine des murs gris nus et un sol en bois plein d'échardes, où des herbes poussaient dans les interstices. Droit devant eux, d'autres marches conduisaient à l'étage.

Toujours aucune trace de Bipèdes, mais de fortes odeurs de gibier. Les fissures dans les murs de pierre et les trous du plancher constituaient sans doute de bonnes cachettes pour les petits rongeurs. Griffe de Ronce entendit derrière lui le pas lourd de Cœur d'Épines : en se retournant, il vit que son camarade portait déjà une souris dans la gueule.

« Bien joué ! murmura-t-il.

— Cet endroit pourrait être utile, déclara Pelage de Poussière, qui semblait impressionné. Tant que les Bipèdes ne reviennent pas. »

Le jeune matou ne pouvait que lui donner raison : le gibier était abondant, et facile à attraper, mais il n'aimait pas l'atmosphère qui y régnait. C'était aussi désolé et vide qu'une tanière abandonnée, et il ne pouvait s'empêcher de se demander pourquoi les Bipèdes étaient partis.

« Tu veux monter ? s'enquit Cœur d'Épines en inclinant les oreilles vers les marches.

— Pas même si le Clan des Étoiles me suppliait, répondit Pelage de Poussière. Trop dangereux.

— Je vais jeter un coup d'œil », annonça Griffe de Ronce, poussé une fois de plus par la petite voix moqueuse de Poil d'Écureuil.

Il gravit l'escalier le plus vite possible pour ne pas penser à ce qui pourrait l'attendre là-haut.

Lorsqu'il déboula à l'étage, un cri retentissant et un puissant battement d'ailes le firent sursauter. Ce n'était qu'un pigeon, dérangé par son intrusion. Dans une pluie de plumes grises et blanches, l'oiseau s'envola par une brèche du toit.

Le guerrier avança précautionneusement, inspectant la pièce dans ses moindres recoins pour s'assurer qu'elle était vide. Lorsqu'il redescendit, il découvrit que Pelage de Poussière avait attrapé une autre souris, et que Cœur d'Épines était à l'affût devant une lézarde dans le mur.

« Nous n'avons pas le temps de chasser », miaula Griffe de Ronce. À l'intérieur de ces murs de Bipèdes, il se sentait comme pris au piège et il lui tardait de retrouver la forêt. « Nous devons faire notre rapport à Étoile de Feu. Nous trouverons du gibier en cours de route. Allons-y. »

Cœur d'Épines le suivit en maugréant. Les trois guerriers longèrent le Chemin du Tonnerre abandonné puis retournèrent droit au camp.

Tandis que Pelage de Poussière et Cœur d'Épines allaient déposer leurs prises sur le tas de gibier, Griffe de Ronce se dirigea vers son chef, assis près de Tempête de Sable et Poil d'Écureuil.

« Étoile de Feu, nous avons découvert quelque chose, dit-il avant de décrire le nid désert.

— Et il n'y avait aucune trace de Bipèdes ? s'enquit le meneur à la fin du rapport.

— Non. Et c'est un excellent terrain de chasse, ajouta-t-il. Il pourrait être fort utile dans l'avenir.

— Comme abri, peut-être, suggéra Tempête de Sable. Si le temps est trop mauvais. Ou s'il y a un autre incendie... »

Elle frissonna à cette idée. Griffe de Ronce la comprenait. Il se rappelait parfaitement les flammes qui avaient ravagé l'ancien camp du Clan du Tonnerre, dévorant tout sur leur passage. Il n'était pas certain que même les murs de pierre du nid les protégeraient d'un tel brasier.

« Peut-être. En tout cas, bravo à vous trois, dit Étoile de Feu.

— Je repars chasser, lança Griffe de Ronce. » Malgré la boule qui lui nouait la gorge comme un morceau de viande coriace, il parvint à ajouter : « Poil d'Écureuil, tu m'accompagnes ? »

Elle le regarda longuement et il crut un instant qu'elle allait accepter. Puis elle se mit sur ses pattes et agita la queue.

« Désolée, j'ai dit à Pelage de Granit et Patte d'Araignée que j'irais avec eux.

— Comme tu veux. »

Il ravala sa déception, bien décidé à n'en rien montrer.

« Ne t'en va pas tout de suite, Griffe de Ronce, intervint Étoile de Feu. Depuis l'Assemblée, tu as travaillé d'arrache-pattes. Tu dois te reposer. Et c'est un ordre, précisa-t-il pour couper court à toute protestation. Le soleil vient à peine de se lever, et tu as déjà participé à une patrouille. Mange et fais un somme jusqu'à midi. Je n'ai pas envie que l'un de mes meilleurs guerriers meure d'épuisement ! »

Griffe de Ronce s'inclina avant d'aller prendre un campagnol et s'installa près de Cœur d'Épines. Ce dernier, qui n'avait rien perdu de la scène, désigna Poil d'Écureuil du bout des oreilles.

« Vous vous êtes disputés, pas vrai ? s'enquit-il,

une lueur amusée dans les yeux. Qu'est-ce que tu as fait ?

— Seul le Clan des Étoiles le sait », grommela le jeune guerrier.

Il ne tenait vraiment pas à ce que tous les membres du Clan du Tonnerre s'intéressent à ses affaires, et encore moins qu'ils connaissent la raison de leur querelle. Il agita la queue d'un mouvement irrité.

Pourquoi refusait-elle de voir qu'il était totalement loyal à son Clan, et qu'il tenait toujours autant à elle ? En son for intérieur, il était certain de connaître la réponse. Elle doutait de sa loyauté car chaque fois qu'elle le regardait, elle voyait un autre félin.

Étoile du Tigre.

Griffe de Ronce se réveilla en sursaut. Les rayons du soleil qui filtraient à travers les branches du gîte des guerriers indiquaient qu'il était presque midi. Des éclats de voix venant de la clairière le firent bondir sur ses pattes. Puis il se rendit compte qu'il s'agissait de cris de joie et d'excitation, non de peur ou de colère.

Il s'ébroua pour chasser les brindilles de sa fourrure et gagna le centre de la combe. Plusieurs guerriers y étaient rassemblés. En s'approchant, il vit que le sujet de leur attention n'était autre que Nuage de Feuille et Poil de Châtaigne.

Les jeunes chattes semblaient épuisées, mais très fières. L'apprentie guérisseuse parlait à Étoile de Feu, la queue tendue comme pour désigner un endroit lointain.

« Que se passe-t-il ? » demanda-t-il.

Cœur Blanc se tourna vers lui, son unique œil pétillant de joie.

« Nuage de Feuille et Poil de Châtaigne ont trouvé la Source de Lune !

— La Source de Lune ? Qu'est-ce que c'est ? »

Ils étaient tous tellement absorbés par le récit de Nuage de Feuille que personne ne lui répondit. Il se faufila alors dans l'attroupement pour entendre la suite.

« Nous avons longé la frontière du Clan du Vent, jusqu'aux collines, bien au-delà de notre territoire. Puis nous avons trouvé le torrent, et la lumière des étoiles était si vive... je savais qu'elle nous guiderait. Nous l'avons suivie jusqu'au bassin... » La voix de Nuage de Feuille n'était plus qu'un murmure. « C'est là que nous devrons nous rendre pour partager les rêves du Clan des Étoiles. »

Griffe de Ronce ferma les yeux et remercia d'une prière les guerriers de jadis. Les Clans ne s'étaient pas trompés de destination, c'était bien là qu'ils devaient s'installer. Il n'y aurait pas besoin d'entreprendre un nouveau périple.

Museau Cendré pressa son museau contre l'épaule de son apprentie.

« Tu as accompli un véritable exploit, aujourd'hui, murmura-t-elle. Les Clans s'en souviendront pour des saisons et des saisons.

— N'importe quel guérisseur aurait pu recevoir cette vision, répondit Nuage de Feuille, les yeux écarquillés.

— Mais c'est à toi qu'elle est apparue, coupa Étoile de Feu. Le Clan vous remercie toutes les deux, ajouta-t-il avec un petit signe de tête à l'intention de Poil de Châtaigne.

— Demain, c'est la demi-lune, reprit Museau Cendré d'un ton plus vif. Nous devons envoyer un message sur-le-champ aux autres guérisseurs pour que nous nous retrouvions tous à la Source de Lune.

— J'irai, proposa Nuage de Feuille.

— Tu as suffisamment cavalé pour aujourd'hui, rétorqua Étoile de Feu avec douceur. Tu ne peux pas en plus faire le tour du lac.

— Il a raison, renchérit Museau Cendré. De toute façon, si nous voulons nous retrouver à temps, il faudra plus d'un messager. D'après les indications de Nuage de Feuille, nous devrons partir au plus tard demain soir au coucher du soleil. Étoile de Feu, laisse-moi me rendre auprès des Clans de l'Ombre et de la Rivière, ainsi Nuage de Feuille pourra se reposer avant d'aller trouver le Clan du Vent.

— Bonne idée, reconnut le rouquin. Mais tu n'es peut-être pas obligée d'y aller en personne, Museau Cendré… Je pourrais dépêcher un guerrier.

— Non. Ce genre de nouvelles doit être apporté par un guérisseur.

— Alors je veux que deux guerriers t'accompagnent. Nous avons pu constater lors de la dernière Assemblée à quel point les Clans étaient redevenus intraitables sur les questions de frontière.

— J'irai », proposa Griffe de Ronce en s'avançant d'un pas.

Il tenait à y aller car, pour lui, annoncer la découverte du sanctuaire représentait l'ultime étape du grand périple commencé le jour où il avait rêvé pour la première fois de l'endroit où sombre le soleil.

« Merci, fit le meneur. Tempête de Sable, veux-tu l'accompagner ?

— Volontiers. »

Tandis que le guerrier tacheté suivait Museau Cendré et Tempête de Sable hors du camp, il jeta un coup d'œil derrière lui. Poil d'Écureuil parlait avec Nuage de Feuille d'une voix excitée. Elle ne lui accorda pas un seul regard, et lui n'avait pas le temps d'aller lui parler.

Il devrait accomplir seul cette partie de leur voyage.

## CHAPITRE 19

Nuage de Feuille traversa le torrent en sautant sur les pierres du gué et commença à monter la colline vers le camp du Clan du Vent. Étoile de Feu lui avait proposé une escorte, mais elle avait refusé. Elle comptait demander à Poil de Châtaigne de l'accompagner, mais la guerrière faisait sa toilette en compagnie de Poil de Fougère et elle n'avait pas voulu les déranger.

Le vent, qui charriait un fort fumet de lapin, balayait l'herbe courte de la lande et plaquait sa fourrure contre ses flancs. Même si elle avait à peine dormi depuis son retour de la Source de Lune, l'importance de son message lui donnait des ailes.

Elle était presque arrivée au camp lorsqu'elle flaira une odeur de chat. Une patrouille apparut au détour d'un buisson d'ajoncs. C'était Griffe de Pierre et Plume Noire, accompagné de son apprenti, Nuage de Belette. Nuage de Feuille se raidit, espérant qu'ils lui laisseraient le temps de s'expliquer avant de la chasser.

« Qu'est-ce que tu fais là ? gronda Griffe de Pierre. Ici, c'est notre territoire.

— J'ai un message pour Écorce de Chêne. »

Griffe de Pierre hésita, avant de répondre :

« Dans ce cas, suis-nous. »

Il l'entraîna au sommet de la butte avant de redescendre de l'autre côté.

Moustache était assis sous un buisson au centre du camp. Il partageait la chair coriace d'un lapin avec Patte Cendrée. Nuage de Feuille chercha du regard Plume de Jais. Elle n'avait pas oublié qu'elle devait délivrer un autre message du Clan des Étoiles.

« Moustache, nous avons de la visite », annonça Griffe de Pierre.

Le chef du Clan du Vent se leva en se passant la langue sur le museau.

« Que pouvons-nous faire pour toi, Nuage de Feuille ?

— Je dois voir Écorce de Chêne.

— Le Clan des Étoiles a parlé ? » s'enquit-il, les oreilles dressées.

Nuage de Feuille opina de la tête. Mais elle ne pouvait en révéler davantage. Il revenait à Écorce de Chêne d'annoncer la nouvelle à son Clan.

« C'est formidable ! s'écria le nouveau chef. Nuage de Belette, va chercher Écorce de Chêne. »

L'apprenti de Plume Noire disparut dans un tunnel au pied de la colline, sans doute un ancien terrier de blaireau. Il reparut aussitôt, suivi du guérisseur.

Nuage de Feuille bondit vers lui. Écorce de Chêne congédia le jeune matou d'un battement de queue et invita la novice à s'asseoir près de lui.

« Que se passe-t-il ? »

La jeune chatte tigrée était si excitée que les mots jaillirent de sa bouche comme un torrent.

« … Et demain soir, c'est la demi-lune, conclut-elle. Museau Cendré est partie avertir Papillon et Petit Orage pour que nous puissions nous rendre tous ensemble à la Source de Lune. »

Le guérisseur tendit le cou pour poser son museau sur le front de l'apprentie.

« C'est la meilleure nouvelle qu'on m'ait jamais apportée, murmura-t-il. Merci d'être venue. »

Il se leva péniblement pour aller retrouver son chef et son lieutenant. D'autres les avaient rejoints, devinant l'imminence d'une annonce importante.

Écorce de Chêne leur répéta rapidement la découverte de Nuage de Feuille.

« Demain soir, tous les guérisseurs se retrouveront à la Source de Lune, déclara-t-il. Et après-demain soir, Moustache, toi et moi, nous y retournerons ensemble pour que tu reçoives tes neuf vies et ton nom de chef. »

Nuage de Feuille crut entrevoir une lueur de panique dans le regard du meneur. Il aurait dû être soulagé de pouvoir enfin communier avec le Clan des Étoiles et de voir son autorité reconnue par les guerriers de jadis, non ? Pour quelle raison voudrait-il repousser cette échéance ?

Moustache cilla, avant de secouer la tête.

« D'après ce que nous dit notre jeune amie, c'est un long voyage, miaula-t-il. Tu ne peux y aller deux fois en deux jours, cela t'épuiserait. J'ai patienté jusque-là pour recevoir mon nom et mes neuf vies. Je peux attendre encore un peu. »

Nuage de Feuille fut touchée par sa prévenance.

Puis, en le dévisageant, elle finit par se demander s'il avait peur que le Clan des Étoiles le rejette, après sa nomination hâtive pendant l'agonie d'Étoile Filante. Elle eut de la peine pour lui. Tout le monde savait qu'un lieutenant devenait chef lorsqu'un meneur perdait sa neuvième vie... et ce, même s'il n'était lieutenant que depuis quelques instants.

Écorce de Chêne, qui semblait soulagé de pouvoir se reposer entre les deux visites à la Source de Lune, ne contredit pas son chef.

« Je te verrai donc demain au coucher du soleil », la salua-t-il avant de retourner dans sa tanière.

Moustache et Patte Cendrée se mirent à discuter à voix basse. Griffe de Pierre marmonna quelques paroles à Plume Noire, et les deux guerriers filèrent vers le sommet de la butte avant de disparaître de l'autre côté.

Nuage de Feuille sentit une douce pression sur son épaule. En se tournant, elle fut surprise de voir que Plume de Jais la fixait.

« Tu as vraiment trouvé un nouveau sanctuaire ?

— Oui, vraiment. » Elle déglutit pour chasser la boule qui lui nouait la gorge. « J'ai quelque chose à te dire, Plume de Jais. Est-ce qu'on peut parler quelque part, en privé ?

— Viens par là. »

Il l'entraîna au bord de la combe où il s'assit sous un arbre rabougri aux branches nues. Curieux, il pencha la tête de côté, attendant qu'elle parle.

Elle inspira profondément avant de se lancer :

« Je n'ai pas seulement vu la Source de Lune, hier soir. Mais aussi Jolie Plume.

— Jolie Plume ? répéta-t-il, les yeux écarquillés.

— Oui. Elle m'a demandé de te transmettre un message. »

Son cœur battait si fort que Plume de Jais devait l'entendre. Allait-il se fâcher ? Nuage de Feuille se dit que ce n'était pas son problème. Jolie Plume les observait peut-être à cet instant ; elle se devait de tenir sa promesse.

« Elle m'a dit : "Dis-lui de ne pas me pleurer." Vous ne vous reverrez pas avant de nombreuses lunes. D'ici là, tu ne dois pas te détourner des vivants. »

Le guerrier gris sombre la dévisagea intensément, comme pour boire les paroles de la chatte qu'il aimait naguère si fort.

Le guerrier du Clan du Vent finit par baisser les yeux.

« Jamais je ne cesserai de regretter sa mort, murmura-t-il. Pense-t-elle donc que je pourrais l'oublier ?

— Ce n'est pas ce qu'elle a voulu dire !

— Il n'y aura jamais d'autre Jolie Plume. » Il releva la tête, l'air furieux. « Je me fiche bien de devoir attendre des lunes pour la revoir. Si elle peut patienter, alors moi aussi ! »

Il tourna les talons avant de traverser la clairière. Impuissante, Nuage de Feuille le suivit du regard.


Une demi-lune luisait bien haut dans le ciel, baignant d'une douce lumière argentée les collines bordant le torrent. Les cinq guérisseurs gravirent avec difficulté les dernières longueurs de queue les séparant de la barrière de buissons épineux. Museau Cendré semblait épuisée – ses yeux étaient troubles et son pas de plus en plus irrégulier, mais elle affichait une détermination à toute épreuve. Papillon n'avait pas l'air le moins du monde fatiguée par l'effort. Tout au long du trajet, elle n'avait cessé de courir en tête, avant de revenir sur ses pas pour demander la direction à suivre. Nuage de Feuille se dit qu'elle n'aurait pas été plus impatiente si elle avait vraiment cru au Clan des Étoiles.

La novice leur indiqua l'étroite brèche qui permettait de traverser la barrière végétale. Ils arrivèrent au sommet de la combe et purent enfin contempler la Source de Lune. L'eau brillait du même éclat pâle que la veille, tandis que le filet qui jaillissait d'entre les rochers scintillait comme de la poussière d'étoile. Seul son doux clapotis brisait le silence.

« Oui, c'est bien là », murmura Écorce de Chêne.

D'un mouvement de la queue, il invita Nuage de Feuille à les guider le long du sentier. De nouveau, l'apprentie sentit que ses pattes se posaient sur les empreintes de leurs prédécesseurs.

« Je me demande comment nous sommes censés entrer en communion avec nos ancêtres », miaula Petit Orage une fois que tous furent assis autour du bassin.

Nuage de Feuille cilla. Elle ne s'était pas posé la question. Naguère, à la Grotte de la Vie, ils devaient se coucher la truffe collée à la Pierre de Lune. Elle se souvenait du frisson glacé qui la parcourait alors, l'attirant dans un profond sommeil où elle rencontrait les guerriers de jadis.

Elle étudia l'endroit à la recherche d'un objet illuminé semblable à la Pierre de Lune. Elle ne vit

rien que des rochers mousseux et des fougères pen-
dantes… et la surface étincelante du bassin.

« Il faut peut-être toucher l'eau ? » suggéra-t-elle.

Les guérisseurs se dévisagèrent.

« Cela vaut la peine d'essayer », convint Écorce
de Chêne.

Tremblante, Nuage de Feuille vint laper la surface de l'eau. L'onde glaciale avait la saveur des
étoiles, du vent et du ciel indigo. Enivrée par ces
parfums exquis, elle ferma les yeux.

Un courant glacé la saisit tout entière, et elle ne
sentit bientôt plus la roche sous ses pattes. Elle
flottait à présent dans un vide abyssal où tout n'était
que ténèbres et silence. Des voix, trop ténues et
aiguës pour qu'elle puisse discerner leurs propos,
résonnaient autour d'elle. Puis le murmure du vent
et le clapotis de l'eau se turent. Elle comprit alors
que ces voix l'appelaient.

« Je suis là », murmura-t-elle.

Elle ouvrit les yeux. Elle se trouvait devant une
vaste étendue d'eau. Pas la Source de Lune, nichée
au creux de la combe, mais le lac, qui reflétait un
soleil couchant pourpre. Le vent formait à sa surface de petites vagues écarlates crénelées d'écume
qui venaient lécher le rivage. Pourtant, lorsqu'elle
leva la tête, elle ne vit que la voûte nocturne piquée
d'étoiles. Le lac était rempli de sang !

Les voix lui parlèrent de nouveau, cette fois suffisamment fort pour qu'elle les comprenne – ce
qu'elle regretta aussitôt :

*Avant que la paix vienne, le sang fera couler le sang,
et les eaux du lac deviendront pourpres.*

Nuage de Feuille voulut s'enfuir, mais elle dérapa dans le sang poisseux, et la puanteur de la mort la suffoqua. Elle se réveilla en sursaut, de retour au bord de la Source de Lune, son ventre collé à la pierre froide. Les autres guérisseurs, qui quittaient eux aussi leur vision, s'étiraient nonchalamment. La lune disparaissait déjà derrière les collines. Nuage de Feuille était restée immobile si longtemps que ses pattes s'étaient engourdies.

Écorce de Chêne et Petit Orage semblaient bouleversés. L'apprentie se demanda s'ils avaient reçu une mise en garde semblable à la sienne. Museau Cendré la dévisageait avec inquiétude, tandis que Papillon gardait les yeux baissés.

Nuage de Feuille avait hâte qu'ils repartent vers leurs camps. Elle voulait voir son mentor seule à seul pour lui parler de son rêve. Cependant, au lieu de s'engager sur le sentier, Museau Cendré se rassit au bord de la Source de Lune.

« Avant que nous retournions à nos Clans, déclara-t-elle, il me reste une chose à accomplir. »

Elle attendit que les autres prennent place autour d'elle pour poursuivre.

La novice se demandait de quoi il pouvait s'agir puisque la guérisseuse n'avait rien évoqué de particulier en chemin. Papillon lui jeta un regard inquiet ; elle la rassura d'un léger mouvement de tête. Non, elle n'avait pas révélé son secret à Museau Cendré, ni à qui que ce soit.

« Les guerriers des Clans se font baptiser lorsque leurs mentors considèrent qu'ils ont terminé leur apprentissage, poursuivit la chatte grise. Il en va de même pour les guérisseurs. » L'œil vif, elle se tourna vers son apprentie : « Tu pensais peut-être devoir attendre ma mort avant de recevoir ton nouveau nom ? »

Décontenancée, Nuage de Feuille ne sut que répondre. Elle n'y avait jamais vraiment réfléchi. Être apprenti guérisseur, ce n'était pas comme être apprenti guerrier. Elle pouvait déjà se servir des plantes médicinales et communier avec le Clan des Étoiles comme ses aînés. Elle devina la suite et son cœur se mit à palpiter.

« Un guérisseur se fait baptiser lorsque le Clan des Étoiles le juge bon, reprit Museau Cendré. Nuage de Feuille, le fait que nos ancêtres t'aient guidée la première jusqu'à la Source de Lune témoigne de l'estime qu'ils te portent.

— C'est vrai », renchérit Écorce de Chêne.

D'un ronronnement, Petit Orage en convint lui aussi. Le regard lumineux, Papillon vint enfouir son museau dans le flanc de son amie. Heureusement que Papillon avait déjà reçu son nom définitif, se dit-elle ; comment le Clan des Étoiles aurait-il pu approuver une guérisseuse qui ne croyait pas en lui ?

« Approche », continua son mentor.

Nuage de Feuille eut du mal à mettre une patte devant l'autre tant elle était émue. Son aînée leva la tête pour contempler la Toison Argentée.

« Moi, Museau Cendré, guérisseuse du Clan du Tonnerre, j'en appelle à nos ancêtres pour qu'ils se penchent sur cette apprentie. Elle s'est entraînée dur afin de comprendre la voie du guérisseur et, avec votre aide, elle servira son Clan pour des lunes et des lunes. »

Pendant le rituel, qui ressemblait beaucoup au baptême du guerrier, l'apprentie fut parcourue de picotements, comme si la lumière des étoiles lui brûlait la fourrure.

« Nuage de Feuille, promets-tu de respecter la voie du guérisseur, de rester en dehors des rivalités claniques, même au péril de ta vie ?

— Oui.

— Alors par les pouvoirs qui me sont conférés par le Clan des Étoiles, je te donne ton nom de guérisseuse : Nuage de Feuille, à partir de maintenant, tu t'appelleras Feuille de Lune. Nos ancêtres rendent honneur à ton courage et à ta foi. En découvrant cette source, tu as établi que la région du lac est bien notre nouveau territoire. »

Tout comme un chef de Clan l'aurait fait avec un nouveau guerrier, Museau Cendré posa son museau sur la tête de Feuille de Lune. Les yeux brillants, celle-ci se pencha pour lécher l'épaule de son mentor.

« Feuille de Lune ! Feuille de Lune ! » lança Papillon, aussitôt imitée par Écorce de Chêne et Petit Orage.

Feuille de Lune baissa la tête.

« Merci... à vous tous. Le Clan des Étoiles a guidé mes pas jusqu'ici, j'espère qu'il en sera ainsi jusqu'à la fin de mes jours.

— Que nos ancêtres t'entendent », murmura Écorce de Chêne, et les autres répétèrent sa prière.

À l'exception de Papillon. Néanmoins, lorsque Feuille de Lune la regarda, elle vit sur le visage de son amie tant de fierté et d'affection qu'elle sut que Papillon était plus heureuse pour elle que quiconque.

À cet instant, peu importait qu'elle ne partage pas leurs croyances.

Débordante d'énergie, Feuille de Lune grimpa le sentier à toute allure. Elle se sentait presque capable de voler à travers la forêt pour rejoindre le camp. Dans la descente, le long du torrent, elle laissa les autres passer devant et les suivit la tête pleine d'étoiles, de plantes et d'eau de source au goût de nuit.

Soudain, elle eut l'impression de marcher dans un liquide poisseux. Elle baissa les yeux, mais ne vit que l'herbe courte de la lande. Pourtant la puanteur de la mort l'enveloppa de nouveau. Elle avait beau savoir que la pente était parfaitement sèche, elle eut l'impression de patauger dans une rivière de sang, écarlate, chaude, venue des eaux en crue du lac mortifère.

## CHAPITRE 20

Griffe de Ronce marqua une halte au bord du lac et regarda par-delà la rivière vers le territoire du Clan de l'Ombre. La masse bleu-noir de la pinède se découpait sur le gris plombé du ciel. Personne en vue. Pourtant, le vent humide lui apportait une puanteur familière : l'odeur caractéristique du Clan, qui avait presque retrouvé son intensité. C'était un signe supplémentaire que tous les félins s'habituaient peu à peu à leur nouvelle vie.

Tout semblait rentrer dans l'ordre. Tôt ce matin-là, Museau Cendré et Nuage de Feuille, qui s'appelait à présent Feuille de Lune, étaient revenues de leur première visite au Clan des Étoiles. Et le lendemain soir, Moustache recevrait enfin ses neuf vies et son nom de chef.

« Berk ! gémit Perle de Pluie. Je ne m'y habituerai jamais. Ce Clan pue autant qu'un renard crevé depuis une lune.

— J'imagine qu'ils n'aiment pas notre odeur, eux non plus », lui fit remarquer Griffe de Ronce.

Il fut interrompu par un éclaboussement sonore suivi d'un cri de détresse. En se retournant, il vit

Patte d'Araignée debout au milieu du lac, de l'eau jusqu'au ventre.

« Par le Clan des Étoiles, qu'est-ce que tu fiches ? »

Embarrassé, le jeune guerrier regagna la berge, tête basse.

« J'ai vu un poisson. Il s'est enfui, ajouta-t-il inutilement.

— Ce n'est pas comme ça qu'on pêche, soupira Griffe de Ronce. Rappelle-moi de te montrer, un de ces jours. Jolie Plume nous a appris comment faire pendant notre premier voyage. » Son cœur se serra comme chaque fois qu'il pensait à la belle guerrière grise. « Venez, on ferait mieux de finir de patrouiller le long de la frontière. »

Il se prépara à remonter le long du cours d'eau, lorsqu'il aperçut une ombre mouvante sur la rive opposée. Un félin gris venait de sortir des arbres et galopait à sa rencontre. Griffe de Ronce écarquilla les yeux en reconnaissant Patte de Brume. Qu'est-ce que le lieutenant du Clan de la Rivière faisait sur le territoire du Clan de l'Ombre ?

« Griffe de Ronce, attends ! » s'écria-t-elle. Elle se jeta dans le ruisseau, le franchit à toute allure et s'arrêta net devant lui, haletante. « Je dois parler à Étoile de Feu tout de suite. »

Patte d'Araignée s'avança, les poils de sa nuque hérissés.

« Que fais-tu sur notre territoire ?

— Ouais, on va la chasser », gronda Perle de Pluie.

D'un mouvement sec de la queue, Griffe de Ronce fit taire les jeunes guerriers.

« Personne ne chasse personne. C'est Patte de Brume, voyons ! Elle a toujours été l'amie du Clan du Tonnerre.

— Merci, Griffe de Ronce. » Elle avait l'air complètement paniquée. « S'il te plaît, conduis-moi auprès d'Étoile de Feu.

— D'accord. » Griffe de Ronce ne voyait pas ce qui pouvait être si urgent, mas il savait que le lieutenant n'était pas du genre à faire des histoires pour rien. « Vous deux, continuez à patrouiller. Méfiez-vous des Bipèdes, et une fois à l'arbre mort, assurez-vous que le marquage du Clan de l'Ombre est bien à sa place. »

Perle de Pluie et Patte d'Araignée se regardèrent car ils hésitaient à laisser Griffe de Ronce et Patte de Brume seuls. Ils finirent par reprendre leur patrouille. Perle de Pluie ne cessait de jeter des coups d'œil en arrière, comme s'il craignait que la chatte grise n'attaque Griffe de Ronce à la première occasion.

« Quel est le problème ? s'enquit ce dernier en prenant le plus court chemin jusqu'au camp.

— Tu le sauras bien assez tôt, répondit-elle, la mine sombre. Griffe de Ronce, pourrait-on se dépêcher ? »

Surpris, le matou força l'allure. Les deux félins filèrent comme des flèches entre les arbres et ne s'arrêtèrent qu'une fois devant le tunnel menant au camp. Le guerrier tacheté s'y engouffra en premier et fut soulagé de voir aussitôt Étoile de Feu, qui partageait une grive avec Tempête de Sable près de la réserve de gibier. Faisant signe à Patte de

Brume de rester près de lui, il se dirigea vers son chef.

Le rouquin avala un morceau de viande avant de se lever.

« Salutations, Patte de Brume, dit-il. Quel bon vent t'amène ?

— Rien de bon, justement. Au contraire. »

Les oreilles d'Étoile de Feu s'agitèrent. Tempête de Sable se tourna vers la nouvelle venue, curieuse. Intrigués, Pelage de Poussière et Poil de Fougère s'approchèrent pour entendre la suite.

« J'ai bien peur que de nouveaux troubles menacent les Clans », poursuivit le lieutenant. Elle avait retrouvé le contrôle d'elle-même, mais ses yeux trahissaient toujours son anxiété. « Il y a trois nuits, alors que je rentrais au camp, j'ai aperçu deux chats sur la rive face à l'île. Comme il pleuvait à verse, je me suis demandé pourquoi ils traînaient là au lieu de chercher un abri. J'allais leur ordonner de retourner au camp lorsque je les ai reconnus. »

Elle marqua une pause, plongeant ses griffes dans la terre.

« Et ? la pressa Étoile de Feu.

— L'un d'eux était Plume de Faucon. » Le lieutenant déglutit péniblement avant de poursuivre. « Et l'autre, Griffe de Pierre.

— Quoi ?! » s'exclama Pelage de Poussière.

Le ventre de Griffe de Ronce se noua. Qu'est-ce que Plume de Faucon pouvait bien vouloir à l'ancien lieutenant du Clan du Vent ?

« Peu après, Griffe de Pierre a détalé vers son propre territoire. Croyez-moi, Plume de Faucon ne l'a pas chassé. À les voir discuter, j'ai eu l'impression qu'ils se connaissaient très bien. Je me doutais depuis longtemps que Plume de Faucon quittait le camp en douce, la nuit. En vérité, ajouta-t-elle en regardant Griffe de Ronce en coin, je pensais qu'il venait te voir. Je vous ai vus parler à l'Assemblée, et comme vous êtes parents... » Sur la défensive, elle poursuivit : « Je n'y voyais alors rien de mal... je n'ai jamais demandé d'explications à Plume de Faucon. Je sais maintenant que je me trompais. C'est sans doute Griffe de Pierre qu'il allait retrouver. »

Griffe de Ronce baissa la tête, sentant les regards de ses camarades lui brûler la fourrure. Il chercha une explication aux rencontres de Griffe de Pierre et son demi-frère, sans succès.

« Plume de Faucon s'est dirigé vers le camp... et je l'ai laissé faire. Il ne savait pas que je l'avais surpris et je préférais découvrir ce qu'il tramait avant de l'accuser.

— Et ensuite ? s'enquit Tempête de Sable.

— Je n'arrivais pas à croire qu'ils s'étaient donné rendez-vous sur la berge, où tout le monde pouvait les voir. Je me suis alors souvenue de la réaction enthousiaste de Plume de Faucon lorsqu'il avait exploré l'île. J'ai nagé jusque là-bas pour savoir s'ils s'y étaient retrouvés. Évidemment, j'ai repéré leur odeur... des marques récentes, d'autres plus anciennes. À mon avis, ils s'y sont rendus au moins trois ou quatre fois.

— Griffe de Pierre a nagé jusqu'à l'île ? Et plusieurs fois ? s'étonna Pelage de Poussière. Je suis surpris qu'il ait seulement accepté de se mouiller les pattes. Aucun membre du Clan du Vent n'aime nager.

— Alors à toi de m'expliquer comment son odeur s'y trouve, rétorqua Patte de Brume.

— Et comment a réagi Étoile du Léopard en apprenant cette histoire ? » voulut savoir Étoile de Feu.

Cette question sembla embarrasser la chatte grise.

« Je ne lui ai rien dit, admit-elle. Plume de Faucon est un bon guerrier, et il est très apprécié, surtout parmi les jeunes. Ce n'est un secret pour personne : certains d'entre eux pensent qu'il aurait dû rester lieutenant à ma place même après mon retour. J'avais peur qu'Étoile du Léopard croie que j'essayais de le dénigrer parce que je me sentais menacée. De plus, il n'avait rien fait de mal, à part discuter avec un chat d'un autre Clan. Alors j'ai décidé de le garder à l'œil pour découvrir la raison de ces conciliabules.

— Et tu y es parvenue ? s'impatienta Poil de Fougère.

— Oui, répondit Étoile de Feu à sa place, les yeux plissés. Tu ne serais pas venue nous voir à cause d'un événement vieux de trois nuits. Que s'est-il passé ?

— Ce matin, Plume de Faucon a proposé de prendre la tête de la patrouille de l'aube. Pour l'accompagner, il a choisi les trois guerriers qui clament le plus fort à quel point il ferait un bon lieutenant. Aucun d'eux n'est revenu. »

Griffe de Ronce leva la tête : le soleil avait disparu derrière des nuages chargés de pluie, mais il savait que le crépuscule arrivait. Soit la patrouille de l'aube s'était franchement perdue... soit ses membres n'avaient pas prévu de rentrer au camp à la fin de leur mission.

« Ils ont peut-être trouvé un bon terrain de chasse, suggéra Étoile de Feu.

— Et on ne peut pas lui reprocher de choisir ses amis pour aller patrouiller avec lui, ajouta Tempête de Sable dans un souci d'équité.

— Vous ne comprenez pas ! s'impatienta Patte de Brume. À midi, lorsque j'ai constaté qu'ils n'étaient pas de retour, j'ai voulu les suivre. Pour moi, il était évident qu'ils manigançaient quelque chose.

— Et alors ? Ils se sont rendus sur l'île ? miaula Pelage de Poussière.

— C'est ce que j'ai pensé, mais lorsque j'ai trouvé leur piste devant notre camp, elle menait vers le territoire du Clan de l'Ombre. »

Griffe de Ronce sentit ses poils se hérisser. Pouvait-il vraiment y avoir une explication logique à cela ?

« Je savais que le Clan du Tonnerre ne serait pas impliqué dans cette histoire, alors je suis venue directement ici, ajouta-t-elle. Une patrouille du Clan de l'Ombre a failli me repérer, mais j'ai atteint la frontière sans me faire prendre. Étoile de Feu, je suis persuadée que Plume de Faucon est mêlé à un complot visant à attaquer le Clan du Vent !

— Il pourrait y avoir d'autres explications... répondit Étoile de Feu, pensif.

— Ah oui ? Et laquelle ? Tout le monde sait que Griffe de Pierre était fou de rage lorsque Étoile Filante a choisi Moustache pour lui succéder. Tu pensais vraiment qu'il accepterait sa déchéance sans rien faire ?

— Attendez ! » s'écria Poil de Fougère en bondissant sur ses pattes. « Maintenant que Feuille de Lune a trouvé la Source de Lune, Moustache va bientôt recevoir ses neuf vies. Griffe de Pierre doit attaquer avant s'il veut prendre le pouvoir.

— C'est donc ce soir ou jamais, compléta Griffe de Ronce, la voix rauque.

— Étoile de Feu, tu dois faire quelque chose ! implora Patte de Brume.

— Et pourquoi moi ? Pourquoi ne pas en parler à ton propre chef ?

— Étoile du Léopard me soupçonnerait de chercher des puces à Plume de Faucon. Et elle ne bougerait pas le bout de la queue pour aider le Clan du Vent. Mais Moustache est ton ami…

— Il est aussi chef de Clan, c'est lui le responsable de la sécurité des siens. Il ne peut pas compter sur le Clan du Tonnerre pour venir à la rescousse chaque fois qu'il a des ennuis. » Étoile de Feu contempla ses pattes un instant avant de relever la tête. « Mais tu as raison. Nous ne pouvons pas rester là sans rien faire. Nous enverrons une patrouille au camp du Clan du Vent pour voir ce qui s'y passe. Et je ferais mieux de rassembler les miens pour les avertir.

— Est-ce vraiment nécessaire ? » protesta Griffe de Ronce.

Le rouquin l'observa longuement.

« Comment savoir avec certitude que ce n'est pas nous qu'ils vont attaquer ? Comme tout le monde, j'espère que nous nous trompons, mais c'est un risque que nous ne pouvons prendre. »

Le meneur traversa la combe à toute allure et bondit sur le tas de rochers.

« Que tous ceux qui sont en âge de chasser s'approchent de la Corniche pour une assemblée du Clan », lança-t-il alors.

Flocon de Neige, Cœur Blanc et Poil de Châtaigne sortirent du gîte des guerriers. Les anciens arrivèrent peu après, Bouton-d'Or guidant Longue Plume. Museau Cendré apparut à l'entrée de son antre en compagnie de Feuille de Lune. Alarmée, la jeune guérisseuse écarquillait les yeux.

Au même instant, Poil d'Écureuil, Pelage de Granit et Cœur d'Épines revinrent au camp chargés de gibier. Ils allèrent déposer leurs prises sur la réserve et filèrent rejoindre les autres.

« Chats du Clan du Tonnerre. Selon Patte de Brume ici présente, Griffe de Pierre et Plume de Faucon auraient prévu d'attaquer le Clan du Vent. Pendant que j'emmène une patrouille jusqu'au camp de nos amis, je veux que tous ceux qui restent ici demeurent sur le qui-vive au cas où ils s'en prendraient à nous. Le Clan de l'Ombre pourrait lui aussi être impliqué. »

Des murmures choqués s'élevèrent des félins rassemblés. Griffe de Ronce baissa la tête, sentant le poids des regards de ses camarades. Il imaginait leurs chuchotements le comparant encore et toujours à Plume de Faucon, simplement parce qu'ils avaient le même père. Il n'eut pas la force de regarder Poil d'Écureuil, de peur de voir le mépris dans ses yeux.

« Flocon de Neige et Cœur Blanc, vous serez responsables du camp. Cœur d'Épines, prends deux chats pour aller surveiller la frontière du Clan de l'Ombre. Si vous repérez une de leur patrouille, suivez-la, mais n'attaquez pas s'ils sont trop nombreux. »

Cœur d'Épines acquiesça avant de faire signe à Poil d'Écureuil et Pelage de Granit. Étoile de Feu se prépara à sauter de la Corniche, mais Museau Cendré ne lui en laissa pas le temps.

« Étoile de Feu, lança-t-elle. J'ai une chose à te dire. Feuille de Lune m'a fait part d'un de ses rêves. Sa vision pourrait être liée à ce qui se passe.

— D'accord. » Le meneur fit signe à sa fille de s'avancer. « Raconte-nous, Feuille de Lune.

— J'ai vu les eaux du lac devenir rouges, et j'ai entendu une voix, expliqua la jeune guérisseuse. Elle m'a dit : *Avant que la paix vienne, le sang fera couler le sang, et les eaux du lac deviendront pourpres.*

— C'est tout ? la pressa son père. Rien ne dit de quel sang il s'agit, ni quand ? »

Feuille de Lune fit non de la tête.

« C'est suffisant pour savoir qu'un événement terrible va se produire, rétorqua la guérisseuse. Je prendrais cette attaque au sérieux, si j'étais toi.

— Compris, fit-il en sautant dans la clairière. Allons-y. »

Griffe de Ronce suivit son chef. En passant devant la patrouille de Cœur d'Épines, le guerrier tacheté ne put résister à l'envie de couler un regard vers Poil d'Écureuil. Il pensait qu'une lueur triomphale danserait dans ses yeux. Au lieu de quoi, elle le contemplait avec pitié.

Tandis qu'il suivait son chef à travers la forêt vers la frontière du Clan du Vent, il emportait avec lui l'image du visage triste de la chatte.

## CHAPITRE 21

L ES GUERRIERS du Clan du Tonnerre traversèrent le torrent à la nuit tombante pour pénétrer sur le territoire du Clan du Vent. Lorsqu'ils quittèrent le couvert des arbres, de fortes rafales de vent chargées d'une pluie glaciale leur fouettèrent le visage. De temps à autre, la lune ou une étoile brillait entre deux nuages, déchirant un instant les épaisses ténèbres qui enveloppaient la lande. Les félins, qui voyaient à peine leurs propres pattes, devaient se fier à leur seul odorat pour avancer.

« Aucun signe d'une patrouille sur la frontière, chuchota Pelage de Poussière, la truffe levée.

— Cela signifie peut-être qu'ils sont tous en train de défendre le camp, répondit Patte de Brume.

— Chut ! ordonna Étoile de Feu. Restez sur vos gardes. Nous ne savons pas ce qui nous attend. »

Ils atteignirent bientôt le ruisseau qui cascadait depuis le camp de leurs amis. Étoile de Feu le remonta un moment, avant de marquer une halte pour humer l'air. Griffe de Ronce l'imita. L'odeur des guerriers des collines était forte, mais rien ne signalait la présence de membres d'un autre Clan. Ils n'entendaient pas le moindre bruit de bataille, seuls le hurlement du vent et le gargouillis du cours d'eau. Griffe de Ronce reprit espoir : et si Patte de Brume s'était trompée ?

« Rien, murmura Étoile de Feu au bout de quelques instants de silence.

— Nous pourrions aller voir Moustache pour lui demander si tout va bien ? suggéra Poil de Fougère.

— Quoi ? Débarquer au milieu de son camp pour lui dire qu'on est venus repousser ses ennemis ? Ben voyons ! s'offusqua Pelage de Poussière.

— C'est vrai, on ne peut pas faire une chose pareille, renchérit Tempête de Sable.

— Vous avez raison, reconnut Étoile de Feu. Il ne nous reste plus qu'à rentrer.

— Il se passe pourtant quelque chose, j'en suis persuadée », protesta Patte de Brume. Ses yeux reflétaient son angoisse. « Tu oublies le songe de Feuille de Lune !

— Nous ignorons la signification de cette vision, lui fit remarquer le meneur. En attendant, nous sommes venus en nombre sur le territoire d'un autre Clan. Moustache serait dans son droit s'il nous faisait écorcher vifs.

— Qu'il essaie », renifla Pelage de Poussière avec mépris.

Le vent tourna et une bourrasque soudaine faillit renverser Griffe de Ronce. Au loin, il entendit le faible grondement du tonnerre.

« Rentrons avant que l'orage n'éclate », ordonna Étoile de Feu.

Tous firent demi-tour pour le suivre. Griffe de Ronce, qui fermait la marche, jeta un ultime coup d'œil vers le camp du Clan du Vent. Tout à coup, il se figea, humant une odeur ténue mais familière.

Plume de Faucon !

« Étoile de Feu, attends ! » appela-t-il.

À présent, plusieurs silhouettes sombres dévalaient la colline opposée pour se jeter sur le camp. L'espace d'un instant, il crut même reconnaître en première ligne le contour de la large tête et des épaules de son demi-frère.

Un cri solitaire déchira la nuit. Étoile de Feu fit volte-face et s'élança dans la montée.

« Venez ! »

Griffe de Ronce atteignit le sommet de la butte en même temps que son chef. D'autres plaintes résonnèrent dans les ténèbres, en contrebas. Le jeune guerrier eut beau scruter le camp, il ne discerna qu'un amas de fourrures. Les odeurs des Clans de la Rivière et de l'Ombre se mêlaient à celle du Clan du Vent, mais, incapable d'identifier les combattants, il ne savait qui attaquer.

Étoile de Feu s'écria : « Griffe de Pierre ! » tout en dévalant la pente. Griffe de Ronce et le reste de la patrouille le suivirent. En se jetant dans la mêlée, le matou tacheté perdit aussitôt ses camarades de vue. Sans lui laisser le temps de reprendre son souffle, un mâle le percuta de côté, lui faisant perdre l'équilibre. Il pivota et se retrouva nez à nez avec Cœur de Cèdre, du Clan de l'Ombre.

« Restez en dehors de ça ! feula le chat gris foncé. Cela ne concerne pas le Clan du Tonnerre ! »

Sans prendre la peine de répondre, Griffe de Ronce le botta de ses pattes arrière. Cœur de Cèdre chancela, avant de disparaître. Le guerrier du Clan du Tonnerre put se relever. *Clan des Étoiles, faites que Pelage d'Or ne soit pas là !* supplia-t-il en silence.

Il se faisait bousculer d'un côté, puis de l'autre, malmené par des combattants qui s'affrontaient de tout côté. Aucune trace de Plume de Faucon. En revanche, il reconnut un autre guerrier du Clan de la Rivière, qui déboula dans la cuvette avant de se jeter sur un buisson d'ajoncs, toutes griffes dehors. La lune pointa entre deux nuages, et Griffe de Ronce aperçut plus loin Moustache aux prises avec Plume Noire. Le chef du Clan du Vent avait planté ses crocs dans l'épaule du guerrier tigré, qui arrachait à coups de patte des touffes de fourrure sur le flanc de son meneur.

Griffe de Ronce bondit à la rescousse, mais Griffe de Pierre surgit des ombres au même instant et Moustache disparut sous une tornade de fourrure et de crocs. Heureusement, Étoile de Feu apparut à son tour et, saisissant Griffe de Pierre par la peau du cou, il le força à lâcher prise.

Le lieutenant déchu se libéra violemment.

« Tu te crois où ? feula-t-il. Tu penses peut-être que ce Clan t'appartient ? Réfléchis bien, chat domestique ! Le Clan du Vent aura bientôt un nouveau chef, un meneur fort qui lui redonnera toute sa grandeur.

— Le seul chef du Clan du Vent, c'est Moustache », gronda Étoile de Feu en retour.

Griffe de Pierre se jeta sur le meneur du Clan du Tonnerre. Tandis que les deux matous roulaient au sol, Plume Noire se faufila sur le côté pour mordre le rouquin à la patte. Griffe de Ronce bondit vers eux, mais il fut immobilisé par une masse qui s'écrasa sur son dos et le riva au sol. L'odeur du Clan de la Rivière lui emplit les narines, mais son attaquant était noir, et non tacheté. Soulagé de ne pas avoir affaire à Plume de Faucon, Griffe de Ronce griffa le visage du matou.

Une douleur cuisante lui meurtrit le flanc : son adversaire était parvenu à le blesser. *Ils ont le dessus,* songea-t-il. Il s'efforça de ne pas paniquer en voyant qu'Étoile de Feu était seul contre deux puissants combattants. *Ils sont trop nombreux !*

La peur lui donna un regain d'énergie et il se força à se relever, repoussant son assaillant d'une morsure éclair à la queue. Soudain, un cri de bataille retentit au loin : il reconnut la voix de Poil d'Écureuil. Un rayon de lune la révéla en train de dévaler le talus en compagnie de Cœur d'Épines et Pelage de Granit.

La fourrure couleur de flamme d'Étoile de Feu était à peine visible sous les silhouettes de Griffe de Pierre et Plume Noire. Avant que Griffe de Ronce ait le temps de l'atteindre, Poil d'Écureuil le devança et se jeta dans le combat avec un rugissement furieux. Plume Noire s'enfuit, et Griffe de Pierre pivota pour attaquer la jeune guerrière. Elle se dressa sur ses pattes arrière, tailladant sans relâche son adversaire, qui chercha à lui mordre la gorge. De son côté, Griffe de Ronce accourut auprès d'Étoile de Feu. À son grand soulagement, son chef se releva avant de retourner aussitôt dans la bataille. Une balafre écarlate zébrait son flanc, mais la blessure n'avait pas l'air d'entraver ses mouvements.

Le guerrier tacheté chercha alors Griffe de Pierre du regard : Poil d'Écureuil et lui avaient disparu dans la masse de félins. Il se retrouva à combattre au côté de Plume de Jais – ils avaient voyagé si longtemps ensemble que leurs mouvements coordonnés les rendaient redoutables. Non loin, Patte de Brume et Tempête de Sable affrontaient deux guerriers du Clan de la Rivière.

Lorsque Griffe de Ronce repéra de nouveau Poil d'Écureuil, Belle-de-Nuit la maintenait au sol. La rouquine, blessée au flanc, mordait de toutes ses forces la peau du cou de la guerrière noire, dont elle martelait le ventre de ses pattes arrière.

Lorsqu'il bondit à son secours, Belle-de-Nuit s'arracha aussitôt à la rouquine pour s'enfuir. Poil d'Écureuil se releva avec peine, haletante.

« Qu'est-ce que vous faites ici ? s'enquit le jeune guerrier.

— On n'a pas repéré la moindre odeur suspecte sur la frontière du Clan de l'Ombre, expliqua-t-elle. Alors on est venus ici, au cas où.

— Vous avez drôlement bien fait, répondit-il avec conviction.

— Alors pourquoi perdre notre temps à bavarder ? »

Elle inclina les oreilles vers deux guerriers du Clan de l'Ombre, et ils se jetèrent côte à côte dans la bataille. Sur un signe de la guerrière, ils se séparèrent, prenant leurs victimes par surprise en les attaquant sur les flancs. Les deux matous se retrouvèrent cloués au sol et, lorsqu'ils voulurent blesser leurs ennemis, ils ne réussirent qu'à se griffer mutuellement.

« Bien joué ! » hoqueta Poil d'Écureuil en fendant l'oreille de son adversaire.

Lorsque Griffe de Ronce croisa le regard étincelant de la rouquine, un éclair d'énergie pur le transperça. Tout à coup, deux autres combattants au corps à corps roulèrent entre eux. Le temps que le guerrier tacheté contourne ces nouveaux venus, les deux matous du Clan de l'Ombre s'enfuyaient au loin, poursuivis par Poil d'Écureuil. Peu après, il la perdit de vue.

Le souffle court, il balaya le camp du regard. Il était arrivé de l'autre côté de la cuvette. Devant lui, les félins s'écartèrent pour laisser passer un matou aux larges épaules qui se dirigeait vers lui. Griffe de Ronce regarda son frère face à face. L'expression de Plume de Faucon était indéchiffrable. Le clair de lune faisait miroiter ses yeux bleu glacé.

Soudain, un guerrier gris débaula sur le côté et envoya Griffe de Ronce rouler au sol. Il poussa un cri, griffant à l'aveuglette. Une douleur aiguë lui vrilla l'épaule lorsque l'autre le mordit, mais il se cabra pour se débarrasser de son ennemi et se releva. Il entrevit du coin de l'œil Plume de Faucon, qui assenait un coup de griffes à un guerrier du Clan du Vent, puis d'autres matous lui bouchèrent la vue et son demi-frère disparut.

Cœur d'Épines et Pelage de Granit surgirent de la mêlée. Au côté de Griffe de Ronce, ils repoussèrent les envahisseurs pas à pas. Le guerrier tacheté comprit que la chance avait tourné. Ils forcèrent leurs ennemis à se replier le long de la colline, de l'autre côté du camp. Il était presque arrivé au sommet lorsqu'un éclair baigna la lande d'une étrange lumière jaune. Le jeune matou aperçut alors les silhouettes de Griffe de Pierre et Plume de

Faucon, qui se découpaient dans le ciel, face à face sur la crête. Puis le tonnerre gronda et se répercuta dans les collines comme pour sonner la fin du monde, puis la pluie s'abattit sur le paysage vallonné. Griffe de Ronce fut aussitôt trempé.

Griffe de Pierre poussa un cri avant de s'enfuir, suivi de près par Plume de Faucon. Deux guerriers du Clan de l'Ombre détalèrent dans la direction opposée, droit vers le camp du Clan du Tonnerre.

Plume de Jais galopa jusqu'à lui et l'interrogea du regard.

« Suis-les ! » hoqueta-t-il en désignant les guerriers du Clan de l'Ombre d'un brusque signe de tête.

Habitué à lui obéir, Plume de Jais se lança aussitôt à leur poursuite. Griffe de Ronce fila à travers l'herbe haute à la poursuite de Griffe de Pierre. L'ancien lieutenant avait trahi son Clan et tenté de tuer son chef. Le guerrier tacheté se jura que personne à part lui n'aurait le plaisir de lui plonger ses crocs dans la gorge.

Il ne prit pas le temps de se demander ce qu'il ferait s'il devait affronter Plume de Faucon.

CHAPITRE 22

❦

LORSQUE LA PLUIE commença à tomber, Feuille de
Lune se mit à l'abri dans les ronces qui surplom-
baient la combe. Les branches des arbres, agitées
par la tourmente, claquaient dans le ciel orageux.
L'averse crépitait sur le sol et le tonnerre grondait
dans les collines.

Flocon de Neige avait posté des sentinelles
autour de la combe dès le départ de la patrouille
d'Étoile de Feu. Feuille de Lune s'était portée
volontaire pour guetter l'arrivée d'éventuels envahisseurs. Tous les guérisseurs étaient également des
guerriers aguerris, et elle était prête à défendre son
nouveau foyer au péril de sa vie.

Jusqu'à présent, seuls les éléments en furie bri-
saient le calme de la forêt, mais la jeune chatte
pouvait presque sentir une autre tension dans l'air.
Elle aurait donné n'importe quoi pour savoir ce qui
se passait dans le camp du Clan du Vent. Plume de
Faucon et Griffe de Pierre projetaient-ils vraiment
de renverser Moustache ?

Soudain, des bruits de cavalcade résonnèrent
dans les bois. Elle crut d'abord que la patrouille
revenait, puis le vent lui apporta une bouffée

d'odeur du Clan de l'Ombre. Feuille de Lune bondit sur ses pattes, mâchoires écartées pour donner l'alerte, mais avant qu'elle puisse émettre le moindre son, deux silhouettes surgirent des fourrés et se jetèrent sur elle. Ils la percutèrent de plein fouet, si bien qu'elle fut projetée dans les ronces bordant l'à-pic. Alors, des hurlements terrifiés déchirèrent le silence : les deux intrus, en fonçant tête baissée, venaient de basculer dans le vide.

Sentant que les buissons cédaient peu à peu sous son poids, Feuille de Lune se débattit follement pour retrouver son équilibre. Elle planta de justesse les griffes de ses pattes avant au bord du précipice, mais ses pattes arrière ne trouvèrent pas l'appui nécessaire pour la propulser en lieu sûr. Un bruit lui fit lever la tête. Elle fut terrifiée à l'idée qu'un autre guerrier du Clan de l'Ombre soit venu lui régler son compte.

Plume de Jais la contemplait, l'air horrifié.

« Plume de Jais, gémit-elle en serrant les dents. Plume de Jais, aide-moi ! »

Le guerrier du Clan du Vent ne fit pas le moindre geste. Le rocher où la guérisseuse s'était agrippée ruisselait de pluie, et elle commença à glisser.

« Plume de Jais ! supplia-t-elle. Je vais tomber ! »

Le matou semblait paralysé. Il émit un murmure rauque, l'œil vitreux ; Feuille de Lune sut alors que ce n'était pas à elle qu'il s'adressait :

« Jolie Plume, je suis tellement désolé ! Tout est ma faute. Je n'aurais pas dû te laisser faire. »

La jeune chatte tigrée comprit qu'il revivait la mort de Jolie Plume.

« Ce n'était pas ta faute, miaula-t-elle. Aide-moi, Plume de Jais, je t'en supplie. »

Elle glissait de plus en plus. Elle tenta d'enfoncer ses griffes plus profondément, en vain. La surface lisse de la roche n'offrait aucune prise. Elle ferma les yeux car elle sentait qu'elle tombait pour de bon. Au même instant, les crocs du guerrier gris foncé se logèrent dans la peau de son cou. Les deux félins restèrent un instant en équilibre précaire au bord du gouffre, puis Plume de Jais la hissa de toutes ses forces, ses pattes arrière grattant la terre. Une fois tirés d'affaire, ils s'effondrèrent, le souffle court. La guérisseuse posa la joue sur le sol, consciente qu'elle venait d'échapper à une mort certaine. Le petit matou était couché près d'elle, ses flancs se soulevant à un rythme effréné. Lorsque leurs regards se croisèrent, Feuille de Lune ne put se détourner.

« Merci, murmura-t-elle.

— J'ai réussi, souffla Plume de Jais. Je t'ai sauvée. »

Pour détendre l'atmosphère, Feuille de Lune déclara :

« Et pourtant, je devais bien être la dernière que tu aurais voulu sauver.

— Tu le penses vraiment ? s'étonna-t-il, la couvant de ses prunelles brûlantes. Tu ne sais donc pas ce que j'éprouve pour toi ? Et à quel point je me hais d'oublier Jolie Plume si vite ? Je l'aimais, sincèrement ! Comment est-ce que je peux t'aimer aussi ?

— Moi ? Mais…

— Tu hantes mes rêves, Feuille de Lune, chuchota-t-il.

— Non… Tu ne peux pas m'aimer. Je suis guérisseuse. »

*Et moi non plus, je ne peux pas t'aimer,* songea-t-elle, au comble du désespoir. Pourtant, elle comprit à cet instant que c'était la vérité. Rien n'aurait pu la rendre plus heureuse que la déclaration de Plume de Jais.

« Feuille de Lune ! Tu es là ? Feuille de Lune ? »

Flocon de Neige et Cœur Blanc se frayèrent un passage dans les ronces. Les deux rescapés se levèrent tant bien que mal.

« Je suis là ! » lança la jeune guérisseuse.

Le guerrier blanc se rua vers elle, la queue gonflée.

« Tu vas bien ? s'enquit-il. Et lui, il est de quel côté ? »

La fourrure de Plume de Jais commença à se hérisser.

« Je n'ai rien, se hâta-t-elle de répondre. Et Plume de Jais est un ami. Il pourchassait ces deux guerriers du Clan de l'Ombre. Je t'en prie, Flocon de Neige, ne l'attaque pas. Il m'a sauvé la vie.

— Vraiment ? Tant mieux.

— Qu'est-il arrivé à ces deux traîtres ? voulut savoir Plume de Jais.

— Ils sont morts, répondit Cœur Blanc qui se glissait sous une branche pour les rejoindre. La nuque brisée. »

Feuille de Lune frémit, sachant qu'elle aurait pu connaître la même fin. Plume de Jais la dévisagea un instant, avant de s'incliner devant Flocon de Neige.

« Dans ce cas, je vais y aller. Quand j'ai quitté notre camp, le combat prenait fin. Moustache est toujours le chef du Clan du Vent.

— Et pour... ? »

Le guerrier blanc dut laisser sa phrase en suspens car le chat au pelage sombre avait déjà disparu dans les taillis.

Cœur Blanc donna un petit coup de museau à son compagnon.

« Viens, nous devons retourner au camp. Espérons que nous n'aurons pas d'autres visites surprises. »

Feuille de Lune regarda un instant encore dans la direction prise par Plume de Jais avant de suivre ses camarades. Elle avait failli se faire tuer par des guerriers du Clan de l'Ombre, pourtant elle avait l'impression que le vent la portait, et sa tête était pleine d'étoiles.

## CHAPITRE 23

GRIFFE DE RONCE dévala la colline à la poursuite de Griffe de Pierre et Plume de Faucon. La pluie effaçait la trace des félins en fuite et, dans les ténèbres, le guerrier tacheté n'était même pas sûr d'aller dans la bonne direction. Malgré tout, sa fureur lui donnait des ailes, l'inondant d'une énergie qui lui faisait oublier le froid et l'humidité.

Un éclair zébra le ciel au-dessus des collines : le matou repéra ses ennemis droit devant lui. Griffe de Pierre avait presque atteint la rive du lac, tandis que Plume de Faucon n'était qu'à deux longueurs de queue derrière. Trois ou quatre autres silhouettes les talonnaient. Dans le chaos de l'orage, Griffe de Ronce ne savait pas si un seul de ses camarades l'avait suivi, mais il continua tout de même, forçant ses pattes à presser encore l'allure.

L'éclair suivant lui montra qu'il avait divisé par deux la distance qui le séparait de ses proies. Il passa à toute vitesse devant le territoire des chevaux et au passage aperçut une lueur jaune dans le nid de Bipèdes à l'autre bout du champ. Aucun chat domestique ne rôdait dans les parages.

Il dut ralentir quand il arriva aux marais. Entre

les touffes d'herbe trempées par la pluie et les flaques d'eau tourbeuse, il glissait sans cesse. De la boue couvrit bientôt ses pattes et son ventre. Frustré, il imagina que Griffe de Pierre et Plume de Faucon étaient en train de lui échapper.

Il ne rêvait plus de se rapprocher de son demi-frère. Il se sentait maintenant vide, et trahi. Si Plume de Faucon pensait s'en tirer sans combattre parce qu'ils étaient parents, il se trompait !

Un bruit d'éclaboussures lui parvint : un autre chat, dont il discerna avec peine la sombre silhouette, pataugeait dans la boue juste devant lui. Poussant un cri de triomphe, Griffe de Ronce bondit, mais il dérapa de nouveau et parvint à peine à frôler la fourrure de l'autre avant de retomber lourdement sur le flanc. Il fut aussitôt écrasé par un poids qui l'enfonça dans la boue, et un coup de griffes lui entailla le flanc. À une longueur de souris des siens, les yeux de Griffe de Pierre exprimaient la haine. L'odeur du guerrier du Clan du Vent lui envahit les sens.

« Traître ! » hoqueta Griffe de Ronce.

Il tenta de faire basculer son ennemi, mais la terre détrempée céda sous son poids et l'eau glaciale pénétra sa fourrure. Impuissant, il martela le ventre de son agresseur de ses pattes arrière.

L'ancien lieutenant fronça le nez, les crocs découverts. Le guerrier du Clan du Tonnerre se prépara à sentir la morsure dans sa gorge. Puis une silhouette plus sombre surgit derrière le guerrier du Clan du Vent, avant qu'une énorme patte tachetée s'abatte sur la tête de ce dernier. Déséquilibré, Griffe de Pierre fit un bond en arrière. Griffe de Ronce en profita pour rouler de côté. Les deux autres matous se battaient au corps à corps.

Confus, alourdi par la boue collée à ses poils, le guerrier tacheté se remit tant bien que mal sur ses pattes. L'éclair suivant lui révéla que c'était Plume de Faucon qui rivait Griffe de Pierre au sol, une patte sur son ventre, l'autre sur sa gorge. Son pelage était couvert de vase, et ses yeux bleu glacé étincelaient.

Griffe de Ronce et lui échangèrent un regard.

« Plume de Faucon, tu m'as sauvé la vie, déclarat-il d'une voix tremblante. Pourquoi ? Pourquoi m'avoir aidé moi, plutôt que lui ? »

Griffe de Pierre avait beau se tortiller sous les pattes de son ancien allié en crachant des insultes, Plume de Faucon ne quitta pas son demi-frère du regard. Même dans l'obscurité, le jeune guerrier du Clan du Tonnerre ne pouvait se détourner de ce regard bleu fascinant.

« Tu… tu as comploté avec Griffe de Pierre, bégaya-t-il encore. Tu as attaqué le Clan du Vent, et maintenant… »

Le guerrier du Clan de la Rivière baissa la tête avant de répondre :

« C'est vrai. Je me suis allié à Griffe de Pierre car je pensais qu'il était le chef légitime du Clan du Vent. Mais toi, tu es mon frère, Griffe de Ronce. Comment aurais-je pu le laisser te tuer ? »

Ses paroles frappèrent Griffe de Ronce avec la force d'un puissant coup de patte. À croire que Plume de Faucon savait depuis le début que Moustache n'avait pas été nommé lieutenant selon le rituel sacré.

« Griffe de Pierre m'a persuadé de le rejoindre, poursuivit Plume de Faucon. Il m'a promis de laisser le Clan de la Rivière en paix si moi et quelques-uns de mes camarades nous l'aidions à chasser Moustache.

— Dis-lui ce que je t'ai promis d'autre ! feula Griffe de Pierre, toujours immobilisé. Dis-lui que c'est toi qui es venu me voir, que c'est toi qui m'as proposé de l'aide, si en échange je te nommais lieutenant du Clan du Vent... et que je t'aidais ensuite à prendre le contrôle du Clan de la Rivière.

— Quoi ? fit Plume de Faucon, les yeux écarquillés. Griffe de Ronce, ne l'écoute pas. Pourquoi voudrais-je quitter le Clan de la Rivière ? Et pourquoi avoir recours à la violence ? » Lorsqu'il releva la tête, Griffe de Ronce se dit que, malgré le sang et la boue de la bataille qui le maculaient, il n'avait jamais vu guerrier à l'air si noble. « Si je dois mener un jour le Clan de la Rivière, ce sera en suivant le code du guerrier.

— Menteur ! » cracha le lieutenant déchu.

Plume de Faucon secoua la tête.

« J'ai cru bien faire, expliqua-t-il encore à son demi-frère. Franchement, peux-tu affirmer que tu n'as jamais douté de l'autorité de Moustache ? »

Griffe de Ronce fut incapable de répondre.

Griffe de Pierre profita de son hésitation pour pousser un cri de guerre et se redresser brusquement, projetant Plume de Faucon dans une mare bordée de roseaux. Le guerrier du Clan du Tonnerre se tapit, prêt à affronter le guerrier du Clan du Vent qui fonçait vers lui. Plume de Faucon, qui s'était déjà relevé, s'interposa entre eux et attaqua son ancien allié à grands coups de griffes et de crocs. Celui-ci fit un écart, avant de faire demi-tour pour se perdre dans la nuit.

Sans mot dire, Plume de Faucon se lança à sa poursuite.

Malgré le tonnerre, Griffe de Ronce entendit qu'on l'appelait. Il se tourna et vit que Poil d'Écureuil l'avait rejoint. Elle le contemplait avec horreur.

« Qu'est-ce que tu fiches ? s'écria-t-elle. Tu le laisses filer !

— Non... tu ne comprends pas...

— J'ai tout entendu ! Plume de Faucon a comploté avec Griffe de Pierre pour qu'il le nomme lieutenant du Clan du Vent et l'aide à prendre le contrôle du Clan de la Rivière. Il est dangereux, Griffe de Ronce !

— Mais Griffe de Pierre a menti ! »

Un autre éclair déchira le ciel. La lumière palpitante auréola de son éclat blanc bleuté la silhouette d'un chat sur le rivage, juste en face de l'île. Griffe de Pierre. Au même instant, un craquement assourdissant retentit dans la vallée. La foudre venait de frapper le faîte d'un arbre de l'île, qui s'illumina un instant. L'arbre ploya, puis gagna de la vitesse à mesure qu'il tombait. Griffe de Pierre voulut s'enfuir. Mais c'était trop tard. Son cri terrifié mourut lorsque l'arbre s'abattit sur la rive ; ses branches claquaient comme des ossements.

Griffe de Ronce avança tant bien que mal dans le marais jusqu'à la terre ferme. L'orage s'éloigna aussitôt, à croire qu'il avait atteint son but en détruisant cet arbre ; l'éclair suivant apparut au-dessus des collines, et le tonnerre résonna plus loin. L'averse se mua en pluie fine, et des trouées se firent entre les nuages, laissant quelques rayons de lune filtrer jusqu'au lac.

Grâce à cette faible lumière, Griffe de Ronce vit que d'autres félins s'attroupaient sur la berge, dont Étoile de Feu, Moustache et son lieutenant, Patte Cendrée. Le chef du Clan du Vent semblait épuisé ; il avait une profonde entaille à l'épaule et saignait. Son regard vide prouvait à quel point la trahison l'avait atteint.

Griffe de Ronce rejoignit son meneur et les guerriers du Clan du Vent. Ensemble, ils approchèrent de l'arbre. Le jeune guerrier se figea en apercevant le mouvement des branches. Il se prépara à bondir, prêt à se battre à mort si Griffe de Pierre était toujours en vie. Lorsque les rameaux s'écartèrent, un matou tacheté en sortit à reculons, ses pattes arrière grattant la terre pour trouver une prise dans les graviers. Griffe de Ronce cligna les yeux. C'était Plume de Faucon. Son demi-frère tirait Griffe de Pierre par la peau du cou. La tête de l'ancien lieutenant pendait selon un drôle d'angle et ses membres traînaient, inertes, sur le sol.

Plume de Faucon l'amena devant Moustache et laissa le corps retomber aux pattes du chef.

« L'arbre l'a écrasé, glapit-il. Ton autorité n'est plus menacée. »

Moustache se pencha pour renifler son ancien lieutenant.

« Le Clan le pleurera, murmura-t-il. C'était un valeureux guerrier, jadis.

— Il t'a trahi ! feula Patte Cendrée.

— Tout comme toi ! ajouta Moustache en se tournant vers Plume de Faucon. Tu l'as aidé. »

Il sortit les griffes, prêt à bondir sur le guerrier massif.

Plume de Faucon baissa la tête. L'estomac de Griffe de Ronce se noua. Qu'allait faire Moustache pour se venger ?

« Je le reconnais, déclara Plume de Faucon. Et je te demande pardon. Je pensais sincèrement que Griffe de Pierre était le chef légitime du Clan du Vent. Voilà pourquoi, à sa demande, j'ai amené des guerriers des Clans de la Rivière et de l'Ombre pour le soutenir. Mais à travers cet arbre foudroyé qui a tué Griffe de Pierre, le Clan des Étoiles nous a envoyé un signe on ne peut plus clair. Moustache, tu es le véritable chef du Clan du Vent, choisi par les guerriers de jadis. Fais de moi ce que tu veux. »

Moustache coula un regard vers Étoile de Feu. Le chef du Clan du Tonnerre se contenta d'agiter les oreilles, lui signifiant ainsi que le Clan du Vent devait régler seul ce problème. Pendant ce temps, Patte Cendrée alla inspecter les branches de l'arbre couché.

« Plume de Faucon a raison, Moustache, dit-elle. Tu ne pouvais espérer de signe plus clair. Il n'y a plus aucun doute à présent : tu es bien celui que nos ancêtres ont choisi pour mener le Clan du Vent. »

Moustache leva la tête, le regard soudain plus lumineux.

« Alors ce sera un honneur d'accepter mes neuf vies. » Il se tourna vers Plume de Faucon avant de poursuivre : « Je ne peux te reprocher, ni à toi ni à ceux qui ont soutenu Griffe de Pierre, d'avoir douté de moi. Je n'étais moi-même sûr de rien. Je te pardonne, à toi et à tous les autres. »

Plume de Faucon le remercia d'un hochement de tête. Griffe de Ronce vint se placer à son côté et se frotta à sa fourrure trempée.

« Je ne t'ai pas encore remercié de m'avoir sauvé la vie », murmura-t-il.

Son demi-frère lui adressa un coup d'œil chaleureux avant de répondre :

« J'aurai au moins accompli une chose ce soir qui ne me fera pas honte. »

Griffe de Ronce lui posa le bout de la queue sur l'épaule.

« Tu pensais suivre le code du guerrier en aidant Griffe de Pierre. Tu n'as pas à avoir honte. »

D'autres félins apparurent sur la rive, dont Pelage de Poussière et Poil de Fougère, Patte de Brume et Oreille Balafrée. Ils se rassemblèrent en demi-cercle autour des chefs et du corps de Griffe de Pierre.

« Regardez ça ! s'écria soudain Poil de Fougère, avant de bondir sur le tronc d'arbre pour faire quelques pas.

— On dirait un pont de Bipèdes ! » s'exclama Patte de Brume.

Poil de Fougère rebroussa chemin et sauta sur les graviers dans un frémissement de branches.

« Nous pourrons nous servir de cet arbre pour rejoindre l'île, miaula-t-il. Le tronc est assez large, la traversée sera sans danger. Nous pourrons y venir pour les Assemblées, finalement ! »

Griffe de Ronce soupira, le cœur léger. Le dernier problème lié à leur nouveau territoire venait d'être résolu. Grâce à Feuille de Lune, ils pouvaient dorénavant gagner la Source de Lune pour partager les rêves du Clan des Étoiles, et l'île leur fournirait un endroit de réunion sûr, qui appartiendrait à tous les Clans, et à aucun en particulier.

D'instinct, il chercha Poil d'Écureuil du regard. Elle se tenait près de Pelage de Poussière. Il se dirigea vers elle, bien décidé à la convaincre que Plume de Faucon avait dit la vérité. Mais lorsqu'elle l'aperçut, elle plissa les yeux, se détourna délibérément et se mit à trotter sur la berge.

Il la regarda s'éloigner sans bouger. La rouquine ne voulait manifestement plus rien avoir à faire avec lui. Il devinait pourquoi : elle avait dû le voir se frotter à son frère et le remercier. Il se sentait impuissant à lui faire entendre raison. Pourquoi devait-elle toujours penser le pire de Plume de Faucon ?

Le rêve où il avait rencontré Étoile du Tigre et Plume de Faucon lui revint tout à coup. Que cela plaise ou non à Poil d'Écureuil, ils étaient de la même famille, tous les trois. Si lui-même n'avait pas hérité du mauvais sang de son père, pourquoi ne pouvait-il en être de même pour Plume de Faucon ?

Griffe de Ronce aurait tant aimé fêter la victoire avec elle ! Mais il savait que, tant qu'elle ne verrait en lui et son demi-frère que l'image d'Étoile du Tigre, leur histoire n'aurait pas d'avenir. Il la regarda longer le lac et attendit qu'elle ait disparu parmi les ombres pour prendre à son tour le chemin du camp.

Du même auteur :

# SURVIVANTS

## LUCKY ET SA MEUTE TENTENT DE SURVIVRE DANS UN MONDE SANS HUMAINS.

Livre 1

Livre 2

Livre 3

Livre 4

*Ouvrage composé par*
PCA - 44400 Rezé


*Imprimé en France par* CPI
en juillet 2017
N° d'impression : 3023683


Dépôt légal : mars 2014
Suite du premier tirage : juillet 2017

Pocket Jeunesse, une marque d'Univers Poche,
est un éditeur qui s'engage pour
la préservation de son environnement
et qui utilise du papier fabriqué à partir
de bois provenant de forêts gérées
de manière responsable.

12, avenue d'Italie - 75627 PARIS Cedex 13